中华人民共和国水利部

水利工程概算补充定额

(水文设施工程专项)

黄 河 水 利 出 版 社

图书在版编目(CIP)数据

水利工程概算补充定额:水文设施工程专项/黄河水文勘测设计院主编.—郑州:黄河水利出版社,2006.6
中华人民共和国水利部批准发布
ISBN 7-80734-048-7

Ⅰ.水… Ⅱ.黄… Ⅲ.水利工程-概算定额-中国
Ⅳ.TV512

中国版本图书馆 CIP 数据核字(2006)第 048619 号

出 版 社:黄河水利出版社
地址:河南省郑州市金水路 11 号　　邮政编码:450003
发行单位:黄河水利出版社
发行部电话:0371-66026940　　传真:0371-66022620
E-mail:yrcp@public.zz.ha.cn
承印单位:河南省瑞光印务股份有限公司
开本:850 mm×1 168 mm　1/32
印张:7.625
字数:188 千字　　印数:1—3 100
版次:2006 年 6 月第 1 版　　印次:2006 年 6 月第 1 次印刷

书号:ISBN 7-80734-048-7/TV·427　　定价:58.00 元

水 利 部 文 件

水总[2006]140号

关于发布《水利工程概算补充定额(水文设施工程专项)》(试行)的通知

各流域机构,省、自治区、直辖市水利(水务)厅(局),各计划单列市水利(水务)局,新疆生产建设兵团水利局,各有关单位:

2002年,我部颁布了适用于大型水利项目的《水利建筑工程预算定额》、《水利建筑工程概算定额》、《水利工程施工机械台时费定额》及《水利工程设计概(估)算编制规定》。近年来,水文事业快速发展,政府加大了水文基础设施的投入,并纳入水利基本建设管理。为了规范水文设施工程概(估)算文件编制,合理确定水文设施工程投资,我部组织编制了《水利工程概算补充定额(水文设施工程专项)》,作为上述定额的补充,一并使用。经审查批准,现予以发布,自发布之日起试行。

在试行过程中如有问题请及时函告水利部水利建设经济定额站和水文局。

附件:《水利工程概算补充定额(水文设施工程专项)》。

中华人民共和国水利部

二〇〇六年四月十三日

主题词:水利工程　定额　通知

水利部办公厅　　　　　　2006 年 4 月 17 日印发

主 持 单 位	水利部水文局
主 编 单 位	黄河水文勘测设计院
主　　　编	刘雅鸣　邓　坚
副　主　编	蔡建元　牛玉国　王　俊　张红月　张　松
执 行 主 编	张文胜　张遂业
执行副主编	朱传保　郑宝旺　王雄世　冯相明　吴　鸿
编 写 人 员	陈显维　田水利　王　辉　魏广修　蒋　蓉　蒋兆宏　鲁孝轩　赵学民　樊东方　牛海静　左　超　王雪峰　曹春燕　孙发亮　李永鑫　李　静　李金晶　袁秀中　于咏梅　李　松　卢满生　王玉华　董　健　郭继民　陈晓敏　蒋昕晖　高云明　颜恩祝　王天友　张桂云　朱文杰　陈　涛　李纪尧　张小军　鲁承阳　董金荣　秦　月　李德贵　田中岳
咨 询 专 家	宋崇丽　席锡纯　吕佩富　王开祥

目　录

总　　则

一、由于水文设施工程涉及的专业较多，具有自身的特殊性和复杂性，部颁现行水利工程系列定额难以全部涵盖和满足水文设施工程的需要，特编制本补充定额，与水利部 2002 年颁发的水利工程系列定额配套使用，作为编制水文设施设计概算的依据，也是编制标底的指导性标准。

二、本补充定额适用于中央水文设施工程项目和中央参与投资的地方水文设施工程项目。地方投资的水文设施工程项目可参照本补充定额执行。

三、水文设施工程概算应按编制年的政策及价格水平进行编制。若工程开工年份的设计方案及价格水平与初步设计概算有明显变化时，则其初步设计概算应重编报批。

四、本补充定额由水利部负责管理和解释。

第一篇　水文设施工程概算编制办法

第一章　概算组成与概算编制依据

第一节　概算组成

1. 水文设施工程概算由四部分组成，具体划分如下：

水文设施工程概算：
- 建筑工程
- 仪器设备及安装工程
- 施工临时工程
- 独立费用

2. 工程各部分下设一级、二级、三级项目。

第二节　概算文件编制依据

1. 国家及省、自治区、直辖市颁发的有关法令法规、制度、规程。

2.《水文基础设施建设及技术装备标准》(SL276—2002)。

3.《水利工程设计概(估)算编制规定》和《水文设施工程概算编制办法》。

4.《水利建筑工程概算定额》、《水利水电设备安装工程概算定额》、《水利工程施工机械台时费定额》和有关行业主管部门颁发的定额。

5.《水文设施建筑工程概算定额》、《水文仪器设备安装工程概算定额》、《水文设施工程施工机械台时费定额》。

6. 水利工程设计工程量计算规则。

7. 水文设施工程初步设计文件及图纸。

8. 有关合同协议及资金筹措方案。

9. 其他。

第二章　概算文件组成内容

第一节　概算正件内容

一、编制说明

1.工程概况

流域,河系,建设地点,对外交通条件,工程规模,建筑安装工程量,材料用量,工期,资金来源等。

2.投资主要指标

工程总投资和静态总投资,年度价格指数,基本预备费率等。

3.编制原则和依据

(1)概算编制原则和依据。

(2)人工预算单价,主要材料,施工用电、水、风等基础单价的计算依据。

(3)主要仪器设备价格的编制依据。

(4)费用计算标准及依据。

(5)工程资金筹措方案。

4.概算编制中其他应说明的问题

5.工程概算总表

二、工程概算表

1.概算表

(1)总概算表

(2)建筑工程概算表

(3)仪器设备及安装工程概算表

(4)施工临时工程概算表

(5)独立费用概算表

(6)分年度投资表

2.概算附表

(1)建筑工程单价汇总表

(2)安装工程单价汇总表

(3)主要材料预算价格汇总表

(4)次要材料预算价格汇总表

(5)施工机械台时费汇总表

(6)主要工程量汇总表

(7)主要材料量汇总表

(8)工时数量汇总表

(9)建设及施工场地征用数量汇总表

第二节　概算附件内容

1.人工预算单价计算表

2.主要材料运输费用计算表

3.主要材料预算价格计算表

4.施工用电价格计算书

5.施工用水价格计算书

6.施工用风价格计算书

7.混凝土材料单价计算表

8.建筑工程单价表

9.安装工程单价表

10.主要仪器设备运杂费率计算书

11.临时房屋建筑工程投资计算书

12.独立费用计算书(按独立项目分项计算)

13.价差预备费计算表

14.计算人工、材料、仪器设备预算价格和费用依据的有关文件、询价报价资料及其他

第三章　项目组成

一、建筑工程(第一部分)

指水文设施建筑物。包括测验河段基础设施工程、水位观测设施工程、流量与泥沙测验设施工程、降水与蒸发观测设施工程、水环境监测设施工程、实时水文图像监控设施工程、生产生活用房工程、供电供水与通信设施工程及其他设施工程等。

(1)测验河段基础设施工程包括断面标志、水准点、断面界桩、保护标志牌、测验码头、观测道路、护岸、护坡工程等。

(2)水位观测设施工程包括水尺、水位自记平台、仪器室、地下水监测井等。

(3)流量与泥沙测验设施工程包括水文测验缆道、浮标投掷器基础、缆道机房、浮标房、测流堰槽、水文测桥、流速仪检定槽、泥沙处理分析平台等。

(4)降水与蒸发观测设施工程包括降水观测场和蒸发观测场。

(5)水环境监测设施工程包括监测断面、自动监测站及水化分析设施等。

(6)实时水文图像监控设施工程主要指监控设备支架及支架基础。

(7)生产生活用房工程包括巡测基地、水情(分)中心、水文数据(分)中心、水环境监测(分)中心和水文测站的办公室、水位观测房、泥沙处理室、水质分析室、水情报汛室、水情值班室、职工宿舍、食堂、车库、仓库等。

(8)供电、给排水、取暖与通信设施工程:

供电设施工程包括供电线路、配电室等；

给排水设施工程包括水井、水塔(池)、供水管道以及排水管道或排水沟渠等；

取暖设施工程指在符合国家规定取暖地区的驻测站、巡测基地等应建的取暖设施，包括供暖用房、供暖管道等；

通信设施工程指为满足水情中心、分中心和水文测站水情信息传输需要应建的通信设施，包括专用电话线路、通信塔基础及防雷接地沟槽等。

(9)其他设施工程包括测站标志、围墙、大门、道路、站院硬化绿化以及消防、防盗设施等。

二、仪器设备及安装工程(第二部分)

指构成水文设施工程固定资产的全部仪器设备及安装工程。包括各种水文信息采集传输和处理仪器设备、实时水文图像监控设备、测绘仪器以及其他设备的购置和安装调试工程等。

(1)水位信息采集仪器设备及安装工程。包括超声波水位计、气泡式水位计、压力式水位计、浮子式水位计、电子水尺等水位计的购置及安装调试工程。

(2)流量、泥沙信息采集仪器设备及安装工程。包括水文测验缆道设备(缆道支架、缆索、水文绞车、测验控制系统、吊箱、铅鱼、浮标投掷器等)的安装调试，水文巡测设备、水文测船，以及流量、泥沙信息采集、处理、分析仪器和防雷接地设备等仪器设备的购置及安装调试工程。

(3)降水、蒸发等气象信息采集仪器设备及安装工程。包括蒸发皿、蒸发器、遥测蒸发器、雨量器、雨量计、雨(雪)量遥测采集系统等仪器设备的购置及安装调试工程。

(4)水环境监测分析仪器设备及安装工程。包括水质监测分析仪器设备、水质自动监测站仪器设备、水质移动监测分析车仪器设备等的购置和安装调试工程。

(5)实时水文图像监控设备及安装工程。包括视频捕获单元设备、视频信号传输单元设备、视频编码单元设备、云台控制设备等的购置和安装调试工程。

(6)通信与水文信息传输设备及安装工程。包括计算机及其外围设备、程控电话、卫星传输设备、无线对讲机(基地台)、电台、中继站、网络通信设备、GSM终端、数据采集终端RTU、防雷接地设备等的购置和安装调试。

(7)其他设备及安装工程。包括供水供电设备、降温取暖设备、交通及安全设备等的购置及安装调试。

三、施工临时工程(第三部分)

指为辅助主体工程施工所必须修建的生产和生活用临时性工程。其组成内容如下:

(1)施工围堰工程。指为水尺基础、水位计台基础、测验断面整治、测验码头等水下施工而修建的临时工程。

(2)施工交通工程。指施工现场内为工程建设服务的临时交通工程,包括施工道路、简易码头等。

(3)施工房屋建筑工程。指工程在建设过程中建造的临时房屋,包括施工仓库及施工单位住房等。

(4)其他施工临时工程。主要包括施工给排水、场外供电、施工通信、水文缆道、跨越架架设等工程。

四、独立费用(第四部分)

本部分由建设管理费、生产准备费、工程勘察设计费、建设及施工场地征用费和其他五项组成。

(1)建设管理费。包括项目建设管理费、工程建设监理费。

(2)生产准备费。包括生产及管理单位提前进场费、水文比测费、生产职工培训费、管理用具购置费、备品备件购置费和工器具及生产家具购置费。

(3)工程勘察设计费。包括现场勘察费和设计费。

(4)建设及施工场地征用费。包括永久和临时征地所发生的费用。

(5)其他。包括工程质量监督费、工程保险费、环境影响评价费。

第四章　项目划分

第一节　简　　述

水文设施工程概算项目分为建筑工程、仪器设备及安装工程、施工临时工程及独立费用四部分,各部分下设一、二、三级项目。

第二、三级项目中,仅列示了代表性子目,编制概算时,二、三级项目可根据《水文水资源工程初步设计报告编制暂行规定》(水利部水文计[2004]94号)的工作深度要求和工程情况增减,现以三级项目为例作划分说明:

(1)土方开挖工程,应将土方开挖与砂砾石、淤泥开挖分列;

(2)石方开挖工程,应将明挖石方、平洞、斜洞、竖井分列;

(3)土石方回填工程,应将土方回填与石方回填分列;

(4)混凝土工程,应将不同部位、不同强度等级、不同级配的混凝土分列;

(5)模板工程,应将不同类型的模板分列;

(6)砌筑工程,应将干砌石、浆砌石、抛石、砌砖分列;

(7)钻孔工程,应将使用不同钻孔机械及不同用途的钻孔分列;

(8)水文缆道支架工程,应将不同重量(高度)和材料的支架分列;

(9)水文缆道缆索架设工程,应将不同跨度和钢丝绳直径的缆道分列;

(10)仪器设备及安装工程,应根据设计提供的水文仪器设备清单，按分项要求逐一列出。

第二节　项目内容划分

第一部分　建筑工程

序号	一级项目	二级项目	三级项目	技术经济指标
一	测验河段基础设施工程			
1		断面标志工程		
(1)			断面桩(断面界桩)	
			土方开挖	元/m^3
			石方开挖	元/m^3
			土石方回填	元/m^3
			模板	元/m^2
			混凝土	元/m^3
			钢构件	元/t
(2)			断面标(基线标)	
			土方开挖	元/m^3
			石方开挖	元/m^3
			土石方回填	元/m^3
			模板	元/m^2
			混凝土	元/m^3
			铁塔	元/t
			钢管	元/t
			钢筋混凝土杆	元/根
			标志牌	元/m^2

续表

序号	一级项目	二级项目	三级项目	技术经济指标
2		水准点工程		
			土方开挖	元/m^3
			石方开挖	元/m^3
			土石方回填	元/m^3
			模板	元/m^2
			混凝土	元/m^3
			钢管	元/t
			砌砖	元/m^3
			钢筋混凝土盖板	元/m^3
			钢筋	元/t
			金属标志点(铜)	元/个
3		断面设施保护标志牌工程		
			土方开挖	元/m^3
			石方开挖	元/m^3
			土石方回填	元/m^3
			模板	元/m^2
			混凝土	元/m^3
			大理石板(或金属牌)	元/m^2
			砌砖	元/m^3
			砌石	元/m^3
			外贴墙砖	元/m^2

续表

序号	一级项目	二级项目	三级项目	技术经济指标
4		测验码头工程		
			土方开挖	元/m^3
			石方开挖	元/m^3
			土石方回填	元/m^3
			灌注桩	元/m
			浆砌石	元/m^3
			抛石	元/m^3
			反滤层	元/m^3
			土工布	元/m^2
			混凝土	元/m^3
			钢筋	元/t
			模板	元/m^2
			排水管	元/m
			砌石台阶路	元/m^3
			沉降缝	元/m^2
			锚桩	元/t
			防撞条	元/m
			安全护栏	元/m^2
5		观测道路工程		
			土方开挖	元/m^3
			石方开挖	元/m^3
			土石方回填	元/m^3
			碎石路基	元/m^2

续表

序号	一级项目	二级项目	三级项目	技术经济指标
			三七灰土	元/m^3
			混凝土	元/m^3
			模板	元/m^2
			路面	元/m^2
			砌石台阶路	元/m^3
			安全护栏	元/m^2
			沉降缝	元/m^2
6		护坡、护岸工程		
			土方开挖	元/m^3
			石方开挖	元/m^3
			土石方回填	元/m^3
			干砌块石	元/m^3
			浆砌块石	元/m^3
			抛石	元/m^3
			反滤层	元/m^3
			土工布	元/m^2
			混凝土	元/m^3
			钢筋	元/t
			模板	元/m^2
			排水管	元/m
			沉降缝	元/m^2

续表

序号	一级项目	二级项目	三级项目	技术经济指标
二	水位观测设施工程			
1		水尺桩及水尺桩基础工程		
			土方开挖	元/m^3
			石方开挖	元/m^3
			土石方回填	元/m^3
			模板	元/m^2
			混凝土	元/m^3
			钢筋	元/t
			灌注桩	元/m
			金属水尺桩	元/t
			钢筋混凝土水尺桩	元/m^3
			水尺板(搪瓷或铝板)	元/根
2		水位自记平台工程		
(1)			岸(岛)式水位计台	
			土方开挖	元/m^3
			石方开挖	元/m^3
			土石方回填	元/m^3
			模板	元/m^2
			混凝土	元/m^3
			钢筋	元/t
			灌注桩	元/m

续表

序号	一级项目	二级项目	三级项目	技术经济指标
			浆砌块石	元/m^3
			砌砖	元/m^3
			贴外墙砖	元/m^2
			砂浆抹面	元/m^2
			平台栏杆	元/m
			仪器室	元/m^2
			钢支架	元/t
			PVC 管或钢管	元/m
(2)			移动式水位计台	
			土方开挖	元/m^3
			石方开挖	元/m^3
			土石方回填	元/m^3
			模板	元/m^2
			混凝土	元/m^3
			钢筋	元/t
			灌注桩	元/m
			滑动钢轨	元/t
3		地下水监测井工程		
			凿井	元/m
			仪器平台	元/m^2
			仪器室	元/m^2

续表

序号	一级项目	二级项目	三级项目	技术经济指标
三	流量、泥沙测验设施工程			
1		水文测验缆道(含铅鱼、吊箱、吊船、浮标)工程		
(1)			缆道支架及锚碇基础	
			土方开挖	元/m^3
			石方开挖	元/m^3
			土石方回填	元/m^3
			混凝土	元/m^3
			钢筋	元/t
			模板	元/m^2
			灌注桩	元/m
			锚杆	元/根
(2)			缆道机房及控制室	
			缆道机房	元/m^2
			缆道控制室	元/m^2
			浮标房	元/m^2
2		测流堰槽工程		
			土方开挖	元/m^3
			石方开挖	元/m^3
			土石方回填	元/m^3
			模板	元/m^2
			混凝土	元/m^3
			钢筋	元/t
			浆砌块石	元/m^3

续表

序号	一级项目	二级项目	三级项目	技术经济指标
3		水文测桥工程		
(1)			钢筋混凝土结构测桥	
			土方开挖	元/m^3
			石方开挖	元/m^3
			土石方回填	元/m^3
			灌注桩	元/m
			混凝土	元/m^3
			钢筋	元/t
			模板	元/m^2
			浆砌石	元/m^3
			砌砖	元/m^3
			金属栏杆	元/m
			石栏杆	元/m
(2)			钢结构测桥	
			土方开挖	元/m^3
			石方开挖	元/m^3
			土石方回填	元/m^3
			混凝土	元/m^3
			灌注桩	元/m
			钢筋	元/t
			模板	元/m^2
			浆砌石	元/m^3
			砌砖	元/m^3
			型钢	元/t
			金属栏杆	元/m

续表

序号	一级项目	二级项目	三级项目	技术经济指标
4		天平台及分析工作台工程		
			土方开挖	元/m^3
			土方回填	元/m^3
			砌砖	元/m^3
			陶质釉面外墙砖	元/m^2
			混凝土台板	元/m^3
			大理石板	元/m^2
四	降水、蒸发观测设施工程			
1		降水、蒸发量观测场工程		
			土方开挖	元/m^3
			石方开挖	元/m^3
			土石方回填	元/m^3
			混凝土	元/m^3
			钢筋	元/t
			模板	元/m^2
			砌砖	元/m^3
			陶质釉面外墙砖	元/m^2
			栅栏	元/m
2		杆式雨量场工程		
			土方开挖	元/m^3
			石方开挖	元/m^3
			土石方回填	元/m^3
			混凝土	元/m^3

续表

序号	一级项目	二级项目	三级项目	技术经济指标
			钢筋	元/t
			模板	元/m^2
			钢爬梯	元/t
			栅栏	元/m
五	水环境监测设施工程			
1		自动监测站工程		
			土方开挖	元/m^3
			石方开挖	元/m^3
			土石方回填	元/m^3
			循环水管敷设	元/m
			砌砖	元/m^3
			混凝土	元/m^3
			钢筋	元/t
			模板	元/m^2
			钢结构仪器支架	元/t
			仪器室	元/m^2
			浆砌石	元/m^3
2		仪器平台及工作平台工程		
			土方开挖	元/m^3
			土方回填	元/m^3
			砌砖	元/m^3
			陶质釉面外墙砖	元/m^2
			混凝土台板	元/m^3
			大理石板	元/m^2

续表

序号	一级项目	二级项目	三级项目	技术经济指标
六	实时水文图像监控设施工程			
		监控设备支架工程		
			土方开挖	元/m^3
			石方开挖	元/m^3
			土石方回填	元/m^3
			混凝土	元/m^3
			钢筋	元/t
			模板	元/m^2
			灌注桩	元/m
			钢结构支架	元/t
			水泥杆	元/根
七	生产生活用房工程			
1		生产用房工程		
			办公室	元/m^2
			水位观测房	元/m^2
			泥沙处理室	元/m^2
			水情报汛机房	元/m^2
			水情会商室	元/m^2
			水情值班室	元/m^2
			水质分析室	元/m^2
			泥沙颗分室	元/m^2
			发电机房	元/m^2
			仓库	元/m^2
			车库	元/m^2

续表

序号	一级项目	二级项目	三级项目	技术经济指标
2		生活用房工程		
			职工宿舍	元/m^2
			文体活动室	元/m^2
			食堂	元/m^2
			卫生间	元/m^2
八	供电、给排水、取暖、通信设施工程			
1		供电设施工程		
			10kV 及以上输电线架设	元/km
			380V 供电线架设	元/km
			220V 供电线架设	元/km
			配电室	元/m^2
2		给排水设施工程		
(1)			给水设施	
			打井	元/m
			水塔	元/m^3
			土方开挖	元/m^3
			石方开挖	元/m^3
			土石方回填	元/m^3
			混凝土	元/m^3
			钢筋	元/t
			模板	元/m^2
			给水管道	元/m
			砌砖	元/m^3

续表

序号	一级项目	二级项目	三级项目	技术经济指标
(2)			排水设施	
			土方开挖	元/m^3
			石方开挖	元/m^3
			土石方回填	元/m^3
			排水管道	元/m
			混凝土	元/m^3
			砌砖	元/m^3
			浆砌石	元/m^3
3		取暖设施工程		
			土方开挖	元/m^3
			石方开挖	元/m^3
			土石方回填	元/m^3
			供暖管道	元/m
			混凝土	元/m^3
			砌砖	元/m^3
			锅炉房	元/m^2
4		通信设施工程		
			土方开挖	元/m^3
			石方开挖	元/m^3
			土石方回填	元/m^3
			混凝土	元/m^3
			钢筋	元/t
			模板	元/m^2
			灌注桩	元/m
			通信线路架设	元/km
九	其他设施工程			
1		测站标志工程		
			土方开挖	元/m^3

续表

序号	一级项目	二级项目	三级项目	技术经济指标
			石方开挖	元/m^3
			土石方回填	元/m^3
			混凝土	元/m^3
			钢筋	元/t
			模板	元/m^2
			大理石板	元/m^2
			砌砖	元/m^3
			陶质釉面外墙砖	元/m^2
2		站院及环境工程		
(1)			院内道路	
			土方开挖	元/m^3
			石方开挖	元/m^3
			土石方回填	元/m^3
			三七灰土	元/m^3
			碎石路基	元/m^2
			混凝土	元/m^3
			路面	元/m^2
			路边石	元/m
(2)			门柱及大门	
			土方开挖	元/m^3
			石方开挖	元/m^3
			土石方回填	元/m^3
			砌砖	元/m^3
			混凝土	元/m^3
			钢筋	元/t
			模板	元/m^2
			门柱外装饰	元/m^2
			大门	元/m^2

续表

序号	一级项目	二级项目	三级项目	技术经济指标
(3)			围墙	
			土方开挖	元/m^3
			石方开挖	元/m^3
			土石方回填	元/m^3
			三七灰土	元/m^3
			砌石	元/m^3
			砌砖	元/m^2
			混凝土	元/m^3
			钢筋	元/t
			模板	元/m^2
			贴外墙砖	元/m^2
			栅栏	元/m
(4)			院内硬化、绿化	
			院内整平	元/m^2
			三七灰土	元/m^3
			水泥花砖	元/m^2
			混凝土	元/m^3
			草坪	元/m^2
			植树	元/棵
3		安全设施工程		
			土方开挖	元/m^3
			土方回填	元/m^3
			混凝土	元/m^3
			钢筋	元/t
			模板	元/m^2
			输水管	元/m
			砌砖	元/m^3

第二部分　仪器设备及安装工程

序号	一级项目	二级项目	三级项目	技术经济指标
一	水位信息采集仪器设备及安装工程			
1		水位计及安装工程		
			浮子式水位计	元/套
			压力式水位计	元/套
			气泡式水位计	元/套
			超声波水位计	元/套
			感应式水尺	元/套
			激光水位计	元/套
2		遥测系统		
			电台传输设备	元/套
			GPRS 短信传输设备	元/套
			PSTN 传输设备	元/套
			卫星传输设备	元/套
			数传端机	元/部
			存贮器	元/套
			读写卡	元/套
			RTU	元/套
			计算机	元/台
			太阳能电池板	元/组
			免维护蓄电池	元/块
			充放电保护器	元/台
			电源保护器	元/台
			UPS	元/台

续表

序号	一级项目	二级项目	三级项目	技术经济指标
二	流量、泥沙信息采集仪器设备及安装工程			
1		水文测验缆道(吊箱、吊船、铅鱼、浮标)仪器设备及安装工程		
(1)			缆道支架及安装	
			铁塔	元/t
			钢管	元/t
			混凝土杆	元/根
(2)			缆索、附件及安装	
			缆索	元/kg
			架头支撑轮	元/个
			导向轮	元/个
			滑车组	元/组
			吊箱	元/套
			铅鱼	元/kg
			防振锤	元/个
(3)			水文绞车及安装	
			水平循环绞车	元/台
			垂直升降绞车	元/台
			浮标投放绞车	元/台
			船用绞车	元/台
(4)			测验控制设备及安装	
			全自动缆道控制装置	元/套
			船用测验控制装置	元/套

续表

序号	一级项目	二级项目	三级项目	技术经济指标
			半自动缆道控制装置	元/套
			吊箱升降控制装置	元/套
			浮标投放控制装置	元/套
			缆道测沙控制设备	元/套
2		水文测船及水文巡测车		
			吊船	元/艘
			机船	元/艘
			巡测船	元/艘
			冲锋舟	元/艘
			水文巡测车	元/辆
3		测验仪器设备		
(1)			流速仪	
			旋桨式流速仪	元/架
			旋杯式流速仪	元/架
			电磁流速仪	元/架
(2)			多普勒流速剖面仪	
			走航式	元/套
			固定式	元/套
(3)			电波流速仪	元/套
(4)			流速测算仪	元/台
(5)			流速流向仪	元/架
(6)			海流计	元/台
(7)			超声波测深仪	元/台

续表

序号	一级项目	二级项目	三级项目	技术经济指标
(8)			波浪仪	元/台
(9)			测距定位仪器	
			测距仪	元/台
			GPS	元/套
(10)			计算机测流控制系统	元/套
(11)			测验照明设备	
			探照灯	元/盏
			岸边照明设备	元/套
(12)			冰情观测设备	
			冰钻	元/台
			机动冰钻	元/台
(13)			测沙仪器	
			悬移质泥沙采样器	元/台
			推移质泥沙采样器	元/台
			河床质泥沙采样器	元/台
			振动式测沙仪	元/台
			激光测沙仪	元/套
			红外测沙仪	元/套
(14)			泥沙处理、分析设备	
			机械天平	元/台
			电子天平	元/台
			自动上水设备	元/套
			筛析机	元/台
			烘箱	元/台

续表

序号	一级项目	二级项目	三级项目	技术经济指标
			光电颗粒分析仪	元/台
			激光粒度仪	元/台
			标准筛	元/套
三	降水、蒸发等气象信息采集仪器设备及安装工程			
1		雨量观测仪器		
			雨量器	元/台
			雨量计	元/台
			遥测雨量计	元/套
			存贮器、写卡器	元/套
2		蒸发量观测仪器		
			E601 蒸发器	元/套
			20cm 蒸发皿	元/套
			遥测蒸发器	元/套
3		其他气象观测仪器		
			百叶箱	元/个
			气温计（最低、最高）	元/支
			自记气温计	元/台
			自记水温计	元/台
			风向、风速仪	元/套
4		遥测系统		
			电台传输设备	元/套
			GPRS 短信传输设备	元/套
			PSTN 传输设备	元/套

续表

序号	一级项目	二级项目	三级项目	技术经济指标
四	水环境监测分析仪器设备及安装工程		卫星传输设备	元/套
			数传端机	元/部
			存贮器	元/套
			读写卡	元/套
			RTU	元/套
			计算机	元/台
			太阳能电池板	元/组
			免维护蓄电池	元/块
			充放电保护器	元/台
			电源保护器	元/台
			UPS	元/台
1		水质监测及分析仪器设备		
			电位滴定仪	元/台
			pH计(酸度计)	元/个
			离子计	元/个
			电导率仪	元/台
			浊度计	元/个
			氟离子计	元/个
			气相色谱质谱仪	元/台
			液相色谱质谱仪	元/台
			等离子发射质谱仪	元/台
			等离子发射光谱仪	元/台
			气相色谱仪	元/台

续表

序号	一级项目	二级项目	三级项目	技术经济指标
			液相色谱仪	元/台
			离子色谱仪	元/台
			原子吸收分光仪	元/台
			自动电位滴定仪	元/台
			紫外/可见分光光度计	元/个
			红外测油仪	元/台
			原子荧光仪	元/台
			测汞仪	元/台
			TOC 测定仪	元/台
			多参数测定仪	元/台
			COD 测定仪	元/台
			BOD 测定仪	元/台
			分光光度计	元/个
			微波消解仪	元/台
			高纯水仪	元/台
			水质采样器	元/台
			溶解氧(DO)测定仪	元/台
			色度仪	元/台
			总有机碳测定仪	元/台
			显微镜	元/台
			蒸馏器	元/台
			电热恒温水浴锅	元/台
			冷藏柜	元/台
			冰箱	元/台

续表

序号	一级项目	二级项目	三级项目	技术经济指标
			冰柜	元/台
			离心机	元/台
			试剂柜	元/台
			低速离心机	元/台
			高速冷冻离心机	元/台
			低温样品柜	元/台
			小功率稳压电源	元/台
			大功率稳压电源	元/台
			电动振荡器	元/台
			电热器	元/台
			电热压力蒸汽消毒器	元/台
			超净工作台	元/台
			空气压缩机	元/台
			磁力搅拌器	元/台
			离子交换器	元/台
			无菌操作箱	元/个
			恒温培养箱	元/个
			光照培养箱	元/个
			干燥箱	元/个
			高压灭菌锅	元/个
			便携式快速细菌检验箱	元/个
			叶绿素测定仪	元/台
			生物毒性分析仪	元/台
			便携式射线检测仪	元/台

续表

序号	一级项目	二级项目	三级项目	技术经济指标
2		水质自动监测站仪器设备		
			多参数自动监测系统	元/套
			COD 自动测定仪	元/台
			氨氮自动测定仪	元/台
			总磷自动测定仪	元/台
			总氮自动测定仪	元/台
			TOC 自动测定仪	元/台
3		水质移动监测分析车仪器设备		
			COD 快速测定仪	元/台
			便携式分光光度计	元/台
			便携式原子吸收分光仪	元/台
			便携式多参数测定仪	元/台
			便携式溶解氧快速测定仪	元/台
			车载样品保存箱	元/个
五	实时水文图像监控设备及安装工程			
			摄像机	元/部
			视频编码器	元/套
			视频信号传输设备	元/套
			视频服务器	元/台
			云台及控制设备	元/套

续表

序号	一级项目	二级项目	三级项目	技术经济指标
			远程视频监视终端机	元/套
			其他辅助设备	元/套
六	测绘仪器			
1		测量仪器		
			全站仪	元/台
			经纬仪	元/架
			水准仪	元/架
			水准尺	元/支
			测距仪	元/架
			六分仪	元/架
			平板仪	元/台
2		绘图仪器		
			绘图仪	元/台
			晒图仪	元/台
			工程复印机	元/台
			工程扫描仪	元/台
			投影仪	元/台
七	通信与水文信息传输设备及安装工程			
1		电话		
			程控电话	元/部
			移动电话	元/部
2		电台		
			无线对讲机	元/部

续表

序号	一级项目	二级项目	三级项目	技术经济指标
			短波电台	元/台
			超短波电台	元/台
			数(汉)传仪	元/台
			稳压电源	元/台
			免维护蓄电池	元/块
3		网络通信设备及安装工程		
			交换机	元/台
			网络服务器	元/台
			集线器	元/台
			调制解调器	元/套
			路由器	元/台
			收发器	元/台
			中继器	元/台
			适配器	元/台
4		卫星通信设备		
			卫星小站	元/套
八	测验交通工具			
1		车辆		
			汽车	元/辆
			摩托车	元/辆
2		船只		
			交通船	元/艘
九	供电、供水设备及安装工程			

续表

序号	一级项目	二级项目	三级项目	技术经济指标
1		变电设备及安装工程		
			变压器	元/台
			配电箱	元/只
			配电柜	元/个
			其他组件	元/套
2		自备电源及安装工程		
			汽油发电机	元/台
			柴油发电机	元/台
			启动电瓶	元/组
			充电器	元/台
3		供水设备及安装工程		
			水泵	元/台
			水管	元/m
			无塔供水设备	元/套
十	其他设备			
1		取暖降温设备及安装工程		
			锅炉	元/台
			空调	元/台
2		安全设备		
			救生设备	元/套
			消防设备	元/个
			防盗设备	元/套

注:表中含有不需要安装的仪器,如测量仪器等。

第三部分 施工临时工程

序号	一级项目	二级项目	三级项目	技术经济指标
一	施工围堰工程			
			堰体填筑	元/m^3
			抛石	元/m^3
			砌石	元/m^3
			堰体拆除	元/m^3
二	施工交通工程			
1		道路工程		元/km
2		起重码头工程		元/座
三	施工房屋建筑工程			
1		施工仓库		元/m^2
2		施工住房		元/m^2
四	其他施工临时工程			

第四部分 独立费用

序号	一级项目	二级项目	三级项目	技术经济指标
一	建设管理费			
1		项目建设管理费		
			建设单位开办费	
			建设单位经常费	
2		工程建设监理费		

续表

序号	一级项目	二级项目	三级项目	技术经济指标
二	生产准备费			
1		生产及管理单位提前进场费		
2		水文比测费		
3		生产职工培训费		
4		管理用具购置费		
5		备品备件购置费		
6		工器具及生产家具购置费		
三	工程勘察设计费			
四	建设及施工场地征用费			
五	其他			
1		工程质量监督费		
2		工程保险费		
3		环境影响评价费		

第五章　费用构成

第一节　概　　述

水文设施工程费用组成内容如下：

建设项目费用
- 工程费
  - 建筑及安装工程费
  - 仪器设备费
- 独立费用
- 预备费

一、建筑及安装工程费

由直接工程费、间接费、企业利润和税金组成。

1. 直接工程费

(1)直接费

(2)其他直接费

(3)现场经费

2. 间接费

(1)企业管理费

(2)财务费用

(3)其他费用

3. 企业利润

4. 税金

(1)营业税

(2)城市维护建设税

(3)教育费附加

二、仪器设备费

由仪器设备原价、运杂费、运输保险费、采购及保管费组成。

1. 仪器设备原价

2. 运杂费

3. 运输保险费

4. 采购及保管费

三、独立费用

由建设管理费、生产准备费、工程勘察设计费、建设及施工场地征用费和其他组成。

1. 建设管理费

(1)建设项目管理费

(2)工程建设监理费

2. 生产准备费

(1)生产及管理单位提前进场费

(2)水文比测费

(3)生产职工培训费

(4)管理用具购置费

(5)备品备件购置费

(6)工器具及生产家具购置费

3. 工程勘察设计费

4. 建设及施工场地征用费

5. 其他

(1)工程质量监督费

(2)工程保险费

(3)环境影响评价费

四、预备费

1. 基本预备费

2. 价差预备费

第二节　建筑及安装工程费

一、直接工程费

指建筑安装工程施工过程中直接消耗在工程项目上的活劳动和物化劳动。由直接费、其他直接费、现场经费组成。

(一)直接费

直接费包括人工费、材料费、施工机械使用费。

1. 人工费

指直接从事建筑安装工程施工的生产工人开支的各项费用，其内容包括：

(1)基本工资。由岗位工资和年功工资以及年应工作天数内非作业天数的工资组成。

①岗位工资。指按照职工所在岗位各项劳动要素测评结果确定的工资。

②年功工资。指按照职工工作年限确定的工资，随工作年限增加而逐年累加。

③生产工人年应工作天数以内非作业天数的工资，包括职工开会学习、培训期间的工资，调动工作、探亲、休假期间的工资，因气候影响的停工工资，女工哺乳期间的工资，病假在6个月以内的工资及产、婚、丧假期的工资。

(2)辅助工资。指在基本工资之外，以其他形式支付给职工的工资性收入，包括：根据国家有关规定属于工资性质的各种津贴，主要包括地区津贴、施工津贴、夜餐津贴、节日加班津贴等。

(3)工资附加费。指按照国家规定提取的职工福利基金、工会经费、养老保险费、医疗保险费、工伤保险费、职工失业保险基金和住房公积金。

2. 材料费

指用于建筑安装工程项目上的消耗性材料、装置性材料和周转性材料摊销费。

材料费包括材料原价、包装费、运杂费、运输保险费和采购及保管费五项。

(1)材料原价。指材料指定交货地点的价格。

(2)包装费。指材料在运输和保管过程中的包装费和包装材料的折旧摊销费。

(3)运杂费。指材料从指定交货地点至工地分仓库或材料堆放场所发生的全部费用。包括运输费、装卸费、调车费及其他杂费。

(4)运输保险费。指材料在运输途中的保险费。

(5)材料采购及保管费。指材料在采购、供应和保管过程中所发生的各项费用。主要包括材料的采购、供应和保管部门工作人员的基本工资、辅助工资、工资附加费、教育经费、办公费、差旅交通费及工具用具使用费;仓库设施的检修费、固定资产折旧费、技术安全措施费和材料检验费;材料在运输、保管过程中发生的损耗等。

3. 施工机械使用费

指消耗在建筑安装工程项目上的机械磨损、维修和动力燃料费用等。包括折旧费、修理及替换设备费、安装拆卸费、机上人工费和动力燃料费等。

(1)折旧费。指施工机械在规定使用年限内回收原值的台时折旧摊销费用。

(2)修理及替换设备费。修理费指施工机械使用过程中,为了使机械保持正常功能而进行修理所需的摊销费用和机械正常运转及日常保养所需的润滑油料、擦拭用品的费用,以及保管机械所需的费用;替换设备费指施工机械正常运转时所耗用的替换设备及随机使用的工具附具等摊销费用。

(3)安装拆卸费。指施工机械进出工地的安装、拆卸、试运转和场内转移及辅助设施的摊销费用。

(4)机上人工费。指施工机械使用时机上操作人员的人工费用。

(5)动力燃料费。指施工机械正常运转时所耗用的风、水、电、油和煤等的费用。

(二)其他直接费

其他直接费包括冬雨季施工增加费、夜间施工增加费、特殊地区施工增加费和其他。

1.冬雨季施工增加费

指在冬雨季施工期间为保证工程质量和安全生产所需增加的费用。包括增加施工工序,增设防雨、保温、排水等设施增耗的动力、燃料、材料以及因人工、机械效率降低而增加的费用。

2.夜间施工增加费

指施工场地和公用施工道路的照明费用。

3.特殊地区施工增加费

指在高海拔和原始森林等特殊地区施工而增加的费用。

4.其他

包括施工工具使用费、检验试验费、工程定位复测、工程点交、竣工场地清理、工程项目及设备仪表移交生产前的维护观察费等。

(三)现场经费

现场经费包括临时设施费和现场管理费。

1. 临时设施费

指施工企业为进行建筑安装工程施工所必需的但又未被划入施工临时工程的临时建筑物、构筑物和各种临时设施的建设、维修、拆除、摊销等费用。供水、供风、场内供电、简易混凝土搅拌系统、施工排水、场地平整、道路养护、夜间照明及其他临时性设施。

2. 现场管理费

(1)现场管理人员的基本工资、辅助工资、工资附加费和劳动保护费。

(2)办公费。指现场办公用的文具、纸张、账表、印刷、邮电、书报、会议、水、电、烧水和集体取暖降温等费用。

(3)差旅交通费。指现场职工因公出差期间的差旅费、误餐补助费,职工探亲路费,劳动力招募费,职工离退休、退职一次性路费,工伤人员就医路费,工地转移费以及现场职工使用的交通工具运行费、养路费及牌照费等。

(4)固定资产使用费。指现场管理使用的属于固定资产的设备、仪器等的折旧、大修理、维修费或租赁费等。

(5)工具用具使用费。指现场管理使用的不属于固定资产的工具、器具、家具、交通工具和检验、试验、测绘、消防用具等的购置、维修和摊销费。

(6)保险费。指施工管理用财产、车辆保险费,高空、洞内、水下、水上作业等特殊工种安全保险费等。

(7)其他费用。

二、间接费

指施工企业为建筑安装工程施工而进行组织与经营管理所发生的各项费用。它构成产品成本,但又不便直接计量。由企业管理费、财务费用和其他费用组成。

(一)企业管理费

指施工企业为组织施工生产经营活动所发生的费用。其内容包括管理人员基本工资、辅助工资、工资附加费、劳动保护费、差旅交通费、办公费、固定资产折旧及修理费、工具用具使用费、职工教育经费、保险费,企业应交纳的房产税、管理用车使用税、印花税以及设计收费标准中未包括的应由施工企业承担的部分施工辅助工程设计费、投标报价费、工程图纸资料费及工程摄影费、技术开发费、业务招待费、公证费、咨询费等其他费用。

(二)财务费用

指施工企业为筹集资金而发生的各项费用,包括企业经营期间发生的短期融资利息净支出、金融机构手续费,企业筹集资金发生的其他财务费用,以及投标和承包工程发生的保函手续费等。

(三)其他费用

指企业定额测定费及施工企业进退场补贴费。

三、企业利润

指按规定应计入建筑安装工程费用中的利润。

四、税金

指国家对施工企业承担建筑、安装工程作业收入所征收的营业税、城市维护建设税和教育费附加。

第三节　仪器设备费

仪器设备费包括仪器设备原价、运杂费、运输保险费和采购及保管费。

一、仪器设备原价

(1)国产仪器设备,其原价指出厂价。

(2)进口仪器设备,以到岸价和进口征收的税金、手续费、商检费及港口费等各项费用之和为原价。

(3)汽(柴)油发电机组及其他大型设备分瓣运至工地后的拼装费用,应包括在设备原价内。

二、运杂费

指仪器设备由厂家运至安装现场所发生的一切运杂费用。包括运输费、调车费、装卸费、包装绑扎费及可能发生的其他杂费。

三、运输保险费

指仪器设备在运输过程中的保险费用。

四、采购及保管费

指建设单位和施工企业在负责仪器设备的采购、保管过程中发生的各项费用。主要包括:

(1)采购保管部门工作人员的基本工资、辅助工资、工资附加费、劳动保护费、教育经费、办公费、差旅交通费、工具用具使用费等。

(2)仓库设施的运行费、维修费、固定资产折旧费、技术安全措施费和仪器设备的检验、试验费等。

第四节　独立费用

独立费用由建设管理费、生产准备费、工程勘察设计费、建设及施工场地征用费和其他五项组成。

一、建设管理费

指建设单位在工程项目筹建和建设期间进行管理工作所需的费用。包括项目建设管理费、工程建设监理费。

1.项目建设管理费

包括建设单位开办费和建设单位经常费。

(1)建设单位开办费。指新组建的工程建设单位,为开展工作所必须购置的办公及生活设施、交通工具以及其他用于开办工作的费用。

(2)建设单位经常费。包括建设单位人员经常费和工程管理经常费。

①建设单位人员经常费。指建设单位从批准组建之日起至完成该工程建设管理任务之日止,需开支的经常费用。主要包括工作人员的基本工资、辅助工资、工资附加费、劳动保护费、教育经费、办公费、差旅交通费、会议费、交通车辆使用费、技术图书资料费、固定资产折旧费、零星固定资产购置费、低值易耗品摊销费、工具用具使用费、修理费、水电费、采暖费、降温费等。

②工程管理经常费。指建设单位从筹建到竣工期间所发生的各种管理费用。包括工程建设过程中所发生的会议和差旅等费用;建设单位为解决工程建设涉及到的技术、经济、法律等问题需要进行咨询所发生的费用;建设单位进行项目管理所发生的土地使用税、房产税、合同公证费、审计费、招标业务费等;工程验收费和由主管部门主持对工程设计审查、对安全进行鉴定的费用以及其他属于工程管理性质开支的费用。

2.工程建设监理费

指在工程建设过程中聘任监理单位,对工程的质量、进度、安全和投资进行监理所发生的全部费用。包括监理单位为保证监理工作正常开展而必须购置的办公及生活设备、检验试验设备以及监理人员的基本工资、辅助工资、工资附加费、劳动保护费、教育经费、办公费、差旅交通费、会议费、技术图书资料费、固定资产折旧费、零星固定资产购置费、低值易耗品摊销费、工具用具使用费、修理费、水电费、采暖费、降温费等。

二、生产准备费

指水文设施建设项目的生产、管理单位为准备正常的生产运行或管理发生的费用。包括生产及管理单位提前进场费、水文比测费、生产职工培训费、管理用具购置费、备品备件购置费和工器具及生产家具购置费。

1.生产及管理单位提前进场费

指新迁或新建的水文测站在工程完工之前,部分生产和管理人员提前进场进行生产筹备工作所需的各项费用。内容包括提前进场人员的基本工资、辅助工资、工资附加费、劳动保护费、教育经费、办公费、差旅交通费、会议费、技术图书资料费、零星固定资产购置费、低值易耗品摊销费、工具用具使用费、修理费、水电费、采暖费、降温费等,以及其他属于生产筹建期间应开支的费用。

2.水文比测费

水文比测是根据现行水文测验规范要求,在新迁断面使用前,为寻求新老断面水位、流量等水文要素的相关关系所必须开展的工作。水文比测费是指比测过程中所需的各项费用。

3.生产职工培训费

指新建的并采用新技术、新仪器设备的水文设施工程,在工程竣工验收之前,生产及管理单位为保证生产、管理工作能顺利进行,需对测验技术人员和管理人员进行培训所发生的费用。内容包括受培训人员基本工资、辅助工资、工资附加费、劳动保护费、差旅交通费、实习费,以及其他属于职工培训应开支的费用。

4. 管理用具购置费

指为保证新建项目的正常生产和管理所必须购置的办公和生活用具等费用。内容包括办公室、会议室、资料档案室、阅览室、文娱室等公用设施需要配置的家具器具。

5. 备品备件购置费

指工程在投产运行初期，由于易损件损耗和可能发生的事故，而必须准备的备品备件和专用材料的购置费。

6. 工器具及生产家具购置费

指按设计规定，为保证初期生产正常运行所必须购置的不属于固定资产标准的生产工具、器具、仪表、生产家具等的购置费。

三、工程勘察设计费

指工程建设各勘察设计阶段所需的费用。

四、建设及施工场地征用费

指根据设计确定的永久、临时工程征地和管理单位用地所发生的征地补偿费用及应缴纳的耕地占用税等。包括征用场地上的林木、作物的赔偿，建筑物迁建及居民迁移费等。

五、其他

1. 工程质量监督费

指为保证工程质量而进行的检测、监督、检查工作等费用。

2. 工程保险费

指工程建设期间，为使工程能在遭受水灾、火灾等自然灾害和意外事故造成损失后得到经济补偿，而对建筑、仪器设备及安装工程保险所发生的保险费用。

3. 环境影响评价费

指按国家有关规定应计取的环境影响评价费。

第五节　预备费

预备费包括基本预备费和价差预备费。

1. 基本预备费

主要为解决在工程施工过程中，经上级批准的设计变更增加的投资及为解决意外事故而采取的措施所增加的工程项目和费用。

2. 价差预备费

主要为解决在工程项目建设过程中，因人工工资、材料和设备价格上涨以及费用标准调整而增加的投资。

第六章　编制方法及计算标准

第一节　基础单价编制

一、人工预算单价

(1)人工预算单价组成内容、计算方法,同《水利工程设计概(估)算编制规定》(以下简称《水利编制规定》)。

(2)人工预算单价计算标准,按照《水利编制规定》中枢纽工程的工资标准计算。

二、材料预算价格

按照《水利编制规定》中有关规定计算。

三、风、水、电预算价格

风的预算价格按照《水利编制规定》中有关规定计算。

水、电预算价格按照施工组织设计或参考工程所在地水、电价计算。

四、施工机械使用费

根据《水利工程施工机械台时费定额》、《水文设施工程施工机械台时费定额》及有关规定计算。

五、砂石料单价

砂、碎石(砾石)、块石、料石预算价格控制在70元/m^3,水泥控制在300元/t,钢筋控制在3000元/t,柴油控制在3500元/t,汽油控制在3600元/t。超过部分计取税金后列入相应部分之后。

六、混凝土材料单价

参照《水利建筑工程概算定额》附录中混凝土材料配合表计算。

第二节　建筑、安装工程单价编制

一、建筑工程单价和安装工程单价

建筑工程单价和安装工程单价组成内容及计算方法同《水利编制规定》。

二、其他直接费

其他直接费组成内容及计算标准同《水利编制规定》。

三、现场经费

现场经费按表6-1费率标准计算。

工程类别划分:

(1)土石方工程:包括土石方开挖和填筑、砌石、抛石工程等;

(2)模板工程:包括现浇各种混凝土时制作及安装的各类模板工程;

(3)混凝土浇筑工程包括现浇和预制各种混凝土、钢筋制作安装、伸缩缝、止水、防水层等;

(4)各类钻孔灌浆及锚固工程:包括灌注桩、打预制桩工程等;
(5)其他工程:指上述工程以外的工程。

表 6-1 水文设施工程现场经费费率表

序号	工程类别	计算基础	现场经费费率(%)		
			合计	临时设施费	现场管理费
一	建筑工程				
1	土石方工程	直接费	10	5	5
2	模板工程	直接费	8	4	4
3	混凝土浇筑工程	直接费	9	5	4
4	钻孔灌浆及锚固工程	直接费	9	4	5
5	其他工程	直接费	7	3	4
二	仪器设备及安装工程	人工费	50	25	25

四、间接费

间接费按表 6-2 费率标准计算。

表 6-2 水文设施工程间接费费率表

序号	工程类别	计算基础	间接费费率(%)
一	建筑工程		
1	土石方工程	直接工程费	9
2	模板工程	直接工程费	6
3	混凝土浇筑工程	直接工程费	5
4	钻孔灌浆工程	直接工程费	7
5	其他工程	直接工程费	7
二	仪器设备及安装工程	人工费	55

五、企业利润

企业利润按直接工程费和间接费之和的 7%计算。

六、税金

税金计算方法及税率标准,同《水利编制规定》。

第三节　分部工程概算编制

第一部分　建筑工程

水文设施建筑工程概算按设计工程量乘以工程单价进行编制。

第二部分　仪器设备及安装工程

仪器设备及安装工程投资由仪器设备费和安装工程费两部分组成。

一、仪器设备费

(1)仪器设备原价。以出厂价或设计单位分析论证后的询价为仪器设备原价。

(2)运杂费。运杂费按表6-3费率标准计算。

表6-3　仪器设备运杂费费率表

类别	适用地区	费率(%)
Ⅰ	北京、天津、上海、江苏、浙江、江西、安徽、湖北、湖南、河南、广东、山西、陕西、山东、河北、辽宁、吉林、黑龙江等省、直辖市	5~7
Ⅱ	甘肃、云南、贵州、广西、四川、重庆、福建、海南、宁夏、内蒙古、青海等省、自治区、直辖市	7~9
Ⅲ	新疆、西藏自治区	9~13

注:工程地点距城镇近者费率取小值,远者取大值。

(3)运输保险费、采购及保管费、运杂综合费计算方法,同《水利编制规定》。

二、安装工程费

安装工程投资按仪器设备数量乘以安装单价进行计算。

第三部分　施工临时工程

(1)施工围堰工程按设计工程量乘以工程单价进行计算;施工交通工程、施工房屋建筑工程一般按扩大指标计算。

(2)其他施工临时工程按一至三部分建安工作量(不包括其他施工临时工程)之和的3.0%~4.0%计算。

第四部分　独立费用

一、建设管理费

(一)项目建设管理费

1.建设单位开办费

对于新建工程,其开办费根据建设单位开办费标准和建设单位定员来确定。对于改扩建工程,原则上不计建设单位开办费。

(1)建设单位开办费标准按每人5.00万元计算。

(2)建设单位(以水文测站为单位)定员标准见表6-4。

表6-4　建设单位定员标准一览表

站类	大河重要控制站	大河一般控制站	区域代表(小河)站	水位(雨量)站
定员人数	3~4人	2~3人	2人	1人

注:站类划分标准见《水文基础设施建设及技术装备标准》;水环境自动监测站、地下水监测站、蒸发站定员标准参照水位(雨量)站。

2.建设单位经常费

(1)建设单位人员经常费。根据建设单位定员、费用指标和经常费用计算期进行计算。其计算公式如下：

建设单位人员经常费＝费用指标(元/(人·年))×定员人数×经常费计算期(年)

编制概算时,建设单位定员人数同建设单位开办费定员标准。

费用指标按每人每年4.00万元计算。

经常费用计算期应根据施工组织设计确定的施工总进度和总工期,建设单位人员从工程开工之日起,至工程竣工之日加三个月止,为经常费用计算期,计算期不足1年者按月计。

(2)工程管理经常费。按建设单位开办费和建设单位人员经常费之和的25%～30%计取。

(二)工程建设监理费

工程建设监理费以工程一至三部分投资合计为基数计取。根据水文设施工程特点,其具体计取方法和标准如下：

500万元以上项目按照国家物价局、建设部价费字[1992]479号文件附表规定标准执行。

500万元以下项目按下列费率计算：

500万～300万元项目,按2.5%～3.0%计取；

300万～100万元项目,按3.0%～4.0%计取；

100万元以下项目,按4.0%计取。

二、生产准备费

1.生产及管理单位提前进场费

按一至三部分建安工作量的0.3%计算。改扩建工程原则上不计此项费用。

2.生产职工培训费

按一至三部分建安工作量的0.4%计算。改扩建工程原则上不计此项费用。

3. 管理用具购置费

按一至三部分建安工作量的0.08%计算。

4. 备品备件购置费

按设备费的0.5%计算。

5. 工器具及生产家具购置费

按设备费的0.14%计算。

6. 水文比测费

水文比测费一般情况按表6-5执行。

表6-5 水文比测费用标准一览表

站类	大河重要控制站	大河一般控制站	区域代表站
费用(万元)	15~20	10~15	6~8

注:特殊情况水文比测费按实际工作量计算。

三、工程勘察设计费

工程勘察设计费根据国家计委、建设部计价格[2002]10号文件发布的《工程勘察设计收费标准》规定,并结合水文设施工程特点,其工程勘察设计收费基价按工程一至三部分投资之和的百分率计算。

200万元以上项目,按10%计取;

200万~100万元项目,按10%~12%计取;

100万元以下项目,按12%~15%计取。

工程各阶段的勘察设计费占勘察设计费总数的百分率为:

初步设计阶段为50%;

招标设计阶段为10%;

施工图设计阶段为40%。

四、建设及施工场地征用费

指设计确定的建设及施工场地范围内的永久征地及临时占地

费用，以及地上附属物的迁建补偿费。包括土地补偿费、安置补助费，青苗、树木等补偿费，以及建筑物迁建和居民迁建费等。具体开支标准按有关规定计算。

五、其他

1.工程质量监督费

按工程一至三部分建安工作量的0.10%计算。

2.工程保险费

按工程一至三部分投资合计的0.45%～0.50%计算。

3.环境影响评价费

按国家发展和改革委员会、国家环境保护总局计价格[2002]125号文件规定执行。

第四节　预备费、静态总投资、总投资

一、预备费

1.基本预备费

根据工程规模、施工年限和地质条件等不同情况，按工程一至四部分投资合计(依据分年度投资表)的百分率计算。

初步设计阶段为5.0%～8.0%。

2.价差预备费

根据施工年限，以分年度投资表的静态投资为计算基数，按照国家发改委发布的年物价指数计算。

计算方法同《水利编制规定》。

二、静态总投资

工程一至四部分投资与基本预备费之和构成静态总投资。

三、总投资

工程一至四部分投资、基本预备费、价差预备费之和构成总投资。

编制总概算表时，在第四部分独立费用之后，按顺序计列以下项目：

(1)一至四部分投资合计；

(2)基本预备费；

(3)静态总投资；

(4)价差预备费；

(5)总投资。

第七章　概算表格

一、概算表

概算表包括总概算表、建筑工程概算表、仪器设备及安装工程概算表、分年度投资表。

1.总概算表

按项目划分的四部分填表并列至一级项目。四部分之后的内容为:一至四部分投资合计、基本预备费;静态总投资;价差预备费、总投资。

总概算表

单位:万元

序号	工程或费用名称	建安工程费	仪器设备购置费	独立费用	合计	占一至四部分投资(%)

2.建筑工程概算表

按项目划分列至三级项目。

本表适用于编制建筑工程概算、施工临时工程概算和独立费用概算。

建筑工程概算表

序号	工程或费用名称	单位	数量	单价(元)	合计(元)

3. 仪器设备及安装工程概算表

按项目划分列至三级项目。

本表适用于编制仪器设备及安装工程概算。

仪器设备及安装工程概算表

序号	名称及规格	单位	数量	单价(元)		合计(元)	
				仪器设备费	安装费	仪器设备费	安装费

4. 分年度投资表

可视不同情况按项目划分列至一级项目。

分年度投资表

单位:万元

项目	合计	建设工期(年)		
		1	2	3
一、建筑工程				
1. 建筑工程				
×××工程(一级目录)				
2. 施工临时工程				
×××工程(一级目录)				
二、仪器设备及安装工程				
1. 水位信息采集仪器设备及安装工程				
2. 流量、泥沙信息采集仪器设备及安装工程				
3. 降水、蒸发等气象信息采集仪器设备及安装工程				
4. 水环境监测分析仪器设备及安装工程				
5. 实时水文图像监控设备及安装工程				
6. 测绘仪器				
7. 通信与水文信息传输设备及安装工程				
8. 测验交通工具				
9. 供电、供水设备及安装工程				

续表

项目	合计	建设工期(年)		
		1	2	3
10. 其他设备				
三、独立费用				
1. 建设管理费				
2. 生产准备费				
3. 工程勘察设计费				
4. 建设及施工场地征用费				
5. 其他				
一至三部分合计				

二、概算附表

概算附表包括建筑工程单价汇总表、安装工程单价汇总表、主要材料预算价格汇总表、次要材料预算价格汇总表、施工机械台时费汇总表、主要工程量汇总表、主要材料量汇总表、工时数量汇总表、建设及施工场地征用数量汇总表。各表表格形式及填制内容同《水利编制规定》相应表格。

三、概算附件附表

概算附件附表包括人工预算单价计算表、主要材料运输费用计算表、主要材料预算价格计算表、混凝土材料单价计算表、建筑工程单价表、安装工程单价表。各表表格形式及填制内容同《水利编制规定》相应表格。

第二篇　水文设施建筑工程概算定额

总 说 明

一、水文设施建筑工程概算定额(以下简称“本定额”),仅列出了《水利建筑工程概算定额》中没有涵盖而水文设施工程又必需的部分定额。包括土方工程、砌筑工程、其他工程等三章,作为对《水利建筑工程概算定额》的补充。

二、本定额适用于海拔高程小于或等于2000m地区的水文设施工程项目。海拔高程大于2000m的地区,可根据水文设施工程所在地区的海拔高程及规定的调整系数,计算调整概算的人工和机械费。海拔高程应以水文缆索支架顶部或标志塔、通信塔的顶部海拔高程为准。一个工程项目只能采用一个调整系数。

高原地区定额调整系数表

项目	海拔高程(m)					
	2000～2500	2500～3000	3000～3500	3500～4000	4000～4500	4500～5000
人工	1.10	1.15	1.20	1.25	1.30	1.35
机械	1.25	1.35	1.45	1.55	1.65	1.75

三、在编制水文设施建筑工程初步设计概算时,除套用本定额外,还应依照《水利建筑工程概算定额》相应章节进行编制:

1.土方开挖工程,应套用《水利建筑工程概算定额》第一章“土方开挖工程”有关的节、目定额。

2.石方开挖工程,应套用《水利建筑工程概算定额》第二章“石方开挖工程”有关的节、目定额。

3. 砌筑工程,应套用《水利建筑工程概算定额》第三章“土石填筑工程”有关的节、目定额。

4. 混凝土工程,应套用《水利建筑工程概算定额》第四章“混凝土工程”有关的节、目定额。

5. 模板工程,应套用《水利建筑工程概算定额》第五章“模板工程”有关的节、目定额。

6. 灌注桩工程,应套用《水利建筑工程概算定额》第七章“钻孔灌浆及锚固工程”有关的节、目定额。

7. 其他工程如临时土石围堰、石笼、临时公路、土工膜(布)铺设、人工铺草皮等工程,应套用《水利建筑工程概算定额》第九章“其他工程”有关的节、目定额。

四、本定额及《水利建筑工程概算定额》没有涵盖的个别细部工程项目,可套用其他行业相关定额。

五、本定额中带有括号的数字系指未计价主材的使用量。

第一章　土方工程

说　　明

一、本章定额包括河道内人工挖运淤泥、流沙，测验河段基础设施基础测量，水文缆道设施基础测量，测验河段基础设施基坑的挖方及回填，水文缆道设施基坑的挖方及回填等定额共5节。

二、基坑的土方开挖和回填工程，除定额规定的工作内容外，还包括挖小排水沟、修坡、清除场地草皮杂物、安全设施及取土场和卸土场的小路修筑与维护等工作。

SW——1 人工挖运淤泥、流沙

适用范围:河道、水边挖淤泥、流沙坑,用泥兜、水桶挑抬运输。

工作内容:挖装、运输、装卸、空回、洗涮工具。

单位:$100m^3$

项目	单位	挖装运卸 50m			每增运 10m
		一般淤泥	淤泥流沙	稀泥流沙	淤泥稀泥流沙
工长	工时	6.5	8.0	10.3	0.4
高级工	工时				
中级工	工时				
初级工	工时	320.0	393.7	504.7	21.2
合计	工时	326.5	401.7	515.0	21.6
零星材料费	%	4	4	4	
定额编号		SW10001	SW10002	SW10003	SW10004

注:泥质分类。

一般淤泥:含水量较大、粘筐、粘铣、行走陷脚的淤泥,使用铁铣装,泥兜或土箕运输。

淤泥流沙:含水量超过饱和状态的淤泥,虽然能用铁铣开挖,但挖后的坑能平复无痕,挖而复涨,一般用铁铣开挖,用泥兜或水桶运输。

稀泥流沙:含水量超过饱和状态的稀淤泥,稍经扰动即成糊状,挖后随即平复无痕,只能用水斗掏起,用水桶运输。

SW——2　测验河段基础设施基础测量

适用范围:断面界桩、断面桩、断面标志塔(杆)、基线塔(桩)、水尺桩、水准点等基础。

工作内容:坑位、坑界和施工基面测量。

单位:10 基

项　　目	单位	点桩标牌、锚碇桩等
工　　长	工时	1.2
高 级 工	工时	5.0
中 级 工	工时	13.7
初 级 工	工时	5.1
合　　计	工时	25.0
普通磁漆	kg	0.20
小木桩(桩径 50mm、长 300mm)	个	90.00
其他材料费	%	3
客货两用车	台时	0.19
其他机械费	%	2
定额编号		SW10005

SW——3 水文缆道设施基础测量

适用范围:缆道支架(铁塔、钢管、混凝土杆)、锚碇等基础。

工作内容:坑位、坑界及施工基面测量。

单位:10基

项　　目	单位	支架基坑
工　　长	工时	4.7
高 级 工	工时	18.9
中 级 工	工时	52.0
初 级 工	工时	18.9
合　　计	工时	94.5
普通磁漆	kg	0.30
小木桩(桩径 50mm、长 300mm)	个	90.00
其他材料费	%	3
客货两用车	台时	0.70
其他机械费	%	2
定额编号		SW10006

SW——4　测验河段基础设施基坑的挖方及回填

适用范围:河道、水边挖泥水基坑、流沙基坑、干砂基坑等。

工作内容:挖方,修整、排水、装卸挡土板,回填。

单位:100m^3

项　　目	单位	泥水坑		
		坑深 (m)		
		≤2.0	2.0~3.0	>3.0
工　　长	工时	17.6	19.4	22.6
高级工	工时			
中级工	工时			
初级工	工时	863.7	949.6	1107.1
合　　计	工时	881.3	969.0	1129.7
方　　材　红白松二等	m^3	1.76	1.76	1.76
镀锌铁丝	kg	16.97	16.97	16.97
其他材料费	%	2	2	2
客货两用车	台时	3.24	3.71	4.17
污水泵　7.5kW	台时	50.68	59.74	93.52
其他机械费	%	2	2	2
定额编号		SW10007	SW10008	SW10009

续表

项　　目	单位	流 沙 坑		
		坑 深 （m）		
		≤2.0	2.0～3.0	＞3.0
工　　长	工时	20.6	24.5	35.0
高 级 工	工时			
中 级 工	工时			
初 级 工	工时	1007.1	1202.8	1717.0
合　　计	工时	1027.7	1227.3	1752.0
方　　材 红白松二等	m^3	1.76	1.76	1.76
镀锌铁丝	kg	16.97	16.97	16.97
其他材料费	%	2	2	2
客货两用车	台时	3.94	4.64	6.49
污 水 泵 7.5kW	台时	101.35	119.89	187.46
其他机械费	%	2	2	2
定额编号		SW10010	SW10011	SW10012

续表

项目	单位	干砂坑		
		坑深（m）		
		≤2.0	2.0~3.0	>3.0
工长	工时	18.5	22.1	31.5
高级工	工时			
中级工	工时			
初级工	工时	906.6	1082.3	1545.6
合计	工时	925.1	1104.4	1577.1
方材 红白松二等	m^3	1.76	1.76	1.76
镀锌铁丝	kg	16.97	16.97	16.97
其他材料费	%	2	2	2
客货两用车	台时	3.48	4.17	6.03
其他机械费	%	2	2	2
定额编号		SW10013	SW10014	SW10015

续表

项目	单位	水坑		
		坑深（m）		
		≤2.0	2.0~3.0	>3.0
工长	工时	10.7	13.2	16.6
高级工	工时			
中级工	工时			
初级工	工时	525.1	645.6	815.8
合计	工时	535.8	658.8	832.4
客货两用车	台时	2.09	2.55	3.24
污水泵 7.5kW	台时	59.74	71.28	113.71
其他机械费	%	2	2	2
定额编号		SW10016	SW10017	SW10018

SW－－5　水文缆道设施基坑的挖方及回填

适用范围：河道、水边挖泥水基坑、流沙基坑、干砂基坑等。

工作内容：挖方、修整、排水、装拆挡土板及回填。

单位：100m³

项　目	单位	泥水坑			
		坑深（m）			
		≤2.0	2.0～3.0	3.0～4.0	>4.0
工　长	工时	18.3	20.8	24.3	27.2
高级工	工时				
中级工	工时				
初级工	工时	894.9	1021.6	1189.5	1330.5
合　计	工时	913.2	1042.4	1213.8	1357.7
方　材　红白松二等	m³	1.76	1.76	1.76	1.76
镀锌铁丝	kg	16.97	16.97	16.97	16.97
其他材料费	%	2	2	2	2
客货两用车	台时	3.24	3.71	4.17	4.64
污水泵　7.5kW	台时	48.20	56.03	90.23	96.41
其他机械费	%	2	2	2	2
定额编号		SW10019	SW10020	SW10021	SW10022

续表

项目	单位	流沙坑			
		坑深（m）			
		≤2.0	2.0～3.0	3.0～4.0	>4.0
工长	工时	23.5	31.3	41.0	46.8
高级工	工时				
中级工	工时				
初级工	工时	1152.8	1533.3	2011.0	2294.4
合计	工时	1176.3	1564.6	2052.0	2341.2
方材 红白松二等	m^3	1.76	1.76	1.76	1.76
镀锌铁丝	kg	16.97	16.97	16.97	16.97
其他材料费	%	2	2	2	2
客货两用车	台时	4.17	5.33	7.18	8.11
污水泵 7.5kW	台时	96.82	111.65	180.04	192.40
其他机械费	%	2	2	2	2
定额编号		SW10023	SW10024	SW10025	SW10026

续表

项目		单位	干砂坑			
			坑深（m）			
			≤2.0	2.0～3.0	3.0～4.0	>4.0
工长		工时	21.2	28.2	36.9	42.1
高级工		工时				
中级工		工时				
初级工		工时	1037.3	1379.8	1810.3	2064.8
合计		工时	1058.5	1408.0	1847.2	2106.9
方材	红白松二等	m^3	1.76	1.76	1.76	1.76
镀锌铁丝		kg	16.97	16.97	16.97	16.97
其他材料费		%	2	2	2	2
客货两用车		台时	3.71	4.87	6.49	7.42
其他机械费		%	2	2	2	2
定额编号			SW10027	SW10028	SW10029	SW10030

续表

项目	单位	水坑			
		坑深（m）			
		≤2.0	2.0～3.0	3.0～4.0	>4.0
工长	工时	12.4	15.6	19.2	21.6
高级工	工时				
中级工	工时				
初级工	工时	609.6	763.7	940.9	1056.3
合计	工时	622.0	779.3	960.1	1077.9
客货两用车	台时	2.09	2.78	3.24	3.71
污水泵 7.5kW	台时	56.86	66.74	109.18	116.60
其他机械费	%	2	2	2	2
定额编号		SW10031	SW10032	SW10033	SW10034

第二章　砌筑工程

说　　明

一、本章定额包括砖基础、砖柱及砖围墙、多孔砖墙、砖地沟及零星砌体、砖砌检查井、砖砌化粪池、砖水塔、砖砌涵洞、院内硬化、路边石等砌筑工程共10节。

二、砌体砖、砂浆的规格与定额不同时可以换算。

三、砖砌围墙不分清水、混水均执行砖围墙定额，不得换算。砖围墙的原浆勾缝已包括在定额内，不另计算。如设计要求加浆勾缝或抹灰者，可另行计算，原浆勾缝工料不另扣除。

四、零星砌体系指明沟、暗沟等。

五、砌筑圆弧形砖砌体基础、墙(含砖石混合墙)按定额项目人工乘以系数1.1。

SW二-1 砖基础

工作内容:调运砂浆、铺砂浆、运砖、清理基槽坑、砌砖。

单位:$10m^3$

项目	单位	砖基础	涵洞砖基础	墙基防潮层
				$100m^2$
工长	工时	1.6	1.1	1.1
高级工	工时			
中级工	工时	31.3	22.2	22.0
初级工	工时	45.4	32.1	31.9
合计	工时	78.3	55.4	55.0
水泥砂浆(砌筑)M5	m^3	2.61	2.57	
机砖 240×115×53	千块	5.17	5.21	
水泥砂浆 1:2	m^3			2.22
防水粉	kg			61.71
水	m^3	1.05	2.02	3.84
其他材料费	%	1	1	1
灰浆搅拌机 200L	台时	1.30	1.28	1.11
其他机械费	%	1	1	1
定额编号		SW20001	SW20002	SW20003

注:墙基防潮层防水粉按水泥用量的5%计算,设计要求3%时减少防水粉24.44kg。

SW 二－2 砖柱及砖围墙

工作内容:1.调运砂浆、运砌砖。

2.安放木砖、铁件。

项目	单位	砖柱		砖围墙	
		方柱	圆柱	1砖	1/2砖
		$10m^3$		$100m^2$	
工长	工时	2.6	2.7	6.2	3.7
高级工	工时				
中级工	工时	51.5	54.2	123.8	74.6
初级工	工时	74.6	78.5	179.4	108.2
合计	工时	128.7	135.4	309.4	186.5
混合砂浆(砌筑)M5	m^3	2.30	2.50	5.84	2.45
机砖 240×115×53	千块	5.66	7.41	13.94	7.11
水	m^3	1.10	1.48	2.53	1.31
其他材料费	%	1	1	1	1
灰浆搅拌机 200L	台时	1.15	1.25	2.92	1.23
其他机械费	%	1	1	1	1
定额编号		SW20004	SW20005	SW20006	SW20007

SW二-3 多孔砖墙

工作内容:1.调运砂浆、运砌砖。
2.安放木砖、铁件。

单位:10m³

项目	单位	多孔砖墙		非承载粘土空心砖
		≥1砖	1/2砖	1砖
工长	工时	2.0	2.5	1.7
高级工	工时			
中级工	工时	40.0	50.2	33.4
初级工	工时	58.1	72.7	48.3
合计	工时	100.1	125.4	83.4
混合砂浆(砌筑)M5	m³	2.00	1.57	1.34
多孔砖 240×115×90	千块	3.36	3.53	
多孔砖 240×240×115	千块			1.37
水	m³	1.07	1.13	1.04
其他材料费	%	1	1	1
灰浆搅拌机 200L	台时	1.00	0.78	0.67
其他机械费	%	1	1	1
定额编号		SW20008	SW20009	SW20010

SW 二 - 4　砖地沟及零星砌体

工作内容：调运、铺砂浆、运砌砖。

单位：10m³

项　目	单位	砖地沟	零星砌体
工　长	工时	1.4	2.8
高 级 工	工时		
中 级 工	工时	28.8	55.2
初 级 工	工时	41.9	80.1
合　计	工时	72.1	138.1
混合砂浆(砌筑)M2.5	m^3	2.33	
混合砂浆(砌筑)M5	m^3		2.12
机　砖　240×115×53	千块	5.38	5.51
水	m^3	1.08	1.10
其他材料费	%	1	1
灰浆搅拌机　200L	台时	1.17	1.06
其他机械费	%	1	1
定 额 编 号		SW20011	SW20012

SW二－5　砖砌检查井

工作内容：调运砂浆、砌砖及搭拆简易脚手架。

单位：10m^3

项　　目	单位	砖砌检查井			
		方形		圆形	
		深度(m)			
		＜3	＞3	＜3	＞3
工　　长	工时	2.2	2.8	2.2	2.8
高 级 工	工时				
中 级 工	工时	44.3	56.7	44.3	57.0
初 级 工	工时	64.4	82.4	64.4	82.6
合　　计	工时	110.9	141.9	110.9	142.4
水泥砂浆(砌筑)M5	m^3	2.30	2.30	2.62	2.62
机　　砖　240×115×53	千块	5.38	5.38	5.16	5.16
水	m^3	1.01	1.01	1.01	1.01
其他材料费	%	1	1	1	1
灰浆搅拌机　200L	台时	1.15	1.15	1.31	1.31
其他机械费	%	1	1	1	1
定 额 编 号		SW20013	SW20014	SW20015	SW20016

SW二-6　砖砌化粪池

工作内容:调运砂浆、砌砖及搭拆简易脚手架。

单位:$10m^3$

项　　目	单位	砖砌渗井（干砌）	砖砌化粪池	砖砌台阶
				$10m^2$
工　　长	工时	1.4	1.8	0.7
高 级 工	工时			
中 级 工	工时	27.8	35.4	13.0
初 级 工	工时	40.3	51.3	18.8
合　　计	工时	69.5	88.5	32.5
水泥砂浆(砌筑)M5	m^3		2.41	0.56
机　　砖　240×115×53	千块	5.62	5.38	1.20
水	m^3		1.08	0.23
其他材料费	%	1	1	1
灰浆搅拌机　200L	台时		1.21	0.28
其他机械费	%		1	1
定 额 编 号		SW20017	SW20018	SW20019

SW二－7　砖水塔

工作内容:1.调制砂浆、砍砖、砌砖及勾缝。

2.制作、安装及拆除门窗拱胎板。

单位:$10m^3$

项　　目	单位	砖水塔	
		塔身	水槽壁
工　　长	工时	2.5	3.1
高 级 工	工时		
中 级 工	工时	49.5	62.5
初 级 工	工时	71.9	90.7
合　　计	工时	123.9	156.3
混合砂浆(砌筑)M5	m^3	2.54	2.54
机　　砖　240×115×53	千块	5.76	5.76
水	m^3	1.01	1.01
其他材料费	%	1	1
灰浆搅拌机　200L	台时	1.27	1.27
其他机械费	%	1	1
定 额 编 号		SW20020	SW20021

SW二-8 砖砌涵洞

工作内容：清理地槽、调制砂浆、砌砖、模板制作安装及拆除、勾缝。

单位：10m^3

项目	单位	砖砌涵洞		
		侧(砖砌翼)墙、涵台、墩及其他	拱圈	护拱
工长	工时	1.6	6.9	1.8
高级工	工时			
中级工	工时	31.3	137.6	35.5
初级工	工时	45.2	199.6	51.3
合计	工时	78.1	344.1	88.6
水泥砂浆(砌筑)M5	m^3	2.50	2.33	2.41
水泥砂浆 1:2.5	m^3	0.06		
机砖 240×115×53	千块	5.25	5.51	5.31
模板料	m^3		0.44	
圆钉	kg		0.81	
水	m^3	2.02	2.02	2.02
其他材料费	%	1	1	1
定额编号		SW20022	SW20023	SW20024

SW二-9 院内硬化

工作内容:1.预制混凝土块砂垫:清底铺垫层、铺预制混凝土块、扫砂缝。

2.混凝土预制块浆砌:清底、整平、调浆铺砌预制块。

3.铺红砖:清底、整平、铺砂、铺砖、扫缝。

单位:$100m^2$

项目	单位	预制混凝土块		红砖	
		砂垫	浆砌	平铺	侧铺
工长	工时	1.0	1.1	0.8	1.5
高级工	工时				
中级工	工时	20.6	22.3	16.1	29.5
初级工	工时	29.8	32.4	23.5	42.8
合计	工时	51.4	55.8	40.4	73.8
水泥砂浆 1:3	m^3		2.04		
机砖 240×115×53	千块			3.47	7.18
中砂、粗砂	m^3	5.25		2.12	3.15
水	m^3	0.61	3.03	0.30	0.30
预制混凝土块 C20 250×250×50	m^3	(5.05)	(5.05)		
其他材料费	%	1	1	1	1
灰浆搅拌机 200L	台时		1.02		
其他机械费	%		1		
定额编号		SW20025	SW20026	SW20027	SW20028

SW二-10 路边石

工作内容:1.清底、调浆砌砖。

2.清底、调浆铺砌预制混凝土块(条石)、勾缝。

单位:10m

项目	单位	立砌砖		条石	
		宽115mm	宽53mm	不带底板	带底板
工长	工时	0.1	0.1	0.1	0.2
高级工	工时				
中级工	工时	2.5	1.5	2.8	3.5
初级工	工时	3.6	2.2	4.1	5.1
合计	工时	6.2	3.8	7.0	8.8
混合砂浆(砌筑)M5.0	m^3	0.07	0.04		
水泥砂浆(砌筑)M10	m^3			0.02	0.07
机砖 240×115×53	千块	0.17	0.08		
条石	m^3			0.30	0.56
水	m^3	0.03	0.02	0.01	0.03
其他材料费	%	1	1	1	1
定额编号		SW20029	SW20030	SW20031	SW20032

续表

项目	单位	预制混凝土块		
		不带底板	带底板	L形
工长	工时	0.1	0.1	0.1
高级工	工时			
中级工	工时	1.8	2.3	2.1
初级工	工时	2.7	3.4	3.0
合计	工时	4.6	5.8	5.2
混合砂浆(砌筑)M5.0	m^3	0.02	0.07	0.07
水	m^3	0.01	0.03	0.03
预制混凝土路边石 C20	m^3	(0.30)	(0.55)	
预制混凝土 L 形路边石 C20	m^3			(0.48)
其他材料费	%	1	1	1
定额编号		SW20033	SW20034	SW20035

注:预制混凝土路边石规格为:不带底板 120×250;带底板 100×250;L形 120×400。

第三章　其他工程

说　　明

一、本章定额包括钢管脚手架工程、栏杆围栅制作与安装、测验标志牌制作与安装、基础垫层、地面垫层、基础防腐、柴油打桩机打预制混凝土桩、混凝土桩接桩、水位计台顶面等定额共 9 节。

二、本章定额已包括材料的场内运输，不需另行计算。

三、栏杆与围栅、断面标志牌等构件制作与安装。

1.本定额既适用于现场加工制作，亦适用于加工厂制作的构件。

2.本定额除注明者外，均包括现场（工厂）内的材料运输、加工、组装及成品堆放、装车出厂等全部工序。

3.构件制作项目定额中，均已包括刷一遍防锈漆工料。

4.构件工程量以“t”为单位计算。

四、打试验桩按相应定额项目的人工、机械乘以系数 1.5。

五、打桩、打孔，桩间净距小于 4 倍桩径的，按相应定额项目中的人工、机械乘以系数 1.13。

SW 三-1 钢管脚手架工程

工作内容:脚手架及脚手板搭设、维护、拆除。

单位:$100m^2$

项目	单位	钢管脚手架		悬空	挑式	满堂脚手架	
		单排	双排			基本层 $H=5m$	增加层 $H=1.2m$
工长	工时	2.8	3.7	4.1	4.3	3.8	1.4
高级工	工时	11.3	14.8	16.5	17.3	15.2	5.8
中级工	工时	17.0	22.2	24.7	26.0	22.9	8.7
初级工	工时	25.6	33.5	37.1	38.9	34.3	12.9
合计	工时	56.7	74.2	82.4	86.5	76.2	28.8
板枋材	m^3	0.13	0.13	1.52	1.52	1.52	
钢材	kg	28.28	40.40	13.53	13.53	10.20	
卡扣件	kg	3.84	7.58	2.32	2.32	2.32	0.71
其他材料费	%	5	5	5	5	5	5
载重汽车 5t	台时	2.06	2.06	2.06	2.06	2.06	2.06
其他机械费	%	2	2	2	2	2	2
定额编号		SW30001	SW30002	SW30003	SW30004	SW30005	SW30006

注:1.钢管脚手架,以侧投影面积计算。

2.悬空、挑式、满堂脚手架以水平投影面积计算。

SW三－2　栏杆围栅制作与安装

(1)钢栏杆制作

适用范围:水位计台栏杆、降水蒸发观测场围栅、铁栅围墙。

工作内容:包括放样、画线、截料、平直、钻孔、拼装、焊接、成品矫正、刷防锈漆、成品堆放。

单位:t

项目	单位	钢栏杆(围栅)			
		型钢为主	钢管为主	圆(方)钢为主	花饰柱杆
工长	工时	7.6	8.0	6.9	8.8
高级工	工时	37.8	40.0	34.4	44.1
中级工	工时	68.1	71.9	61.9	79.3
初级工	工时	37.8	40.0	34.4	44.1
合计	工时	151.3	159.9	137.6	176.3
圆钢	t		0.32	0.85	0.29
扁钢　综合	t	0.12	0.01	0.08	0.51
角钢　综合	t	0.95	0.03	0.14	
钢管　综合	t		0.71		0.28
电焊条	kg	17.17	20.20	19.19	19.19
防锈漆　红丹	kg	8.04	8.04	8.04	8.04
油漆溶剂油	kg	0.42	0.42	0.42	0.42
板枋材　二等中小方中板	m^3	0.01	0.01	0.01	0.01
氧气	m^3	0.71	1.52	0.71	0.71
乙炔气	m^3	0.31	0.67	0.31	0.31
其他材料费	%	1	1	1	1
型钢剪断机　13kW	台时	0.41	0.21	0.15	0.21
电焊机　25kVA	台时	11.54	12.72	13.44	12.72
其他机械费	%	5	5	5	5
定额编号		SW30007	SW30008	SW30009	SW30010

(2)钢栏杆安装

适用范围:水位计台栏杆、降水蒸发观测场围栅、铁栅围墙。

工作内容:构件加固、安装校正、拧紧螺栓、电焊固定、清扫等全部过程。

单位:t

项　　目	单位	钢栏杆(围栅)
工　　长	工时	6.0
高 级 工	工时	30.1
中 级 工	工时	54.2
初 级 工	工时	30.1
合　　计	工时	120.4
电 焊 条	kg	7.00
氧　　气	m^3	1.68
乙 炔 气	m^3	0.74
其他材料费	%	2
汽车起重机　5t	台时	0.23
电 焊 机　25kVA	台时	6.49
其他机械费	%	3
定 额 编 号		SW30011

(3)不锈钢管栏杆制安

适用范围:水位计台栏杆、降水蒸发观测场围栏等。

工作内容:制作、放样、下料、焊接、安装清理。

单位:m

项　　目	单位	不锈钢管栏杆			
		直线型		圆弧型	
		竖条式	其他	竖条式	其他
工　　长	工时	0.2	0.2	0.2	0.2
高 级 工	工时	0.8	0.8	1.0	1.1
中 级 工	工时	1.4	1.5	1.7	1.9
初 级 工	工时	0.6	0.8	0.9	1.0
合　　计	工时	3.0	3.3	3.8	4.2
不锈钢焊丝	kg	0.13	0.20	0.13	0.20
钨　　棒	kg	0.06	0.10	0.06	0.10
不锈钢管　Φ32×1.5	m	5.75	8.64	5.75	8.64
不锈钢法兰盘　Φ59	个	5.83	5.83	5.83	5.83
环氧树脂	kg	0.15	0.23	0.15	0.23
氩　　气	m^3	0.36	0.55	0.36	0.55
其他材料费	%	2	2	2	2
管子切断机　Φ60mm	台时	0.49	0.74	0.49	0.74
电 焊 机　25kVA	台时	0.08	0.12	0.08	0.12
其他机械费	%	3	3	3	3
定额编号		SW30012	SW30013	SW30014	SW30015

SW 三－3　测验标志牌制作与安装

适用范围：断面标志牌、起点距标志牌、水文设施保护标志牌等。

工作内容：1.基层：放样、裁制、组装、焊接、刷防锈漆、安装、固定等全部操作过程。

2.面层：下料、涂漆、安装面层等全部操作过程。

单位：t

项目	单位	基层(t)	面层(m^2)
工长	工时	6.3	0.1
高级工	工时	31.4	0.4
中级工	工时	56.5	0.7
初级工	工时	31.3	0.5
合计	工时	125.5	1.7
金属板	m^2		1.07
钢钉	kg		0.21
膨胀螺栓 M8×80	套	113.32	
圆钉	kg	4.60	
电焊条	kg	47.84	
锯材	m^3	0.27	
钢骨架	kg	1070.60	
胶粘剂 202FSC—2	kg		0.21
荧光漆	kg	9.00	1.00
防锈漆 红丹	kg	12.30	
油漆溶剂油	kg	1.90	
乙炔气	m^3	2.87	
氧气	m^3	6.53	
其他材料费	%	1	1
圆盘锯	台时	0.16	
电焊机 25kVA	台时	37.13	
其他机械费	%	5	
定额编号		SW30016	SW30017

注：未计价装置性材料：钢管。

SW三-4　基础垫层

适用范围：缆道支架(铁塔、钢管)、锚碇等。

工作内容：砂、石筛洗，材料短距离运输，坑底铺石及砂浆，混凝土拌制和浇筑。灰土垫层，抄平，工器具转移等。

单位：$100m^3$

项　　目	单位	坑底铺石		
		坑底面积(m^2)		
		≤6.0	6.0~9.0	>9.0
工　　长	工时	9.6	8.3	7.6
高 级 工	工时			
中 级 工	工时			
初 级 工	工时	470.6	407.0	373.1
合　　计	工时	480.2	415.3	380.7
毛石(或卵石)	m^3	108.00	108.00	108.00
其他材料费	%	2	2	2
客货两用车	台时	3.71	3.24	2.78
污 水 泵　7.5kW	台时	16.48	16.48	16.48
其他机械费	%	2	2	2
定 额 编 号		SW30018	SW30019	SW30020

续表

项　　目	单位	坑底铺石并灌浆		
		坑底面积(m^2)		
		≤6.0	6.0~9.0	>9.0
工　　长	工时	14.6	13.1	11.6
高 级 工	工时			
中 级 工	工时			
初 级 工	工时	717.1	642.6	568.1
合　　计	工时	731.7	655.7	579.7
毛石(或卵石)	m^3	108.00	108.00	108.00
砂　　浆	m^3	25.00	25.00	25.00
其他材料费	%	2	2	2
客货两用车	台时	5.56	5.10	4.17
污 水 泵 7.5kW	台时	16.48	16.48	16.48
其他机械费	%	2	2	2
定 额 编 号		SW30021	SW30022	SW30023

续表

项目	单位	坑底铺石并加浇混凝土			灰土垫层
		坑底面积(m^2)			
		≤6.0	6.0~9.0	>9.0	2:8
工长	工时	25.4	24.1	23.4	15.5
高级工	工时				
中级工	工时				
初级工	工时	1244.6	1181.6	1147.1	758.9
合计	工时	1270.0	1205.7	1170.5	774.4
毛石(或卵石)	m^3	108.00	108.00	108.00	
混凝土	m^3	25.00	25.00	25.00	
石灰	t				22.00
粘土	m^3				1.30
水	m^3				20.00
其他材料费	%	2	2	2	2
蛙式夯实机 2.8kW	台时				58.71
客货两用车	台时	9.73	9.27	8.81	6.03
污水泵 7.5kW	台时	16.48	16.48	16.48	
其他机械费	%	2	2	2	2
定额编号		SW30024	SW30025	SW30026	SW30027

SW 三 - 5　地面垫层

适用范围:站院硬化、观测道路等。

工作内容:铺设垫层、拌和、找平、夯实。

单位:10m³

项　　目	单位	地面垫层			
		素土	灰土	砂	碎砖三合土
工　　长	工时	0.5	1.0	0.5	1.7
高 级 工	工时				
中 级 工	工时				
初 级 工	工时	22.9	48.7	23.4	83.6
合　　计	工时	23.4	49.7	23.9	85.3
3:7 灰 土	m^3		10.20		
碎砖三合土　1:3:6	m^3				10.20
中砂、粗砂	m^3			10.70	
粘　　土	m^3	11.90			
水	m^3	2.02		3.03	
其他材料费	%	1	1	1	1
蛙式夯实机　2.8kW	台时	2.83	5.67		4.22
其他机械费	%	1	1		1
定 额 编 号		SW30028	SW30029	SW30030	SW30031

SW 三－6　基础防腐

适用范围:测验河段基础设施、水尺桩、锚杆、锚桩等。

工作内容:对埋入地下或接近靠地的金属框架或混凝土基础表面除垢(除锈)清洗,表面涂刷二遍沥青或清漆等防腐剂。

单位:$100m^2$

项　　目	单位	金属基础	混凝土基础
工　　长	工时	1.5	0.8
高 级 工	工时		
中 级 工	工时		
初 级 工	工时	74.5	40.0
合　　计	工时	76.0	40.8
石油沥青 10#	kg		36.36
沥青清漆	kg	15.15	
其他材料费	%	2	2
客货两用车	台时	0.46	0.46
其他机械费	%	2	2
定额编号		SW30032	SW30033

SW 三－7　柴油打桩机打预制混凝土桩

(1)轨道式打桩机打方桩

适用范围：水位计台桩基、水尺桩基、观测房桩基、水文栈桥桩基等。

工作内容：准备打桩机具，移动打桩机及其轨道吊桩定位，安、卸桩帽，校正，打桩。

单位：$10m^3$

项目	单位	方桩长度(m)			
		12	18	30	>30
工长	工时	3.5	2.4	1.6	1.1
高级工	工时	14.1	9.5	6.4	4.5
中级工	工时	38.9	26.1	17.7	12.4
初级工	工时	14.2	9.4	6.4	4.5
合计	工时	70.7	47.4	32.1	22.5
加工铁件　综合	kg	2.21	2.21	2.21	2.21
板材　红白松二等	m^3	0.02	0.02	0.02	0.02
预制钢筋混凝土方桩	m^3	(10.10)	(10.10)	(10.10)	(10.10)
草袋	个	3.24	3.24	3.24	3.24
麻袋	条	2.53	2.53	2.53	2.53
其他材料费	%	2	2	2	2
柴油打桩机　2～4t	台时	4.53	4.46	4.33	4.17
履带起重机　5t	台时	4.53			
履带起重机　15t	台时		4.46	4.33	4.17
其他机械费	%	2	2	2	2
定额编号		SW30034	SW30035	SW30036	SW30037

(2)轨道式打桩机打管桩

适用范围：水位计台桩基、水尺桩基、观测房桩基、水文栈桥桩基等。

工作内容：准备打桩机具，移动打桩机及其轨道吊桩定位，安、卸桩帽，校正，打桩。

单位：$10m^3$

项目	单位	管桩长度(m)			
		16	24	32	40
工长	工时	2.9	2.7	2.6	2.5
高级工	工时	11.7	11.0	10.4	10.1
中级工	工时	32.3	30.2	28.6	27.7
初级工	工时	11.7	11.0	10.4	10.0
合计	工时	58.6	54.9	52.0	50.3
加工铁件 综合	kg	2.92	2.92	2.92	2.92
板材 红白松二等	m^3	0.04	0.04	0.04	0.04
预制钢筋混凝土管桩	m^3	(10.10)	(10.10)	(10.10)	(10.10)
草袋	个	5.70	5.70	5.70	5.70
麻袋	条	3.03	3.03	3.03	3.03
其他材料费	%	2	2	2	2
柴油打桩机 2～4t	台时	5.10	4.53	4.33	4.17
履带起重机 15t	台时	5.10	4.53	4.33	4.17
其他机械费	%	2	2	2	2
定额编号		SW30038	SW30039	SW30040	SW30041

(3)履带式打桩机打管桩

适用范围:水位计台桩基、水尺桩基、观测房桩基、水文栈桥桩基等。

工作内容:准备打桩机具,移动打桩机及其轨道吊桩定位,安、卸桩帽,校正,打桩。

单位:$10m^3$

项　　目	单位	管桩长度(m)			
		16	24	32	40
工　　长	工时	2.9	2.5	2.3	2.3
高 级 工	工时	11.7	9.9	9.4	9.3
中 级 工	工时	32.1	27.4	25.8	25.5
初 级 工	工时	11.6	9.9	9.4	9.2
合　　计	工时	58.3	49.7	46.9	46.3
加工铁件 综合	kg	2.92	2.92	2.92	2.92
板　　材 红白松二等	m^3	0.04	0.04	0.04	0.04
预制钢筋混凝土管桩	m^3	(10.10)	(10.10)	(10.10)	(10.10)
草　　袋	个	5.70	5.70	5.70	5.70
麻　　袋	条	3.03	3.03	3.03	3.03
其他材料费	%	2	2	2	2
柴油打桩机 2～4t	台时	4.84	4.12	3.86	3.81
履带起重机 15t	台时	4.84	4.12	3.86	3.81
其他机械费	%	2	2	2	2
定 额 编 号		SW30042	SW30043	SW30044	SW30045

(4)打桩机打板桩

适用范围:水位计台桩基、水尺桩基、观测房桩基、水文栈桥桩基等。

工作内容:准备打桩机具,移动打桩机及其轨道吊桩定位,安、卸桩帽,校正,打桩。

单位:$10m^3$

项目	单位	板桩单体积(m^3)			
		≤1	1~1.5	1.5~2.5	2.5~3
工长	工时	3.5	2.9	2.2	1.9
高级工	工时	13.9	11.5	8.9	7.8
中级工	工时	38.3	31.7	24.4	21.4
初级工	工时	13.9	11.6	8.8	7.8
合计	工时	69.6	57.7	44.3	38.9
加工铁件 综合	kg	1.63	1.63	1.63	1.63
板材 红白松二等	m^3	0.01	0.01	0.01	0.01
预制钢筋混凝土板桩	m^3	(10.10)	(10.10)	(10.10)	(10.10)
草袋	个	5.56	5.56	5.56	5.56
麻袋	条	0.81	0.81	0.81	0.81
其他材料费	%	2	2	2	2
柴油打桩机 2~4t	台时	5.77	4.79	3.66	3.19
履带起重机 10t	台时	5.77	4.79	3.66	3.19
其他机械费	%	2	2	2	2
定额编号		SW30046	SW30047	SW30048	SW30049

SW 三-8 混凝土桩接桩

工作内容:准备接桩工具,对接上下节桩,桩顶垫平,放置接桩,角钢焊制,安装,拆卸夹箍,送桩包括安放送桩器、打拔送桩器。

单位:10 个

项　　目	单位	电焊接桩
工　　长	工时	5.7
高 级 工	工时	22.7
中 级 工	工时	62.4
初 级 工	工时	22.6
合　　计	工时	113.4
等边角钢边长　63mm	kg	80.80
平 垫 铁 综合	kg	1.06
电 焊 条	kg	6.57
其他材料费	%	2
柴油打桩机　2～4t	台时	7.88
履带起重机　15t	台时	7.88
电 焊 机　25kVA	台时	15.66
其他机械费	%	2
定 额 编 号		SW30050

SW三-9 水位计台顶面

工作内容：调制砂浆、在混凝土板上铺灰抹瓦筒、盖瓦、安瓦脊、修齐瓦口边线、清扫瓦面。

项目	单位	琉璃瓦屋面 $10m^2$ 斜面积		琉璃瓦檐	琉璃脊瓦
		铺在亭面上	铺在屋面上	10m	
工长	工时	1.5	1.2	0.6	0.7
高级工	工时				
中级工	工时	29.4	23.8	11.7	14.6
初级工	工时	42.6	34.5	17.0	21.3
合计	工时	73.5	59.5	29.3	36.6
混合砂浆(砌筑)M5	m^3	0.22	0.22	0.04	0.09
水泥砂浆 1:2	m^3	0.22	0.22	0.04	
镀锌铁丝 14#	kg	1.45	1.45		
琉璃板瓦	块	595	468		
琉璃筒瓦	块	242	234		
琉璃滴水瓦 245×215	块			51	
琉璃脊瓦 225×180	块				47
机砖 240×115×53	千块				0.04
琉璃滴水瓦 265×111	块			44	
其他材料费	%	1	1	1	1
灰浆搅拌机 200L	台时	0.36	0.36	0.10	0.10
其他机械费	%	1	1	1	1
定额编号		SW30051	SW30052	SW30053	SW30054

第三篇　水文仪器设备安装工程概算定额

总　说　明

一、水文仪器设备安装工程概算定额(以下简称“本定额”),是为适应水文设施工程特点和施工需要而编制的,包括塔(杆)组立工程、缆线架设及附件安装工程、仪器设备安装等三章,作为对《水利水电设备安装工程概算定额》的补充。

二、本定额适用于海拔高程小于或等于2000m地区的水文设施工程项目。海拔高程大于2000m的地区,可根据工程所在地区的海拔高程和规定的调整系数,计算调整概算的人工费和机械费。海拔高程应以水文缆索支架顶部或标志塔、通信塔的顶部海拔高程为准。一个工程项目只能采用一个调整系数。

高原地区定额调整系数表

项目	海拔高程(m)					
	2000～2500	2500～3000	3000～3500	3500～4000	4000～4500	4500～5000
人工	1.10	1.15	1.20	1.25	1.30	1.35
机械	1.25	1.35	1.45	1.55	1.65	1.75

三、本定额未涵盖的仪器设备安装工程,可套用《水利水电设备安装工程概算定额》及其他行业定额。

1. 电气设备、实时水文图像监控设备、水文信息采集传输系统设备等安装工程,应套用《水利水电设备安装工程概算定额》第六章“电气设备安装”。

2. 微波通信设备、卫星通信设备、光纤通信设备安装，应套用《水利水电设备安装工程概算定额》第八章“通信设备安装”。

四、本定额中所需的未计价装置性材料，均在其子目表的下方做了备注说明，并在附录中注明了材料的规格、型号和数量。

第一章　塔(杆)组立工程

说　　明

一、本章定额包括混凝土杆(含型钢支架杆)组立、双根横担安装、水文缆道支架铁塔组立、其他铁塔组立共计4节。

二、混凝土杆(含型钢支架杆)组立

1. 计量单位:10根。

2. 适用范围:水文缆道门式支架、水位计支架、测验断面标志杆、基线杆等组立。

3. 工作内容:立杆、找正,绑地横木、根部刷油等。

4. 型钢支架组立,可按同长度的混凝土杆组立定额。人工、机械乘以系数1.4计算,材料不变。

三、双根横担安装

1. 计量单位:组。

2. 适用范围:水文缆道门式支架横担安装。

3. 工作内容:横担起吊就位,连接铁件,紧固螺栓等。

四、水文缆道支架铁塔组立

1. 计量单位:基。

定额中"每基重量"系指铁塔支架本身所有的杆件、连接板、螺栓、爬梯等的总重量;塔材以大代小增加的重量按杆件重量的5%计入。

2. 适用范围:塔高在60m以内的各种水文缆道支架铁塔组

立。

3．工作内容：点配料，地面支垫，组合，按施工技术措施进行现场布置，吊装，塔身调整，螺栓复紧及打冲，保护牌安装，工器具移运。

五、其他铁塔组立

1．计量单位：t。

2．适用范围：水位计支架铁塔、通信铁塔、测验断面标志铁塔、基线铁塔等组立。

3．工作内容：现场准备、起吊、组装、调整、防腐处理等。

SW——1 混凝土杆(含型钢支架杆)组立

单位:10 根

项目	单位	长度(m)				
		9	11	13	15	18
工长	工时	2.9	4.1	5.9	8.2	12.2
高级工	工时	17.6	24.7	35.2	48.9	73.4
中级工	工时	26.4	37.0	52.8	73.4	110.1
初级工	工时	11.8	16.4	23.5	32.7	49.0
合计	工时	58.7	82.2	117.4	163.2	244.7
板材 红白松一等	m^3	0.02	0.02	0.02	0.02	0.04
红丹防锈漆	kg				0.10	0.10
醇酸磁漆	kg	0.20	0.20	0.20	0.20	0.30
其他材料费	%	2	2	2	2	2
汽车起重机 5t	台时	1.85	1.85	2.78	4.64	
汽车起重机 8t	台时					5.56
其他机械费	%	2	2	2	2	2
定额编号		SW01001	SW01002	SW01003	SW01004	SW01005

注:未计价装置性材料:电杆、地横木。

SW——2 双根横担安装

单位:组

项　　　目	单位	双根铁横担
		门式
工　　长	工时	0.4
高 级 工	工时	1.9
中 级 工	工时	3.2
初 级 工	工时	0.9
合　　计	工时	6.4
镀锌铁丝	kg	1.41
普通调和漆	kg	0.06
棉 纱 头	kg	0.10
角钢横担	根	2.00
角钢支撑	根	2.00
U形抱箍	套	2.00
镀锌螺栓	套	10.00
其他材料费	%	2
定额编号		SW01006

注:若是单杆铁横担时,人工及材料用量减半。

SW－－3　水文缆道支架铁塔组立

单位:基

项　　目	单位	每基重量(t)		
		3	5	7
工　　长	工时	8.0	10.5	14.0
高 级 工	工时	48.0	63.2	84.1
中 级 工	工时	72.0	94.8	126.1
初 级 工	工时	31.9	42.2	56.0
合　　计	工时	159.9	210.7	280.2
方　　材　红白松二等	m^3	0.02	0.02	0.02
镀锌铁丝	kg	0.70	0.70	1.39
红丹防锈漆	kg	1.11	1.11	2.22
普通磁漆	kg	0.08	0.08	0.08
铁　　枕　200×300×600	kg	5.28	5.56	7.50
草　　袋	个	0.40	0.40	0.51
其他材料费	%	2	2	2
客货两用车	台时	1.20	1.56	1.92
载重汽车　5t	台时	1.16	1.42	1.76
机动绞磨　3t	台时	2.19	2.92	3.91
其他机械费	%	2	2	2
定额编号		SW01007	SW01008	SW01009

注:未计价装置性材料:塔材(含主、横、斜、隔材、螺栓、连结板、底板、肋板等)、地脚螺栓等按1%损耗率计算。

续表

项　　目	单位	每基重量(t)		
		9	11	13
工　　长	工时	17.7	23.8	28.3
高 级 工	工时	105.9	142.9	170.0
中 级 工	工时	158.9	214.3	254.9
初 级 工	工时	70.6	95.3	113.3
合　　计	工时	353.1	476.3	566.5
方　　材　红白松二等	m^3	0.02	0.02	0.02
镀锌铁丝	kg	1.39	1.39	1.39
红丹防锈漆	kg	2.22	2.22	2.22
普通磁漆	kg	0.08	0.08	0.08
铁　　枕　200×300×600	kg	8.47	8.47	8.47
草　　袋	个	0.51	0.51	0.51
其他材料费	%	2	2	2
客货两用车	台时	2.28	2.64	2.80
载重汽车　5t	台时	2.02	2.72	3.19
机动绞磨　3t	台时	5.24	8.11	10.05
其他机械费	%	2	2	2
定额编号		SW01010	SW01011	SW01012

续表

项　　目	单位	每基重量(t)		
		15	17	19
工　　长	工时	34.6	40.5	47.8
高 级 工	工时	207.5	242.8	286.6
中 级 工	工时	311.3	364.2	429.9
初 级 工	工时	138.3	161.8	191.0
合　　计	工时	691.7	809.3	955.3
方　　材　红白松二等	m^3	0.03	0.04	0.04
镀锌铁丝	kg	2.78	2.78	2.78
红丹防锈漆	kg	2.22	4.24	4.24
普通磁漆	kg	0.08	0.08	0.08
铁　　枕　200×300×600	kg	9.17	9.73	9.73
草　　袋	个	0.51	0.51	0.81
其他材料费	%	2	2	2
客货两用车	台时	3.36	3.72	4.08
载重汽车　5t	台时	4.08	4.52	4.93
机动绞磨　3t	台时	13.35	15.37	22.38
其他机械费	%	2	2	2
定额编号		SW01013	SW01014	SW01015

续表

项目	单位	每基重量(t)		
		21	23	25
工长	工时	58.2	63.5	69.8
高级工	工时	349.3	381.0	418.7
中级工	工时	523.9	571.5	628.1
初级工	工时	232.9	254.0	279.2
合计	工时	1164.3	1270.0	1395.8
方材 红白松二等	m^3	0.04	0.04	0.04
镀锌铁丝	kg	2.78	2.78	2.78
红丹防锈漆	kg	4.24	4.24	4.24
普通磁漆	kg	0.08	0.08	0.08
铁枕 200×300×600	kg	9.73	9.73	10.41
草袋	个	0.81	0.81	0.81
其他材料费	%	2	2	2
客货两用车	台时	4.44	4.80	5.16
载重汽车 5t	台时	5.44	5.96	6.60
机动绞磨 3t	台时	25.40	28.09	31.47
其他机械费	%	2	2	2
定额编号		SW01016	SW01017	SW01018

续表

项　　目	单位	每基重量(t)		
		27	30	每增加 1t
工　　长	工时	75.4	82.4	3.2
高 级 工	工时	452.5	494.6	19.3
中 级 工	工时	678.8	742.0	29.0
初 级 工	工时	301.7	329.8	13.0
合　　计	工时	1508.4	1648.8	64.5
方　　材　红白松二等	m^3	0.04	0.04	
镀锌铁丝	kg	2.78	2.78	0.04
红丹防锈漆	kg	4.24	4.24	0.11
普通磁漆	kg	0.08	0.08	
铁　　枕　200×300×600	kg	10.41	10.41	0.19
草　　袋	个	0.81	0.81	0.01
其他材料费	%	2	2	
客货两用车	台时	5.52	6.18	0.18
载重汽车　5t	台时	7.14	7.77	0.23
机动绞磨　3t	台时	34.76	47.52	1.49
其他机械费	%	2	2	
定额编号		SW01019	SW01020	SW01021

SW－－4 其他铁塔组立

单位:t

项目	单位	地面铁塔(m)			
		≤25	≤45	≤65	≤80
工长	工时	4.9	5.6	6.2	7.4
高级工	工时	29.7	33.4	37.1	44.5
中级工	工时	44.5	50.1	55.6	66.7
初级工	工时	19.8	22.1	24.7	29.7
合计	工时	98.9	111.2	123.6	148.3
铁塔	t	(1.01)	(1.01)	(1.01)	(1.01)
汽油 90#	kg	1.31	1.52	1.82	2.12
棉纱头	kg	1.21	1.41	1.72	2.02
其他材料费	%	2	2	2	2
电动卷扬机（单筒快速） 2t	台时	9.27	11.59	13.91	16.22
其他机械费	%	2	2	2	2
定额编号		SW01022	SW01023	SW01024	SW01025

第二章　缆线架设及附件安装工程

说　　明

一、本章包括水文缆道主(副)缆、循环索、断面索、避雷线、低压输电线、升降索、拉偏索等的架设,刀割式浮标投掷器附件、低压输电轮、拉偏行车架、升降吊箱、铅鱼、平衡锤(滑轮组)、导向滑轮、支承滑轮、防振锤等的安装及缆索跨越架设等共17节。

二、水文缆道主(副)缆架设

1. 计量单位:处。

2. 工作内容:放、紧缆准备,缆盘轴支撑及放缆过程观测检查,机械牵引放缆,机械紧缆,垂度观测,护缆及铁塔监护,钢丝绳端头与锚杆连接,垂度调整与固定、滑车及工器具转移。

3. 未计价装置性材料包括主、副缆钢丝绳、花篮螺丝、套环、钢丝绳夹子。

三、循环索(含铅鱼缆道循环索、吊箱缆道循环索)、浮标投掷器索架设

1. 计量单位:处。

2. 工作内容:放、紧索准备,钢丝绳盘轴支撑及放索过程观测检查,人力或机械牵引放索,机械紧索,穿绕绞车卷筒及固定、导向轮及滑轮组游轮,垂度观测,护索及杆塔监护,钢丝绳端头制作与

附件连接，工器具转移。

3. 未计价装置性材料包括钢丝绳、套环、钢丝绳夹子。

四、断面索架设

1. 计量单位:处。

2. 工作内容:放、紧索准备，钢丝绳(或钢绞线)盘轴支撑及放索过程观测检查，人力或机械牵引放索，机械紧索，垂度观测，钢丝绳(或钢绞线)端头制作与附件连接，垂度调整与固定，工器具转移。

3. 未计价装置性材料包括钢丝绳(或钢绞线)、花篮螺丝、套环、钢丝绳或钢绞线夹子、金具等。

五、避雷线架设

1. 计量单位:处。

2. 工作内容:放、紧线准备，钢绞线盘轴支撑及放线过程观测检查，人力或机械牵引放线，紧挂线，垂度观测，护线及杆塔监护，线端头制作及接地线连接，垂度调整与固定，工器具转移。

3. 未计价装置性材料包括避雷线、金具、线夹等。

六、低压输电线架设

1. 计量单位:处。

2. 工作内容:放、紧线准备，导线盘轴支撑及放线过程观测检查，人力或机械牵引放线，机械紧挂线，垂度观测，护索及杆塔监护，导线端头制作与附件连接，垂度调整与固定，放线滑车及工器具转移。

3. 未计价装置性材料包括导线、绝缘子、金具、线夹等。

七、升降索架设

1. 计量单位:处。

2. 工作内容:放、紧索准备，钢丝绳盘轴支撑及放索过程观测检查，人力牵引放索，穿绕滑轮，机械紧挂索，钢丝绳端头连接与固定，工器具转移。

3. 未计价装置性材料包括钢丝绳、套环、钢丝绳夹子。

八、拉偏索架设

1. 计量单位:处。

2. 工作内容:放、紧索准备,钢丝绳盘轴支撑及放索过程观测检查,人力牵引放索,穿绕拉偏行车滑轮,钢丝绳端头连接与固定,工器具转移。

3. 未计价装置性材料包括钢丝绳、套环、钢丝绳夹子。

九、刀割式浮标投掷器附件安装

1. 计量单位:处。

2. 工作内容:刀割式浮标投掷器架的安装,与循环索的连接,夹子的安装。

3. 未计价装置性材料包括浮标投掷器架、滑轮、钢丝绳夹子。

十、低压输电轮安装

1. 计量单位:套。

2. 工作内容:输电铜滑轮、碳刷安装与移动电缆的连接。

3. 未计价装置性材料包括输电铜滑轮、碳刷、移动电缆等。

十一、拉偏行车架安装

1. 计量单位:套。

2. 工作内容:检查、吊装拉偏行车滑轮与拉偏索连接。

3. 未计价装置性材料包括行车架、钢丝绳夹头。

十二、升降吊箱安装

1. 计量单位:套。

2. 工作内容:缆道行车架、吊箱、流速仪悬杆安装。

3. 未计价装置性材料包括悬杆、悬索。

十三、铅鱼安装

1. 计量单位:只。

2. 工作内容:铅鱼与悬索连接安装、铅鱼入水平衡检验与调整。

3. 未计价装置性材料包括钢丝绳夹子。

十四、平衡锤(滑轮组)安装

1. 计量单位:套。

2. 工作内容:利用机动绞磨提升,高空敷设,钢丝绳夹紧固,平衡锤(滑轮组)的安装与固定。

3. 未计价装置性材料包括钢丝绳夹头等。

十五、导向滑轮安装

1. 计量单位:10 个。

2. 工作内容:地面组合,利用绞磨将滑轮提升,调试方向,高空安装,固定滑轮。

十六、支承滑轮安装

1. 计量单位:个。

2. 工作内容:地面组合,利用绞磨和滑车组提升支承轮,调试方向,高空安装,固定滑轮。

十七、防振锤安装

1. 计量单位:个。

2. 工作内容:进行外观检查,在导线及良导体避雷线缠绕铝包带,防振锤安装调整及螺栓紧固,补刷防锈漆。

十八、缆索跨越架设

1. 计量单位:处。

2. 工作内容:缆索架设时跨越铁路、一般公路、高速公路(含一级公路)、电力线及弱电线时,跨越架的搭设、拆除、放(紧)线时跨越架的监护、材料和工器具移运。

3. 缆索跨越架系指在水文缆道跨度内,对一种被跨越物所必须搭设的跨越架而言,如跨越多种跨越物,应根据跨越物种类分别套用定额;跨越房屋、果园、经济作物时,按跨越低压弱电线相应定额乘以系数 0.8。

SW 二－1　水文缆道主(副)缆架设

单位:处

项　目	单位	主、副缆(Φ16mm)			
		主跨加边跨(m)			
		≤100	100～300	300～500	每增加 100
工　长	工时	8.4	14.3	18.6	3.5
高级工	工时	33.4	57.2	74.2	13.9
中级工	工时	83.5	142.9	185.6	34.7
初级工	工时	41.7	71.4	92.8	17.2
合　计	工时	167.0	285.8	371.2	69.3
杂麻绳	kg	24.75	42.35	55.00	
镀锌铁丝	kg	8.50	8.50	8.50	
辅助钢丝绳　Φ12～16	m	30.00	30.00	30.00	
放线架	个	1.00	1.00	1.00	
原　木	m^3	0.11	0.18	0.24	
黄　油	kg	3.57	6.11	7.93	
其他材料费	%	5	5	5	
客货两用车	台时	4.00	4.00	4.00	1.00
轮胎式拖拉机　21kW	台时	5.30	7.30	9.30	2.00
机　艇　30kW	台时	8.00	11.00	14.00	3.00
机　艇　50kW	台时	16.00	22.00	42.00	3.00
机动绞磨　3t	台时	8.00	11.00	14.00	3.00
其他机械费	%	4	4	4	
定额编号		SW02001	SW02002	SW02003	SW02004

注:未计价装置性材料见附录 7。

续表

项目	单位	主、副缆(Φ20mm)			
		主跨加边跨(m)			
		≤100	100～300	300～500	每增加100
工长	工时	10.1	17.4	22.5	3.5
高级工	工时	40.6	69.4	90.1	13.9
中级工	工时	101.4	173.5	225.4	34.7
初级工	工时	50.7	86.8	112.7	17.2
合计	工时	202.8	347.1	450.7	69.3
杂麻绳	kg	24.75	42.35	55.00	
镀锌铁丝	kg	8.50	8.50	8.50	
辅助钢丝绳 Φ12～16	m	30.00	30.00	30.00	
放线架	个	1.00	1.00	1.00	
原木	m^3	0.11	0.18	0.24	
黄油	kg	3.94	6.74	8.76	
其他材料费	%	5	5	5	
客货两用车	台时	4.00	4.00	4.00	1.00
轮胎式拖拉机 21kW	台时	6.60	8.00	10.00	2.00
机艇 30kW	台时	10.00	12.00	15.00	3.00
机艇 50kW	台时	20.00	24.00	45.00	3.00
机动绞磨 3t	台时	10.00	12.00	15.00	3.00
其他机械费	%	4	4	4	
定额编号		SW02005	SW02006	SW02007	SW02008

续表

项目	单位	主、副缆(Φ24mm)		
		主跨加边跨(m)		
		100～300	300～500	每增加100
工长	工时	20.4	26.5	3.5
高级工	工时	81.7	106.1	13.9
中级工	工时	204.2	265.1	34.7
初级工	工时	102.0	132.6	17.2
合计	工时	408.3	530.3	69.3
杂麻绳	kg	42.35	55.00	
镀锌铁丝	kg	8.50	8.50	
辅助钢丝绳 Φ12～16	m	30.00	30.00	
放线架	个	1.00	1.00	
原木	m^3	0.18	0.24	
黄油	kg	7.93	10.30	
其他材料费	%	5	5	
客货两用车	台时	4.00	4.00	1.00
轮胎式拖拉机 41kW	台时	9.30	10.60	2.00
机艇 30kW	台时	14.00	16.00	3.00
机艇 88～90kW	台时	28.00	48.00	3.00
机动绞磨 5t	台时	14.00	16.00	3.00
其他机械费	%	4	4	
定额编号		SW02009	SW02010	SW02011

续表

项目	单位	主、副缆(Φ28mm)		
		主跨加边跨(m)		
		100～300	300～500	每增加100
工长	工时	21.4	27.8	3.5
高级工	工时	85.7	111.4	13.9
中级工	工时	214.4	278.4	34.7
初级工	工时	107.2	139.2	17.2
合计	工时	428.7	556.8	69.3
杂麻绳	kg	42.35	55.00	
镀锌铁丝	kg	8.50	8.50	
辅助钢丝绳 Φ12～16	m	30.00	30.00	
放线架	个	1.00	1.00	
原木	m^3	0.18	0.24	
黄油	kg	8.96	11.64	
其他材料费	%	5	5	
客货两用车	台时	4.00	4.00	1.00
轮胎式拖拉机 41kW	台时	10.60	11.30	2.00
机艇 30kW	台时	16.00	17.00	3.00
机艇 88～90kW	台时	32.00	51.00	3.00
机动绞磨 5t	台时	16.00	17.00	3.00
其他机械费	%	4	4	
定额编号		SW02012	SW02013	SW02014

续表

项目	单位	主、副缆(Φ32mm)	
		主跨加边跨(m)	
		300～500	每增加 100
工长	工时	29.2	3.5
高级工	工时	116.7	13.9
中级工	工时	291.6	34.7
初级工	工时	145.8	17.2
合计	工时	583.3	69.3
杂麻绳	kg	55.00	
镀锌铁丝	kg	8.50	
辅助钢丝绳 Φ12～16	m	30.00	
放线架	个	1.00	
原木	m^3	0.24	
黄油	kg	12.98	
其他材料费	%	5	
客货两用车	台时	4.00	1.00
轮胎式拖拉机 41kW	台时	12.00	2.00
机艇 30kW	台时	18.00	3.00
机艇 88～90kW	台时	54.00	3.00
机动绞磨 5t	台时	18.00	3.00
其他机械费	%	4	
定额编号		SW02015	SW02016

续表

项　　目	单位	主、副缆(Φ36mm)	
		主跨加边跨(m)	
		300～500	每增加100
工　　长	工时	30.5	3.5
高 级 工	工时	122.0	13.9
中 级 工	工时	304.9	34.7
初 级 工	工时	152.4	17.2
合　　计	工时	609.8	69.3
杂 麻 绳	kg	55.00	
镀锌铁丝	kg	8.50	
辅助钢丝绳　Φ12～16	m	30.00	
放 线 架	个	1.00	
原　　木	m^3	0.24	
黄　　油	kg	14.42	
其他材料费	%	5	
客货两用车	台时	4.00	1.00
轮胎式拖拉机　41kW	台时	13.30	2.00
机　　艇　30kW	台时	20.00	3.00
机　　艇　88～90kW	台时	60.00	3.00
机动绞磨　5t	台时	20.00	3.00
其他机械费	%	4	
定额编号		SW02017	SW02018

SW 二 - 2　循环索、浮标投掷器索架设

单位:处

项　　目	单位	循环索、浮标投掷器索(Φ3～9mm)			
		跨度(m)			
		≤100	100～300	300～500	每增加 100
工　　长	工时	3.5	4.3	5.6	0.7
高 级 工	工时	13.8	17.1	22.5	2.8
中 级 工	工时	34.5	42.8	56.4	6.9
初 级 工	工时	17.2	21.3	28.2	3.4
合　　计	工时	69.0	85.5	112.7	13.8
杂 麻 绳	kg	5.00	10.00	10.00	
镀锌铁丝	kg	3.00	3.00	3.00	
圆　　木　红白松一等	m^3	0.04	0.04	0.04	
其他材料费	%	3	3	4	
轮胎式拖拉机　21kW	台时	2.29	2.29	2.29	0.50
机　　艇　30kW	台时	4.47	4.47	8.96	2.00
机动绞磨　3t	台时	5.00	8.00	10.00	2.00
其他机械费	%	3	3	4	
定额编号		SW02019	SW02020	SW02021	SW02022

注:未计价装置性材料见附录 8。

SW二-3 断面索架设

单位:处

项目	单位	钢丝绳(Φ5~9mm)			
		跨度(m)			
		≤100	100~300	300~500	每增加100
工长	工时	2.7	3.1	3.4	0.3
高级工	工时	10.9	12.2	13.6	1.3
中级工	工时	27.3	30.6	33.9	3.3
初级工	工时	13.6	15.3	16.9	1.7
合计	工时	54.5	61.2	67.8	6.6
杂麻绳	kg	3.00	3.00	3.00	
镀锌铁丝	kg	2.00	3.00	4.00	
圆木 红白松一等	m^3	0.04	0.04	0.04	
其他材料费	%	2	2	3	
轮胎式拖拉机 21kW	台时	2.29	2.29	2.29	0.50
机艇 30kW	台时	4.16	6.56	8.96	1.00
机动绞磨 3t	台时	4.16	7.23	10.3	1.00
其他机械费	%	3	3	4	
定额编号		SW02023	SW02024	SW02025	SW02026

注:未计价装置性材料见附录9。

SW二-4 避雷线架设

单位:处

项目	单位	钢绞线(截面 35mm²)			
		主跨加边跨(m)			
		≤100	100～300	300～500	每增加 100
工长	工时	3.5	6.4	7.8	1.1
高级工	工时	14.0	25.6	31.2	4.4
中级工	工时	35.0	64.0	78.0	11.0
初级工	工时	17.5	32.0	39.0	5.5
合计	工时	70.0	128.0	156.0	22.0
杂麻绳	kg	4.00	4.00	5.00	
接地极	副	2.00	2.00	2.00	
镀锌扁铁	m	34.00	34.00	34.00	
镀锌铁丝	kg	1.00	1.00	1.00	
电焊条	kg	0.50	0.50	0.50	
其他材料费	%	3	3	4	
轮胎式拖拉机 21kW	台时	4.00	6.00	8.00	0.50
机艇 30kW	台时	6.00	8.00	12.00	1.00
机动绞磨 3t	台时	6.00	8.00	10.00	1.00
电焊机 25kVA	台时	6.00	6.00	6.00	
其他机械费	%	3	3	4	
定额编号		SW02027	SW02028	SW02029	SW02030

注:未计价装置性材料见附录 10。

续表

项　　目	单位	钢绞线(截面 50mm²)	
		主跨加边跨(m)	
		300～500	每增加 100
工　　长	工时	8.0	1.2
高 级 工	工时	32.0	4.8
中 级 工	工时	80.0	12.0
初 级 工	工时	40.0	6.0
合　　计	工时	160.0	24.0
杂 麻 绳	kg	5.00	
接 地 极	副	2.00	
镀锌扁铁	m	34.00	
镀锌铁丝	kg	1.00	
电 焊 条	kg	0.50	
其他材料费	%	4	
轮胎式拖拉机　21kW	台时	8.00	0.5
机　　艇　30kW	台时	12.00	1.00
机动绞磨　5t	台时	10.00	1.00
电 焊 机　25kVA	台时	6.00	
其他机械费	%	4	
定 额 编 号		SW02031	SW02032

续表

项　　目	单位	钢绞线(截面 $70mm^2$)	
		主跨加边跨(m)	
		300～500	每增加 100
工　　长	工时	10.5	1.2
高 级 工	工时	42.0	4.8
中 级 工	工时	105.0	12.0
初 级 工	工时	52.5	6.0
合　　计	工时	210.0	24.0
杂 麻 绳	kg	6.00	
接 地 极	副	2.00	
镀锌扁铁	m	34.00	
镀锌铁丝	kg	1.50	
电 焊 条	kg	0.50	
其他材料费	%	4	
轮胎式拖拉机　21kW	台时	9.00	0.5
机　　艇　30kW	台时	12.00	1.00
机动绞磨　5t	台时	10.00	1.00
电 焊 机　25kVA	台时	6.00	
其他机械费	%	4	
定额编号		SW02033	SW02034

SW二-5　低压输电线架设

单位:处

项　　目	单位	直流输电线(导线截面 $2\times150mm^2$)		
		跨度(m)		
		≤100	100~300	300~500
工　　长	工时	2.2	5.4	6.9
高 级 工	工时	8.7	21.4	27.7
中 级 工	工时	21.9	53.6	69.3
初 级 工	工时	10.9	26.8	34.7
合　　计	工时	43.7	107.2	138.6
镀锌铁丝	kg	0.06	0.19	0.32
汽　　油　70#以下	kg	0.01	0.03	0.05
油　　脂　导电脂	kg	0.01	0.04	0.06
红丹防锈漆	kg	0.01	0.03	0.05
镀锌钢绞线　GJ-35	kg	0.20	0.59	0.98
其他材料费	%	3	4	6
轮胎式拖拉机　21kW	台时	5.09	5.26	5.43
客货两用车	台时	2.58	2.72	2.87
载重汽车　5t	台时	5.29	5.86	6.43
其他机械费	%	5	5	5
定额编号		SW02035	SW02036	SW02037

注:未计价装置性材料见附录11。

续表

项目	单位	直流输电线(导线截面 $2\times300mm^2$)		
		跨度(m)		
		≤100	100～300	300～500
工长	工时	3.5	9.2	13.3
高级工	工时	13.8	36.6	53.0
中级工	工时	34.5	91.5	132.6
初级工	工时	17.2	45.7	66.2
合计	工时	69.0	183.0	265.1
镀锌铁丝	kg	0.08	0.23	0.38
汽油 70#以下	kg	0.04	0.12	0.19
油脂 导电脂	kg	0.04	0.11	0.18
红丹防锈漆	kg	0.02	0.05	0.08
镀锌钢绞线 GJ－70	kg	0.27	0.82	1.37
其他材料费	%	3	4	6
轮胎式拖拉机 21kW	台时	5.42	6.27	7.12
客货两用车	台时	2.65	2.95	3.25
载重汽车 5t	台时	5.30	5.90	6.50
其他机械费	%	5	5	5
定额编号		SW02038	SW02039	SW02040

续表

项目	单位	直流输电线(导线截面 2×400mm²)		
		跨度(m)		
		≤100	100～300	300～500
工长	工时	3.7	9.9	14.5
高级工	工时	14.8	39.7	58.2
中级工	工时	37.1	99.3	145.5
初级工	工时	18.6	49.6	72.7
合计	工时	74.2	198.5	290.9
镀锌铁丝	kg	0.08	0.23	0.38
汽油 70# 以下	kg	0.04	0.12	0.19
油脂 导电脂	kg	0.04	0.11	0.18
红丹防锈漆	kg	0.02	0.05	0.09
镀锌钢绞线 GJ－70	kg	0.27	0.82	1.37
其他材料费	%	3	4	6
轮胎式拖拉机 21kW	台时	5.76	7.29	8.82
客货两用车	台时	2.79	3.36	3.94
载重汽车 5t	台时	5.58	6.75	7.92
其他机械费	%	5	5	5
定额编号		SW02041	SW02042	SW02043

SW二-6 升降索架设

单位:处

项　　目	单位	升降索
工　　长	工时	1.5
高 级 工	工时	6.0
中 级 工	工时	15.0
初 级 工	工时	7.5
合　　计	工时	30.0
杂 麻 绳	kg	5.00
镀锌铁丝	kg	1.00
圆　　木　红白松一等	m^3	0.04
其他材料费	%	3
定额编号		SW02044

注:未计价装置性材料见附录12。

SW二-7　拉偏索架设

单位:处

项　　目	单位	拉偏索
工　　长	工时	1.6
高 级 工	工时	6.4
中 级 工	工时	16.1
初 级 工	工时	8.1
合　　计	工时	32.2
杂 麻 绳	kg	5.00
其他材料费	%	3
定额编号		SW02045

注:未计价装置性材料见附录12。

SW 二－8　刀割式浮标投掷器附件安装

单位:处

项目	单位	刀割式浮标投掷器框架	
		跨度(m)	
		≤300	>300
工长	工时	0.6	1.0
高级工	工时	2.6	3.8
中级工	工时	6.4	9.6
初级工	工时	3.2	4.8
合计	工时	12.8	19.2
镀锌铁丝	kg	0.50	0.50
黄油	kg	1.00	1.00
其他材料费	%	3	3
客货两用车	台时	0.12	0.19
机动绞磨 3t	台时	1.37	1.60
其他机械费	%	3	4
定额编号		SW02046	SW02047

SW 二 - 9　低压输电轮安装

单位:套

项　　目	单位	输电轮及碳刷安装
工　　长	工时	0.8
高 级 工	工时	3.2
中 级 工	工时	8.0
初 级 工	工时	4.0
合　　计	工时	16.0
黄　　油	kg	1.00
杂 麻 绳	kg	5.00
其他材料费	%	3
定 额 编 号		SW02048

SW二-10　拉偏行车架安装

单位:套

项　　目	单位	拉偏行车
工　　长	工时	0.7
高 级 工	工时	2.7
中 级 工	工时	6.7
初 级 工	工时	3.2
合　　计	工时	13.3
机动绞磨 3t	台时	1.00
其他机械费	%	3
定额编号		SW02049

SW二-11 升降吊箱安装

单位:套

项　　目	单位	升降吊箱安装
工　　长	工时	2.2
高 级 工	工时	8.8
中 级 工	工时	22.0
初 级 工	工时	11.0
合　　计	工时	44.0
黄　　油	kg	1.00
镀锌铁丝	kg	0.30
白　　松　二等中方	m^3	0.20
悬杆(钢管 Φ30mm)	m	6.00
其他材料费	%	5
客货两用车	台时	2.00
其他机械费	%	2
定额编号		SW02050

SW二-12 铅鱼安装

单位:只

项　　目	单位	铅鱼安装(kg)	
		400	增减20
工　　长	工时	2.9	0.1
高 级 工	工时	11.7	0.6
中 级 工	工时	29.3	1.5
初 级 工	工时	14.8	0.7
合　　计	工时	58.7	2.9
客货两用车	台时	2.00	
机动绞磨 3t	台时	3.00	
其他机械费	%	2	
定额编号		SW02051	SW02052

注:未计价装置性材料见附录13。

SW 二 - 13　平衡锤(滑轮组)安装

单位:套

项　　目	单位	平衡锤安装(kg)		滑轮组
		300	增减 10	
工　　长	工时	2.2	0.1	0.8
高 级 工	工时	8.9	0.3	3.2
中 级 工	工时	22.3	0.7	7.9
初 级 工	工时	11.1	0.4	3.9
合　　计	工时	44.5	1.5	15.8
黄　　油	kg	1.00		1.00
杂 麻 绳	kg	5.00		5.00
其他材料费	%	2		2
客货两用车	台时	1.00		
机动绞磨 3t	台时	4.00		2.00
其他机械费	%	4		4
定额编号		SW02053	SW02054	SW02055

注:未计价装置性材料见附录 13。

SW二-14 导向滑轮安装

单位:10个

项目	单位	导向滑轮安装	
		地面	塔架上
工长	工时	4.6	6.4
高级工	工时	18.3	25.6
中级工	工时	45.8	63.9
初级工	工时	22.8	31.9
合计	工时	91.5	127.8
黄油	kg	2.00	2.00
其他材料费	%	5	5
客货两用车	台时	1.00	2.00
机动绞磨 3t	台时		16.00
其他机械费	%	2	6
定额编号		SW02056	SW02057

SW二-15 支承滑轮安装

单位:个

项　　目	单位	杆塔架顶支承滑轮安装
工　　长	工时	2.2
高 级 工	工时	8.7
中 级 工	工时	21.8
初 级 工	工时	10.8
合　　计	工时	43.5
黄　　油	kg	1.00
其他材料费	%	5
机动绞磨 3t	台时	6.00
其他机械费	%	2
定额编号		SW02058

SW二-16 防振锤安装

单位:个

项　　目	单位	防振锤安装
工　　长	工时	
高 级 工	工时	1.2
中 级 工	工时	
初 级 工	工时	
合　　计	工时	1.2
定额编号		SW02059

SW二-17　缆索跨越架设

单位:处

项　　目	单位	跨越高压电力线	跨越低压电力线
工　　长	工时	19.2	7.7
高 级 工	工时	76.7	30.8
中 级 工	工时	191.7	77.1
初 级 工	工时	95.7	38.5
合　　计	工时	383.3	154.1
焊接钢管　DN50以下	kg	15.52	5.53
镀锌铁丝	kg	12.83	4.60
镀锌钢绞线　GJ-70	kg	0.91	0.48
钢管脚手架　包括扣件	kg	6.51	2.04
木脚手杆杉原木　Φ80×6000	根	3.85	1.41
安 全 网	m^2	7.80	3.51
毛　　竹	根	4.86	1.66
其他材料费	%	2	2
客货两用车	台时	3.84	1.48
载重汽车　5t	台时	3.34	2.60
其他材料费	%	2	2
定额编号		SW02060	SW02061

续表

项　　目	单位	跨越铁路	跨越一般公路	跨越高速公路
工　　长	工时	17.2	16.0	20.6
高 级 工	工时	68.7	63.9	82.5
中 级 工	工时	171.9	159.9	206.2
初 级 工	工时	85.9	79.9	103.1
合　　计	工时	343.7	319.7	412.4
焊接钢管　DN50以下	kg	15.28	14.21	18.34
镀锌铁丝	kg	11.86	11.03	12.81
镀锌钢绞线　GJ－70	kg	0.90	0.84	0.97
钢管脚手架　包括扣件	kg	6.42	5.97	7.70
木脚手杆杉原木　Φ80×6000	根	3.82	3.55	4.13
安 全 网	m^2	9.10	8.46	9.83
毛　　竹	根	4.83	4.49	5.22
其他材料费	%	2	2	2
客货两用车	台时	3.44	3.19	4.13
载重汽车　5t	台时	3.14	2.93	3.78
其他材料费	%	2	2	2
定额编号		SW02062	SW02063	SW02064

第三章 仪器设备安装

说 明

一、本章定额包括水位、流量、泥沙、降水、蒸发、水质、墒情等水文信息采集、传输、处理仪器设备的安装调试。

二、本章定额均以安装费率表示,以仪器设备原价作为计算基础。

三、水位信息采集仪器设备安装

(一)远传浮子式水位计

1. 本节定额包括水位计、太阳能电池、免维护蓄电池、通信设备、数据接收处理机(RTU)、避雷器等仪器设备的安装调试。

2. 工作内容:开箱检查、安装、调试、清理现场。

3. 地下水及潮汐水位计的安装调试可采用本定额。

(二)远传压力式水位计

1. 本节定额包括水位计、太阳能电池、免维护蓄电池、数据接收处理机(RTU)、UPS 电源、控制充电保护器、通信设备、避雷器等的安装调试。

2. 工作内容:开箱检查、安装、调试、清理现场。

3. 气泡式水位计的安装调试可采用本定额。

(三)远传超声波水位计

1. 本节定额包括超声波测量端机、数据接收处理机(RTU)、通信设备、接收处理及整编软件等的安装调试。

2．工作内容：开箱检查、安装、调试、清理现场。

3．雷达式水位计的安装调试可采用本定额。

（四）机械浮子式水位计

1．本节定额包括浮子、悬索、水位轮、平衡锤、水位记录等部分的安装调试。

2．工作内容：开箱检查、安装、调试、清理现场。

（五）数传仪

1．本节定额包括超短波设备、GSM/GPRS、卫星数传仪及附件的安装调试。

2．工作内容：开箱检查、安装、调试、通信试验、清理现场。

四、流量信息采集仪器设备安装

（一）固定式ADCP数据采集仪

1．本节定额包括换能器、发射接收及控制设备、电源、数据处理显示设备等相关附件的安装调试。

2．工作内容：铁构件制安、开箱检查、安装前调试、安装及调试、率定参数、清理现场。

3．座底式、岸坡式等ADCP的安装均可采用本定额。

（二）走航式ADCP数据采集仪

1．本节定额包括换能器、发射接收及控制设备、电源、数据处理显示设备等的安装调试。

2．工作内容：铁构件制安、开箱检查、安装前调试、仪器安装调试、软硬件调试、清理现场。

（三）缆道测流控制系统

1．半自动控制系统

（1）本节定额包括交流变频器、缆道测距仪、流速测算仪、控制台、水面河底控制器仪器设备等的安装调试。

（2）工作内容：开箱检查、安装、调试、测试、清理现场。

2．全自动控制系统

（1）本节定额包括交流变频器、缆道测距仪、流速测算仪、控制台、水面河底控制器、缆道测流控制计算软件等的安装调试。

（2）工作内容：开箱检查、安装、调试、测试、清理现场。

（四）船用测流综合控制系统

1．本节定额包括交流变频器、测深仪、流速测算仪、控制台、水面河底控制器、测流控制计算软件等的安装调试。

2．工作内容：开箱检查、船上安装、调试、清理现场。

（五）电波流速仪

1．本节定额包括探测头、信号处理机、电池的安装调试。

2．工作内容：开箱检查、安装调试、清理现场。

（六）水文绞车

1．本节定额包括手动绞车、电动绞车的安装调试。

2．工作内容：安装前清点、检查基座情况、安装、试车、调试、清理现场。

（七）堰槽流量计

1．本节定额包括超声波换能器、显示器、通信设备等的安装调试。

2．工作内容：开箱检查、安装调试、清理现场。

3．定额不含测流水槽基础设施及仪器支架制安。

（八）测深仪

1．本节定额包括换能器固定支架、换能器及实时数据处理显示设备的安装调试。

2．工作内容：开箱检查、安装、调试、清理现场。

（九）GPS

工作内容：开箱检查、移动站安装、调试、率定参数、清理现场。

（十）桥测设备

1．本节定额包括车载水文绞车、测深测速设备、流量计算显示设备等的安装调试。

2. 工作内容：开箱检查、安装、调试、流量测试、清理现场。

（十一）微机测流系统

工作内容：开箱检查、安装、调试、清理现场。

五、泥沙信息采集仪器设备安装

（一）悬移质测沙仪

1. 本节定额包括泥沙传感器、电源、实时数据处理显示设备及其相关附件的安装调试。

2. 工作内容：机架连接、开箱检查、仪器安装、连接电源、单机调试、清理现场。

3. 振动式测沙仪、超声波测沙仪、红外测沙仪、激光测沙仪及其他在线式悬移质测沙仪的安装均可采用本定额。

（二）泥沙采样器

1. 本节定额包括泥沙采样器以及水下、岸上控制设备的安装调试。

2. 工作内容：开箱检查、安装、调试、清理现场。

3. 悬移质采样器、河床质采样器、推移质采样器的安装均可采用本定额。

（三）激光粒度仪

1. 本节定额包括主机、进样器及其相关附件的安装调试。

2. 工作内容：开箱检查、安装、标准测试、清理现场。

3. 其他粒度仪可采用本定额。

（四）天平

1. 本定额适用于机械天平和电子天平的安装调试。

2. 工作内容：开箱检查、安装、调试、称重校验、清理现场。

六、降水、蒸发信息采集仪器设备安装

（一）雨量计

1. 本节定额包括雨量计、太阳能电池、免维护蓄电池、通信设备、数据接收处理机(RTU)、避雷器等的安装调试。

2.工作内容:开箱检查、安装、调试、清理现场。

3.虹吸式雨量计、翻斗式雨量计及其他自记雨量计的安装可采用本定额。

(二)遥测水位、雨量计

1.本节定额包括水位计、雨量计、太阳能电池、免维护蓄电池、数据接收处理机(RTU)、通信设备、充电保护器、避雷器等的安装调试。

2.工作内容:开箱检查、安装、调试、清理现场。

(三)蒸发器

1.本节定额包括E601型蒸发器的蒸发桶、溢流桶、围圈、测针等的安装调试。

2.工作内容:开箱检查、安装、调试、清理现场。

(四)风速风向仪

1.本节定额包括风速仪、风向仪及其相关附件的安装调试。

2.工作内容:开箱检查、安装、调试、清理现场。

七、水质监测分析仪器设备安装

(一)水质自动监测站仪器设备

1.本节定额适用于水质自动监测站仪器设备的安装调试。

2.工作内容:开箱检查、安装、调试、清理现场。

(二)水质移动监测分析车仪器设备

1.本节定额适用于水质移动监测车仪器设备的安装调试。

2.工作内容:开箱检查、安装、调试、清理现场。

(三)其他水质监测分析仪器设备

1.本节定额适用于需要安装调试或比测率定的水质监测分析

仪器设备的安装调试。

2.工作内容:开箱检查、安装、调试、清理现场。

八、墒情监测设备

1.本节定额适用于墒情监测设备的安装调试。

2.工作内容:开箱检查、安装、调试、清理现场。

SW三－1　水位信息采集仪器设备安装

(1)远传浮子式水位计安装调试

定额编号	单　位	安装费(%)				装置性材料费(%)
		合计	人工费	材料费	机械使用费	
SW03001	项	5.6	2.3	0.8	2.5	

(2)远传压力式水位计安装调试

定额编号	单　位	安装费(%)				装置性材料费(%)
		合计	人工费	材料费	机械使用费	
SW03002	项	3.5	1.7	0.3	1.5	1.3

(3)远传超声波水位计安装调试

定额编号	单　位	安装费(%)				装置性材料费(%)
		合计	人工费	材料费	机械使用费	
SW03003	项	4.1	1.7	1.3	1.1	

(4)机械浮子式水位计安装调试

定额编号	单　位	安装费(%)				装置性材料费(%)
		合计	人工费	材料费	机械使用费	
SW03004	台	8.5	4.3	0.1	4.1	

(5)数传仪安装调试

定额编号	单　位	安装费(%)				装置性材料费(%)
		合计	人工费	材料费	机械使用费	
SW03005	台	4.3	2.0	1.1	1.2	

SW 三 - 2　流量信息采集仪器设备安装

(1)固定式 ADCP 数据采集仪安装调试

定额编号	单　位	安装费(%)				装置性材料费(%)
		合计	人工费	材料费	机械使用费	
SW03006	台	2.6	0.4	0.4	1.8	

(2)走航式 ADCP 数据采集仪安装调试

定额编号	单　位	安装费(%)				装置性材料费(%)
		合计	人工费	材料费	机械使用费	
SW03007	台	1.0	0.1	0.8	0.1	

(3)缆道测流控制系统安装调试

①半自动控制系统安装调试

定额编号	单 位	安装费(%)				装置性材料费(%)
		合计	人工费	材料费	机械使用费	
SW03008	项	4.8	3.0	0.9	0.9	1.9

②全自动控制系统安装调试

定额编号	单 位	安装费(%)				装置性材料费(%)
		合计	人工费	材料费	机械使用费	
SW03009	项	3.5	2.3	0.6	0.6	1.4

(4)船用测流综合控制系统安装调试

定额编号	单　位	安装费(%)				装置性材料费(%)
		合计	人工费	材料费	机械使用费	
SW03010	项	3.2	2.0	0.6	0.6	1.3

(5)电波流速仪安装调试

定额编号	单　位	安装费(%)				装置性材料费(%)
		合计	人工费	材料费	机械使用费	
SW03011	台	3.5	1.4	1.7	0.4	

(6)水文绞车安装调试

定额编号	单　位	安装费(%)				装置性材料费(%)
		合计	人工费	材料费	机械使用费	
SW03012	台	3.7	1.7	0.3	1.7	0.9

(7)堰槽流量计安装调试

定额编号	单 位	安装费(%)				装置性材料费(%)
		合计	人工费	材料费	机械使用费	
SW03013	项	3.2	1.0	1.4	0.8	

(8)测深仪安装调试

定额编号	单 位	安装费(%)				装置性材料费(%)
		合计	人工费	材料费	机械使用费	
SW03014	台	1.9	0.4	1.3	0.2	

(9)GPS 安装调试

定额编号	单 位	安装费(%)				装置性材料费(%)
		合计	人工费	材料费	机械使用费	
SW03015	台	0.2	0.2			

(10)桥测设备安装调试

定额编号	单　位	安装费(%)				装置性材料费(%)
		合计	人工费	材料费	机械使用费	
SW03016	项	5.2	4.8	0.4		

(11)微机测流系统安装调试

定额编号	单　位	安装费(%)				装置性材料费(%)
		合计	人工费	材料费	机械使用费	
SW03017	项	5.4	2.7	2.5	0.2	

SW 三－3　泥沙信息采集仪器设备安装

(1)悬移质测沙仪安装调试

定额编号	单　位	安装费(%)				装置性材料费(%)
		合计	人工费	材料费	机械使用费	
SW03018	台	1.9	0.8	0.2	0.9	

(2)泥沙采样器安装调试

定额编号	单　位	安装费(%)				装置性材料费(%)
		合计	人工费	材料费	机械使用费	
SW03019	台	6.2	2.3	1.5	2.4	

(3)激光粒度仪安装调试

定额编号	单 位	安装费(%)				装置性材料费(%)
		合计	人工费	材料费	机械使用费	
SW03020	台	0.4	0.1	0.2	0.1	

(4)天平安装调试

定额编号	单 位	安装费(%)				装置性材料费(%)
		合计	人工费	材料费	机械使用费	
SW03021	台	2.5	1.9	0.6		

SW三-4　降水、蒸发信息采集仪器设备安装

(1)雨量计安装调试

定额编号	单　位	安装费(%)				装置性材料费(%)
		合计	人工费	材料费	机械使用费	
SW03022	台	5.4	3.7		1.7	

(2)遥测水位、雨量计安装调试

定额编号	单　位	安装费(%)				装置性材料费(%)
		合计	人工费	材料费	机械使用费	
SW03023	项	2.1	1.0	0.6	0.5	

(3)蒸发器安装调试

定额编号	单　位	安装费(%)				装置性材料费(%)
		合计	人工费	材料费	机械使用费	
SW03024	台	6.1	2.8	0.3	3.0	

(4)风速风向仪安装调试

定额编号	单　位	安装费(%)				装置性材料费(%)
		合计	人工费	材料费	机械使用费	
SW03025	台	0.9	0.9			

SW三-5 水质监测分析仪器设备安装

(1)水质自动监测站仪器设备安装调试

定额编号	单位	安装费(%)				装置性材料费(%)
		合计	人工费	材料费	机械使用费	
SW03026	项	0.4	0.2	0.1	0.1	

(2)水质移动监测分析车仪器设备安装调试

定额编号	单位	安装费(%)				装置性材料费(%)
		合计	人工费	材料费	机械使用费	
SW03027	项	0.3	0.2	0.1		

(3)其他水质监测分析仪器设备安装调试

定额编号	单　位	安装费(%)				装置性材料费(%)
		合计	人工费	材料费	机械使用费	
SW03028	台	0.2	0.2			

SW 三－6　墒情监测设备安装调试

定额编号	单　位	安装费(%)				装置性材料费(%)
		合计	人工费	材料费	机械使用费	
SW03029	项	3.0	1.6	0.7	0.7	

第四篇　水文设施工程施工机械台时费定额

说　　明

一、本定额包括土石方机械及其他机械。

二、本定额以“台时”为计量单位。

SW一　土石方机械

单位:台时

项　目		单位	拖拉机	
			轮胎式	
			功率(kW)	
			21	41
(一)	折旧费	元	2.36	4.20
	修理及替换设备费	元	2.32	5.04
	安装拆卸费	元		
	小计	元	4.68	9.24
(二)	人工	工时	1.3	1.3
	汽油	kg		
	柴油	kg	2.2	4.3
	电	kW·h		
	风	m^3		
	水	m^3		
	煤	kg		
备　注				
编　号			SW1001	SW1002

SW二　其他机械

单位:台时

项　目		单位	管子切断机	机动绞磨	
			直径(mm)	牵引力(t)	
			60	3	5
(一)	折旧费	元	0.83	1.65	2.15
	修理及替换设备费	元	0.89	0.84	1.10
	安装拆卸费	元	0.29	0.03	0.05
	小计	元	2.01	2.52	3.30
(二)	人工	工时	1.3	1.3	1.3
	汽油	kg		0.8	0.9
	柴油	kg			
	电	kW·h	0.6		
	风	m^3			
	水	m^3			
	煤	kg			
备　注					
编　号			SW1003	SW1004	SW1005

附　　录

附录 1

国家计委、建设部关于发布《工程勘察设计收费管理规定》的通知

计价格[2002]10 号

工程勘察设计收费管理规定

第一条 为了规范工程勘察设计收费行为,维护发包人和勘察人、设计人的合法权益,根据《中华人民共和国价格法》以及有关法律、法规,制定本规定及《工程勘察收费标准》和《工程设计收费标准》。

第二条 本规定及《工程勘察收费标准》和《工程设计收费标准》,适用于中华人民共和国境内建设项目的工程勘察和工程设计收费。

第三条 工程勘察设计的发包与承包应当遵循公开、公平、公正、自愿和诚实信用的原则。依据《中华人民共和国招标投标法》和《建设工程勘察设计管理条例》,发包人有权自主选择勘察人、设计人,勘察人、设计人自主决定是否接受委托。

第四条 发包人和勘察人、设计人应当遵守国家有关价格法律、法规的规定,维护正常的价格秩序,接受政府价格主管部门的监督、管理。

第五条 工程勘察和工程设计收费根据建设项目投资额的不同情况,分别实行政府指导价和市场调节价。建设项目总投资估算额 500 万元及以上的工程勘察和工程设计收费实行政府指导

价;建设项目总投资估算额500万元以下的工程勘察和工程设计收费实行市场调节价。

第六条 实行政府指导价的工程勘察和工程设计收费,其基准价根据《工程勘察收费标准》或者《工程设计收费标准》计算,除本规定第七条另有规定者外,浮动幅度为上下20%。发包人和勘察人、设计人应当根据建设项目的实际情况在规定的浮动幅度内协商确定收费额。

实行市场调节价的工程勘察和工程设计收费,由发包人和勘察人、设计人协商确定收费额。

第七条 工程勘察费和工程设计费,应当体现优质优价的原则。工程勘察和工程设计收费实行政府指导价的,凡在工程勘察设计中采用新技术、新工艺、新设备、新材料,有利于提高建设项目经济效益、环境效益和社会效益的,发包人和勘察人、设计人可以在上浮25%的幅度内协商确定收费额。

第八条 勘察人和设计人应当按照《关于商品和服务实行明码标价的规定》,告知发包人有关服务项目、服务内容、服务质量、收费依据,以及收费标准。

第九条 工程勘察费和工程设计费的金额以及支付方式,由发包人和勘察人、设计人在《工程勘察合同》或者《工程设计合同》中约定。

第十条 勘察人或者设计人提供的勘察文件或者设计文件,应当符合国家规定的工程技术质量标准,满足合同约定的内容、质量等要求。

第十一条 由于发包人原因造成工程勘察、工程设计工作量增加或者工程勘察现场停工、窝工的,发包人应当向勘察人、设计人支付相应的工程勘察费或者工程设计费。

第十二条 工程勘察或者工程设计质量达不到本规定第十条规定的,勘察人或者设计人应当返工。由于返工增加工作量的,发包人不另外支付工程勘察费或者工程设计费。由于勘察人或者设计人工作失误给发包人造成经济损失的,应当按照合同约定承担赔偿责任。

第十三条 勘察人、设计人不得欺骗发包人或者与发包人互相串通,以增加工程勘察工作量或者提高工程设计标准等方式,多收工程勘察费或者工程设计费。

第十四条 违反本规定和国家有关价格法律、法规规定的,由政府价格主管部门依据《中华人民共和国价格法》、《价格违法行为行政处罚规定》予以处罚。

第十五条 本规定及所附《工程勘察收费标准》和《工程设计收费标准》,由国家发展计划委员会负责解释。

第十六条 本规定自二〇〇二年三月一日起施行。

附录 2

工程勘察收费标准

总　则

1.0.1　工程勘察收费是指勘察人根据发包人的委托,收集已有资料、现场踏勘、制订勘察纲要,进行测绘、勘探、取样、试验、测试、检测、监测等勘察作业,以及编制工程勘察文件和岩土工程设计文件等收取的费用。

1.0.2　工程勘察收费标准分为通用工程勘察收费标准和专业工程勘察收费标准。

1.通用工程勘察收费标准适用于工程测量、岩土工程勘察、岩土工程设计与检测监测、水文地质勘察、工程水文气象勘察、工程物探、室内试验等工程勘察的收费。

2.专业工程勘察收费标准适用于煤炭、水利水电、电力、长输管道、铁路、公路、通信、海洋工程等工程勘察的收费。专业工程勘察中的一些项目可以执行通用工程勘察收费标准。

1.0.3　通用工程勘察收费采取实物工作量定额计费方法计算,由实物工作收费和技术工作收费两部分组成。

专业工程勘察收费方法和标准,分别在煤炭、水利水电、电力、长输管道、铁路、公路、通信海洋工程等章节中规定。

1.0.4　通用工程勘察收费按照下列公式计算

1.工程勘察收费 = 工程勘察收费基准价 ×(1 ± 浮动幅度值)

2. 工程勘察收费基准价 = 工程勘察实物工作收费 + 工程勘察技术工作收费

3. 工程勘察实物工作收费 = 工程勘察实物工作收费基价 × 实物工作量 × 附加调整系数

4. 工程勘察技术工作收费 = 工程勘察实物工作收费 × 技术工作收费比例

1.0.5 工程勘察收费基准价

工程勘察收费基准价是按照本收费标准计算出的工程勘察基准收费额，发包人和勘察人可以根据实际情况在规定的浮动幅度内协商确定工程勘察收费合同额。

1.0.6 工程勘察实物工作收费基价

工程勘察实物工作收费基价是完成每单位工程勘察实物工作内容的基本价格。工程勘察实物工作收费基价在相关章节中《实物工作收费基价表》中查找规定。

1.0.7 实物工作量

实物工作量由勘察人按照工程勘察规范、规程的规定和勘察作业实际情况在勘察纲要中提出，经发包人同意后，在工程勘察合同中约定。

1.0.8 附加调整系数

附加调整系数是对工程勘察的自然条件、作业内容和复杂程度差异进行调整的系数。附加调整系数分别列于总则和各章节中。附加调整系数为两个或者两个以上的，附加调整系数不能连乘。将各附加调整系数相加，减去附加调整系数的个数，加上定值 1，作为附加调整系数值。

1.0.9 在气温（以当地气象台、站的气象报告为准）≥35℃或者≤ -10℃条件下进行勘察作业时，气温附加调整系数为 1.2。

1.0.10 在海拔高程超过 2000m 地区进行工程勘察作业时，高程附加调整系数如下：

海拔高程 2000～3000m 为 1.1；

海拔高程 3001～3500m 为 1.2；

海拔高程 3501～4000m 为 1.3；

海拔高程 4001m 以上的，高程附加调整系数由发包人与勘察人协商确定。

1.0.11 建设项目工程勘察由两个或者两个以上勘察人承担的，其中对建设项目工程勘察合理性和整体性负责的勘察人，按照该建设项目工程勘察收费基准价的 5%加收主体勘察协调费。

1.0.12 工程勘察收费基准价不包括以下费用：办理工程勘察相关许可，以及购买有关资料费；拆除障碍物，开挖以及修复地下管线费；修通至作业现场道路，接通电源、水源以及平整场地费；勘察材料以及加工费；水上作业用船、排、平台以及水监费；勘察作业大型机具搬运费；青苗、树木以及水域养殖物赔偿费等。

发生以上费用的，由发包人另行支付。

1.0.13 工程勘察组日、台班收费基价如下：

工程测量、岩土工程验槽、检测监测、工程物探	1000 元/组日
岩土工程勘察	1360 元/台班
水文地质勘察	1680 元/台班

1.0.14 勘察人提供工程勘察文件的标准份数为 4 份。发包人要求增加勘察文件份数的，由发包人另行支付印制勘察文件工本费。

1.0.15 本收费标准不包括本总则的 1.0.1 以外的其他服务收费。其他服务收费，国家有收费规定的，按照规定执行；国家没有收费规定的，由发包人与勘察人协商确定。

水利水电工程勘察

一、说明

1. 本章为水库、引调水、河道治理、灌区、水电站、潮汐发电、水土保持等工程初步设计、招标设计和施工图设计阶段的工程勘察收费。

2. 单独委托的专项工程勘察、风力发电工程勘察，执行通用工程勘察收费标准。

3. 水利水电工程勘察按照建设项目单项工程概算投资额分档定额计费方法计算收费，计算公式如下：

工程勘察收费 = 工程勘察收费基准价 ×（1 ± 浮动幅度值）

工程勘察收费基准价 = 基准勘察收费 + 其他勘察收费

基准勘察收费 = 工程勘察收费基价 × 专业调整系数 × 工程复杂程度调整系数 × 附加调整系数

4. 水利水电工程勘察收费的计费额、基本勘察收费、其他勘察收费及调整系数等，《工程勘察标准》中未做规定的，按照《工程勘察标准》规定的原则确定。

5. 水利水电工程勘察收费基价是完成水利水电工程基本勘察服务的价格。

6. 水利水电工程勘察作业准备费按照工程勘察收费基准价的15% ～20%计算收费。

二、水利水电工程勘察收费基价表（附表 2-1）

附表 2-1　水利水电工程勘察收费基价表

单位:万元

序号	计费额	收费基价
1	200	9.0
2	500	20.9
3	1000	38.8
4	3000	103.8
5	5000	163.9
6	8000	249.6
7	10000	304.8
8	20000	566.8
9	40000	1054.0
10	60000	1515.2
11	80000	1960.1
12	100000	2393.4
13	200000	4450.8
14	400000	8276.7
15	600000	11897.5
16	800000	15391.4
17	1000000	18793.8
18	2000000	34948.9

注:计费额＞2000000 万元的,以计费额乘以 1.7%的收费率计算收费基价。

附录 3

工程设计收费标准

总 则

1.0.1 工程设计收费是指设计人根据发包人的委托，提供编制建设项目初步设计文件、施工图设计文件、非标准设备设计文件、施工图预算文件、竣工图文件等服务所收取的费用。

1.0.2 工程设计收费采取按照建设项目单项工程概算投资额分档定额计费方法计算收费。

铁道工程设计收费计算方法，在交通运输工程一章中规定。

1.0.3 工程设计收费按照下列公式计算

1. 工程设计收费 = 工程设计收费基准价 ×（1 ± 浮动幅度值）

2. 工程设计收费基准价 = 基本设计收费 + 其他设计收费

3. 基本设计收费 = 工程设计收费基价 × 专业调整系数 × 工程复杂程度调整系数 × 附加调整系数

1.0.4 工程设计收费基准价

工程设计收费基准价是按照本收费标准计算出的工程设计基准收费额，发包人和设计人根据实际情况，在规定的浮动幅度内协商确定工程设计收费合同额。

1.0.5 基本设计收费

基本设计收费是指在工程设计中提供编制初步设计文件、施工图设计文件收取的费用，并相应提供设计技术交底、解决施工中的设计技术问题、参加试车考核和竣工验收等服务。

1.0.6 其他设计收费

其他设计收费是指根据工程设计实际需要或者发包人要求提供相关服务收取的费用,包括总体设计费、主体设计协调费、采用标准设计和复用设计费、非标准设备设计文件编制费、施工图预算编制费、竣工图编制费等。

1.0.7 工程设计收费基价

工程设计收费基价是完成基本服务的价格。工程设计收费基价在《工程设计收费基价表》(附表3-1)中查找确定,计费额处于两个数值区间的,采用直线内插法确定工程设计收费基价。

1.0.8 工程设计收费计费额

工程设计收费计费额,为经过批准的建设项目初步设计概算中的建筑安装工程费、设备与工器具购置费和联合试运转费之和。

工程中有利用原有设备的,以签订工程设计合同时同类设备的当期价格作为工程设计收费的计费额;工程中有缓配设备,但按照合同要求以既配设备进行工程设计并达到设备安装和工艺条件的,以既配设备的当期价格作为工程设计收费的计费额;工程中有引进设备的,按照购进设备的离岸价折换成人民币作为工程设计收费的计费额。

1.0.9 工程设计收费调整系数

工程设计收费标准的调整系数包括:专业调整系数、工程复杂程度调整系数和附加调整系数。

1.专业调整系数是对不同专业建设项目的工程设计复杂程度和工作量差异进行调整的系数。计算工程设计收费时,专业调整系数在《工程设计收费专业调整系数表》(附表3-2)中查找确定。

2.工程复杂程度调整系数是对同一专业不同建设项目的工程设计复杂程度和工作量差异进行调整的系数。工程复杂程度分为一般、较复杂和复杂三个等级,其调整系数分别为:一般(Ⅰ)0.85;

较复杂(Ⅱ)1.0;复杂(Ⅲ)1.15。计算工程设计收费时,工程复杂程度在相应章节的《工程复杂程度表》中查找确定。

3.附加调整系数是对专业调整系数和工程复杂程度调整系数尚不能调整的因素进行补充调整的系数。附加调整系数分别列于总则和有关章节中。附加调整系数为两个或两个以上的,附加调整系数不能连乘。将各附加调整系数相加,减去附加调整系数的个数,加上定值1,作为附加调整系数值。

1.0.10 非标准设备设计收费按照下列公式计算

非标准设备设计费=非标准设备计费额×非标准设备设计费率

非标准设备计费额为非标准设备的初步设计概算。非标准设备设计费率在《非标准设备设计费率表》(附表3-3)中查找确定。

1.0.11 单独委托工艺设计、土建以及公用工程设计、初步设计、施工图设计的,按照其占基本服务设计工作量的比例计算工程设计收费。

1.0.12 改扩建和技术改造建设项目,附加调整系数为1.1~1.4。根据工程设计复杂程度确定适当的附加调整系数,计算工程设计收费。

1.0.13 初步设计之前,根据技术标准的规定或者发包人的要求,需要编制总体设计的,按照该建设项目基本设计收费的5%加收总体设计费。

1.0.14 建设项目工程设计由两个或者两个以上设计人承担的,其中对建设项目工程设计合理性和整体性负责的设计人,按照该建设项目基本设计收费的5%加收主体设计协调费。

1.0.15 工程设计中采用标准设计或者复用设计的,按照同类新建项目基本设计收费的30%计算收费;需要重新进行基础设计的,按照同类新建项目基本设计收费的40%计算收费;需要对原设计做局部修改的,由发包人和设计人根据设计工作量协商确定工程设计收费。

1.0.16 编制工程施工图预算的,按照该建设项目基本设计收费的10%收取施工图预算编制费;编制工程竣工图的,按照该建设项目基本设计收费的8%收取竣工图编制费。

1.0.17 工程设计中采用设计人自有专利或者专有技术的,其专利和专有技术收费由发包人与设计人协商确定。

1.0.18 工程设计中的引进技术需要境内设计人配合设计的,或者需要按照境外设计程序和技术质量要求由境内设计人进行设计的,工程设计收费由发包人与设计人根据实际发生的设计工作量,参照本标准协商确定。

1.0.19 由境外设计人提供设计文件,需要境内设计人按照国家标准规范审核并签署确认意见的,按照国际对等原则或者实际发生的工作量,协商确定审核确认费。

1.0.20 设计人提供设计文件的标准份数,初步设计、总体设计分别为10份,施工图设计、非标准设备设计、施工图预算、竣工图分别为8份。发包人要求增加设计文件份数的,由发包人另行支付印刷设计文件工本费。工程设计中需要购买标准设计图的,由发包人支付购图费。

1.0.21 本收费标准不包括本总则1.0.1以外的其他服务收费。其他服务收费,国家有收费规定的,按照规定执行;国家没有收费规定的,由发包人与设计人协商确定。

附表 3-1　工程设计收费基价表

单位:万元

序号	计费额	收费基价
1	200	9.0
2	500	20.9
3	1000	38.8
4	3000	103.8
5	5000	163.9
6	8000	249.6
7	10000	304.8
8	20000	566.8
9	40000	1054.0
10	60000	1515.2
11	80000	1960.1
12	100000	2393.4
13	200000	4450.8
14	400000	8276.7
15	600000	11897.5
16	800000	15391.4
17	1000000	18793.8
18	2000000	34948.9

注:计费额>2000000 万元的,以计费额乘以 1.6%的收费率计算收费基价。

附表 3-2　工程设计收费专业调整系数表

工程类型	专业调整系数
1. 矿山采选工程	
黑色、黄金、化学、非金属及其他矿采选工程	1.1
采煤工程，有色、铀矿采选工程	1.2
选煤及其他煤炭工程	1.3
2. 加工冶炼工程	
各类冷加工工程	1.0
船舶水工工程	1.1
各类冶炼、热加工、压力加工工程	1.2
核加工工程	1.3
3. 石油化工工程	
石油、化工、石化、化纤、医药工程	1.2
核化工工程	1.6
4. 水利电力工程	
风力发电、其他水利工程	0.8
火电工程	1.0
核电常规岛、水电、水库、送变电工程	1.2
核能工程	1.6
5. 交通运输工程	
机场场道工程	0.8
公路、城市道路工程	0.9
机场空管和助航灯光、轻轨工程	1.0
水运、地铁、桥梁、隧道工程	1.1
索道工程	1.3
6. 建筑市政工程	
邮政工艺工程	0.8
建筑、市政、电信工程	1.0
人防、园林绿化、广电工艺工程	1.1
7. 农业林业工程	
农业工程	0.9
林业工程	0.8

附表 3-3 非标准设备设计费率表

类别	非标准设备分类	费率(%)
一般	技术一般的非标准设备,主要包括: 1.单体设备类:槽、罐、池、箱、斗、架、台,常压容器、换热器、铅烟除尘、恒温油浴及无传动的简单装置; 2.室类:红外线干燥室、热风循环干燥室、浸漆干燥室、套管干燥室、极板干燥室、隧道式干燥室、蒸汽硬化室、油漆干燥室、木材干燥室	10～13
较复杂	技术较复杂的非标准设备,主要包括: 1.室类:喷砂室、静电喷漆室; 2.窑类:隧道窑、倒焰窑、抽屉窑、蒸笼窑、辊道窑; 3.炉类:冷、热风冲天炉、加热炉、反射炉、退火炉、淬火炉、煅烧炉、坩锅炉、氢气炉、石墨化炉、室式加热炉、砂芯烘干、干燥炉,亚胺化炉、还氧铅炉、真空热处理炉、气氛炉、空气循环炉、电炉; 4.塔器类:Ⅰ、Ⅱ类压力容器、换热器、通信铁塔; 5.自动控制类:屏、柜、台、箱等电控、仪控设备,电力拖动、热工调节设备; 6.通用类:余热利用、精铸、热工、除渣、喷煤、喷粉设备、压力加工、钣材、型材加工设备,喷丸强化机、清洗机; 7.水工类:浮船坞、坞门、闸门、船舶下水设备、升船机设备; 8.试验类:航空发动机试车台、中小型模拟试验设备	13～16
复杂	技术复杂的非标准设备,主要包括: 1.室类:屏蔽室、屏蔽暗室; 2.窑类:熔窑、成型窑、退火窑、回转窑; 3.炉类:闪速炉、专用电炉、单晶炉、沸腾炉、反应炉、裂解炉、大型复杂的热处理炉、炉外真空精炼设备; 4.塔器类:Ⅲ类压力容器、反应釜、真空罐、发酵罐、喷雾干燥塔、低温冷冻、高温高压设备、核承压设备及容器、广播电视塔桅杆、天馈线设备; 5.通用类:组合机床、数控机床、精密机床、专用机床、特种起重机、特种升降机、高货位立体仓贮设备、胶结固化装置、电镀设备,自动、半自动生产线; 6.环保类:环境污染防治、消烟除尘、回收装置; 7.试验类:大型模拟试验设备、风洞高空台、模拟环境试验设备	16～20

注:1.新研制并首次投入工业化生产的非标准设备,乘以1.3的调整系数计算收费;
2.多台(套)相同的非标准设备,自第二台(套)起乘以0.3的调整系数计算收费。

附录 4

环境影响咨询费

1.费用内容:是指按照《中华人民共和国环境保护法》、《中华人民共和国环境影响评价法》等规定,为全面、详细评价本建设项目对环境可能产生的污染或造成的重大影响所需的费用。环境影响咨询是建设项目前期工作中的重要环节,环境影响咨询内容包括:编制环境影响报告书(含大纲)、环境影响报告表、对环境影响报告书(含大纲)和环境影响报告表进行技术评估咨询费。

2.计算方法:按照国家发展和改革委员会、国家环境保护总局《关于规范环境影响咨询收费有关问题的通知》(计价格[2002]125号)的规定计取(见附表 4-1)。

附表 4-1　建设项目环境影响咨询收费标准

单位:万元

咨询服务项目 \ 估算投资额(亿元)	0.3 以下	0.3～2	2～20	20～50	50～100	100 以上
编制环境影响报告书(含大纲)	5～6	6～15	15～35	35～75	75～110	110 以上
编制环境影响报告表	1～2	2～4	4～7	7 以上		
评估环境影响报告书(含大纲)	0.8～1.5	1.5～3	3～7	7～9	9～13	13 以上
评估环境影响报告表	0.5～0.8	0.8～1.5	1.5～2	2 以上		

注:1. 表中数字下限为不含,上限为包含。

2. 估算投资额为项目建议书或可行性研究报告中的估算投资额。
3. 咨询服务项目收费标准根据估算投资额在对应区间内用插入法计算。
4. 以本表收费标准为基础,按建设项目行业特点和所在区域的环境敏感程度,乘以调整系数,确定咨询服务收费基准价,调整系数见附表 4-2、附表 4-3。
5. 评估环境影响报告书(含大纲)的费用不含专家参加审查会议的差旅费;环境影响评价大纲的技术评估费用占环境影响报告书评估费用的 40%。
6. 本表所列编制环境影响报告收费标准为不设评价专题的基准价,每增加一个专题加收 50%。
7. 本表中费用不包括遥感、遥测、风洞试验、污染气象观测、示踪试验、地探、物探、卫星图片解读、需要动用船、飞机等特殊监测的费用。

附表 4-2 环境影响评价大纲、报告书编制收费行业调整系数

行 业	调整系数
化工、冶金、有色、黄金、煤炭、矿产、纺织、化纤、轻工、医药	1.2
石化、石油天然气、水利、水电、旅游	1.1
林业、畜牧、渔业、农业、交通、铁道、民航、管线运输、建材、市政、烟草、兵器	1.0
邮电、广播电视、航空、机械、船舶、航天、电子、勘探、社会服务、火电	0.8
粮食、建筑、信息产业、仓贮	0.6

附表 4-3 环境影响评价大纲、报告书编制收费环境敏感程度调整系数

环境敏感程度	调整系数
敏 感	1.2
一 般	0.8

附录 5

砌筑砂浆、抹灰砂浆配合比

附表 5-1　砌筑砂浆

单位:m^3

材料项目	单位	混合砂浆			
		M10	M7.5	M5.0	M2.5
水泥 32.5 级	t	0.28	0.25	0.22	0.19
石灰膏	m^3	0.06	0.08	0.10	0.12
中砂、粗砂	m^3	1.02	1.02	1.02	1.02
水	m^3	0.40	0.40	0.40	0.60
材料项目	单位	水泥砂浆			
		M10	M7.5	M5.0	M2.5
水泥 32.5 级	t	0.28	0.25	0.22	0.20
中砂、粗砂	m^3	1.02	1.02	1.02	1.02
水	m^3	0.22	0.22	0.22	0.22

附表 5-2　抹灰砂浆

单位:m^3

材料项目	单位	石灰砂浆		水泥砂浆		
		1:2.5	1:3	1:1	1:2	1:3
水泥 32.5 级	t			0.76	0.55	0.40
石灰膏	m^3	0.40	0.36			
中砂、粗砂	m^3			0.64	0.93	1.02
细砂	m^3	1.02	1.02			
水	m^3	0.60	0.60	0.30	0.30	0.30

附录 6

各种垫层材料配合比

单位:m^3

材料项目	单位	土灰		三合土			
				碎砖		碎石	
		2:8	3:7	1:3:6	1:4:8	1:3:6	1:4:8
碎砖	m^3			1.16	1.19		
生石灰	t	0.16	0.24	0.10	0.07	0.09	0.07
细砂	m^3			0.58	0.8	0.52	0.53
粘土	m^3	1.31	1.15				
碎石 3~6cm	m^3					1.03	1.06
水	m^3	0.20	0.20	0.30	0.30	0.30	0.30

附录 7

主副索架设未计价装置性材料用量

单位:处

项 目	钢丝绳(m)	重型套环(个)	钢丝绳夹(只)	索具螺旋扣(只)
主副索架设(主跨加边跨)100m	132	2	8	2
主副索架设(主跨加边跨)300m	356	2	10	2
主副索架设(主跨加边跨)500m	560	2	12	2

附录 8

循环索架设未计价装置性材料用量

单位:处

项 目	钢丝绳 (m)	重型套环 (个)	钢丝绳夹子 (只)
1.循环索			
跨度 100m	254	2	8
跨度 300m	687	2	10
跨度 500m	1120	2	12
2.浮标投掷器索			
跨度 100m	204		
跨度 300m	612		
跨度 500m	1020		

附录9

断面索未计价装置性材料用量

单位:处

项目	镀锌钢绞线(m)	钢丝绳夹(只)	NUT型夹	起点距牌(块)
断面(起点距)索100m	122	4	2	21
断面(起点距)索300m	336	4	2	63
断面(起点距)索500m	560	4	2	105

项目	钢丝绳(m)	重型套环(个)	钢丝绳夹(只)	索具螺旋扣(只)	起点距牌(块)
断面(起点距)索100m	122	2	6	2	21
断面(起点距)索300m	336	2	8	2	63
断面(起点距)索500m	560	2	10	2	105

附录 10

避雷索未计价装置性材料用量

单位:处

项目	钢绞线（m）	重型套环（个）	线卡子（只）
避雷索　主跨加边跨 100m	110	2	6
避雷索　主跨加边跨 300m	330	2	8
避雷索　主跨加边跨 500m	550	2	10

附录 11

低压输电线未计价装置性材料用量

单位:处

项目	钢芯铝绞线（m）	拉力(盘形悬式)绝缘子（个）	线卡子（只）	耐张线夹（只）
直流输电线跨度 100m	122	2	6	2
直流输电线跨度 300m	336	2	8	2
直流输电线跨度 500m	560	2	10	2

附录 12

升降、拉偏索未计价装置性材料用量

单位:处

项目	钢丝绳(m)	重型套环(个)	钢丝绳夹(只)
吊箱升降索 Φ4mm	80～100	2	16
吊箱升降索 Φ5mm	80～100	2	16
拉偏索 Φ5mm～Φ6mm	60～100	2	8

附录 13

铅鱼、平衡锤及滑轮组未计价装置性材料用量

单位:处

项目	钢丝绳夹子(只)
平衡设备	10
滑轮组	8
测验铅鱼	6

附录 14

钢丝绳标记代号、力学性能

附表 14-1　标记代号

名称	代号	名称	代号
钢丝表面状态:		与圆形钢丝搭配	
光面钢丝	NAT	Z 形钢丝	Z
A 级镀锌钢丝	ZAA	股的横截面:	
AB 级镀锌钢丝	ZAB	圆形股	无代号
B 级镀锌钢丝	ZBB	三角形股	V
钢丝绳芯:		扁形股	R
纤维芯(天然或合成的)	FC	椭圆形股	Q
天然纤维芯	NF	钢丝绳横截面:	
合成纤维芯	SF	圆形钢丝绳	无代号
金属丝绳芯	IWR	编织钢丝绳	Y
金属丝股芯	IWS	扁形钢丝绳	P
钢丝横截面:		捻向:	
圆形钢丝	无代号	左向捻、西鲁式钢丝绳	S
三角形钢丝	V	瓦林吞式钢丝绳	W
矩形或扁形钢丝	R	右同向捻	ZZ
梯形钢丝	T	左同向捻	SS
椭圆形钢丝	Q	右交互捻	ZS
半密封钢丝(或钢轨形钢丝)	H	左交互捻	SZ

附表 14-2　6×19(a)类钢丝绳的力学性能

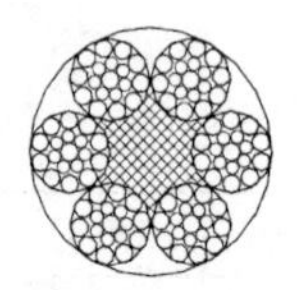

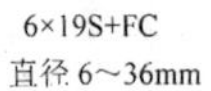

6×19S+FC
直径 6～36mm

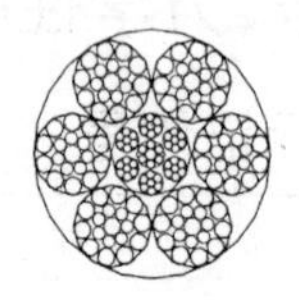

6×19S+IWR
直径 11～36mm

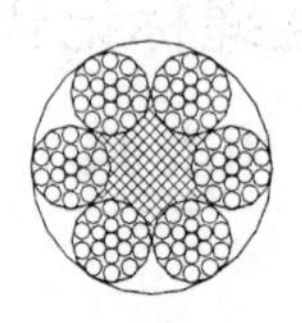

6×19W+FC
直径 8～40mm

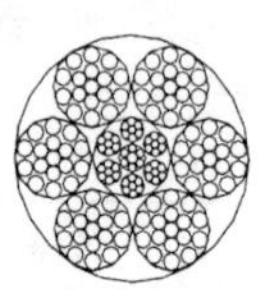

6×19W+IWR
直径 11～40mm

钢丝绳公称直径(mm)	钢丝绳近似重量(kg/100m)			钢丝绳公称抗拉强度(MPa)					
				1470		1570		1670	
				钢丝绳最小破断拉力(kN)					
d	天然纤维芯钢丝绳	合成纤维芯钢丝绳	钢　芯钢丝绳	纤维芯钢丝绳	钢　芯钢丝绳	纤维芯钢丝绳	钢　芯钢丝绳	纤维芯钢丝绳	钢　芯钢丝绳
6	13.30	13.00	14.60	17.40	18.80	18.60	20.10	19.80	21.40
7	18.10	17.60	19.90	23.70	25.60	25.30	27.30	27.00	29.10
8	23.60	23.00	25.90	31.00	33.40	33.10	35.70	35.20	38.00
9	29.90	29.10	32.80	39.20	42.30	41.90	45.20	44.60	48.10
10	36.90	36.00	40.50	48.50	52.30	51.80	55.80	55.10	59.40
11	44.60	43.50	49.10	58.60	63.30	62.60	67.60	66.60	71.90
12	53.10	51.80	58.40	69.80	75.30	74.60	80.40	79.30	85.60
13	62.30	60.80	68.50	81.90	88.40	87.50	94.40	93.10	100.00
14	72.20	70.50	79.50	95.00	102.00	101.00	109.00	108.00	116.00

注:1. 最小钢丝破断拉力总和＝钢丝绳最小破断拉力×1.214(纤维芯)或1.308(钢芯)。

2. 新设计设备不得选用括号内的钢丝绳直径。

续表

钢丝绳公称直径(mm)	钢丝绳近似重量(kg/100m)			钢丝绳公称抗拉强度(MPa)			
				1770		1870	
				钢丝绳最小破断拉力(kN)			
d	天然纤维芯钢丝绳	合成纤维芯钢丝绳	钢 芯钢丝绳	纤维芯钢丝绳	钢 芯钢丝绳	纤维芯钢丝绳	钢 芯钢丝绳
6	13.30	13.00	14.60	21.00	22.60	22.20	23.90
7	18.10	17.60	19.90	28.60	30.80	30.20	32.60
8	23.60	23.00	25.90	37.30	40.30	39.40	42.60
9	29.90	29.10	32.80	47.30	51.00	49.90	53.90
10	36.90	36.00	40.50	58.40	63.00	61.70	66.50
11	44.60	43.50	49.10	70.60	76.20	74.60	80.50
12	53.10	51.80	58.40	84.10	90.70	88.80	95.80
13	62.30	60.80	68.50	98.70	106.00	104.00	112.00
14	72.20	70.50	79.50	114.00	123.00	120.00	130.00

续表

钢丝绳公称直径(mm)	钢丝绳近似重量(kg/100m)			钢丝绳公称抗拉强度(MPa)					
				1470		1570		1670	
				钢丝绳最小破断拉力(kN)					
d	天然纤维芯钢丝绳	合成纤维芯钢丝绳	钢 芯钢丝绳	纤维芯钢丝绳	钢 芯钢丝绳	纤维芯钢丝绳	钢 芯钢丝绳	纤维芯钢丝绳	钢 芯钢丝绳
16	94.40	92.10	104.00	124.00	133.00	132.00	143.00	141.00	152.00
18	119.00	117.00	131.00	157.00	169.00	167.00	181.00	178.00	192.00
20	147.00	144.00	162.00	194.00	209.00	207.00	223.00	220.00	237.00
22	178.00	174.00	196.00	234.00	253.00	250.00	270.00	266.00	287.00
24	212.00	207.00	234.00	279.00	301.00	298.00	321.00	317.00	342.00
26	249.00	243.00	274.00	327.00	353.00	350.00	377.00	372.00	401.00
28	289.00	282.00	318.00	380.00	410.00	406.00	438.00	432.00	466.00
(30)	332.00	324.00	365.00	436.00	470.00	466.00	503.00	495.00	535.00
32	377.00	369.00	415.00	496.00	535.00	530.00	572.00	564.00	608.00
(34)	426.00	416.00	469.00	560.00	604.00	598.00	646.00	637.00	687.00
36	478.00	466.00	525.00	628.00	678.00	671.00	724.00	714.00	770.00
(38)	532.00	520.00	585.00	700.00	755.00	748.00	807.00	795.00	858.00
40	590.00	576.00	649.00	776.00	837.00	828.00	894.00	881.00	951.00

续表

钢丝绳公称直径(mm)	钢丝绳近似重量(kg/100m)			钢丝绳公称抗拉强度(MPa)			
				1770		1870	
				钢丝绳最小破断拉力(kN)			
d	天然纤维芯钢丝绳	合成纤维芯钢丝绳	钢　芯钢丝绳	纤维芯钢丝绳	钢　芯钢丝绳	纤维芯钢丝绳	钢　芯钢丝绳
16	94.40	92.10	104.00	149.00	161.00	157.00	170.00
18	119.00	117.00	131.00	189.00	204.00	199.00	215.00
20	147.00	144.00	162.00	233.00	252.0	246.00	266.00
22	178.00	174.00	196.00	282.00	304.00	298.00	322.00
24	212.00	207.00	234.00	336.00	362.00	355.00	383.00
26	249.00	243.00	274.00	394.0	425.00	417.00	450.00
28	289.00	282.00	318.00	457.00	494.00	483.00	521.00
(30)	332.00	324.00	365.00	525.00	567.00	555.00	599.00
32	377.00	369.00	415.00	598.00	645.00	631.00	681.00
(34)	426.00	416.00	469.00	675.00	728.00	713.00	769.00
36	478.00	466.00	525.00	756.00	816.00	799.00	862.00
(38)	532.00	520.00	585.00	843.00	909.00	891.00	961.00
40	590.00	576.00	649.00	934.00	1000.00	987.00	1060.00

附表 14-3　6×19(b)类钢丝绳的力学性能

6×19+FC

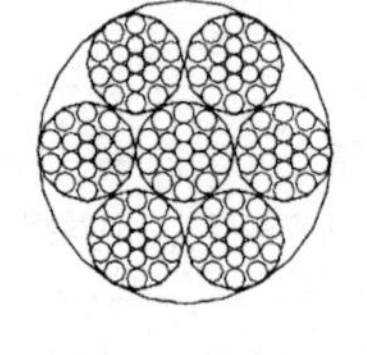

6×19+IWS

钢丝绳公称直径(mm)	钢丝绳近似重量(kg/100m)			钢丝绳公称抗拉强度(MPa)					
				1470		1570		1670	
				钢丝绳最小破断拉力(kN)					
d	天然纤维芯钢丝绳	合成纤维芯钢丝绳	钢　芯钢丝绳	纤维芯钢丝绳	钢　芯钢丝绳	纤维芯钢丝绳	钢　芯钢丝绳	纤维芯钢丝绳	钢　芯钢丝绳
3	3.11	3.03	3.43	4.06	4.39	4.33	4.69	4.61	4.98
4	5.54	5.39	6.10	7.22	7.80	7.71	8.33	8.20	8.87
5	8.65	8.42	9.52	11.20	12.20	12.00	13.00	12.80	13.80
6	12.50	12.10	13.70	16.20	17.50	17.30	18.70	18.40	19.90
7	17.00	16.50	18.70	22.10	23.90	23.60	25.50	25.10	27.10
8	22.10	21.60	24.40	28.80	31.20	30.80	33.30	32.80	35.40
9	28.00	27.30	30.90	36.50	39.50	39.00	42.20	41.50	44.90
10	34.60	33.70	38.10	45.10	48.80	48.10	52.10	51.20	55.40
11	41.90	40.80	46.10	54.60	59.00	58.30	63.00	62.00	67.00
12	49.80	48.50	54.90	64.90	70.20	69.40	75.00	73.80	79.80
13	58.50	57.00	64.40	76.20	82.40	81.40	88.00	86.60	93.70

注:1.最小钢丝破断拉力总和=钢丝绳最小破断拉力×1.197(纤维芯)或1.287(钢芯)。

2.新设计设备不得选用括号内的钢丝绳直径。

续表

钢丝绳公称直径(mm)	钢丝绳近似重量(kg/100m)			钢丝绳公称抗拉强度(MPa)			
				1770		1870	
				钢丝绳最小破断拉力(kN)			
d	天然纤维芯钢丝绳	合成纤维芯钢丝绳	钢芯钢丝绳	纤维芯钢丝绳	钢芯钢丝绳	纤维芯钢丝绳	钢芯钢丝绳
3	3.11	3.03	3.43	4.89	5.28	5.16	5.58
4	5.54	5.39	6.10	8.69	9.40	9.18	9.93
5	8.65	8.42	9.52	13.50	14.60	14.30	15.50
6	12.50	12.10	13.70	19.50	21.10	20.60	22.30
7	17.00	16.50	18.70	26.60	28.70	28.10	30.40
8	22.10	21.60	24.40	34.70	37.60	36.70	39.70
9	28.00	27.30	30.90	44.00	47.50	46.50	50.20
10	34.60	33.70	38.10	54.30	58.70	57.40	62.00
11	41.90	40.80	46.10	65.70	71.10	69.40	75.10
12	49.80	48.50	54.90	78.20	84.60	82.60	89.40
13	58.50	57.00	64.40	91.80	99.30	97.00	104.00

续表

钢丝绳公称直径(mm)	钢丝绳近似重量(kg/100m)			钢丝绳公称抗拉强度(MPa)					
				1470		1570		1670	
				钢丝绳最小破断拉力(kN)					
d	天然纤维芯钢丝绳	合成纤维芯钢丝绳	钢　芯钢丝绳	纤维芯钢丝绳	钢　芯钢丝绳	纤维芯钢丝绳	钢　芯钢丝绳	纤维芯钢丝绳	钢　芯钢丝绳
14	67.80	66.10	74.70	88.40	95.60	94.40	102.00	100.00	108.00
16	88.60	86.30	97.50	115.00	124.00	123.00	133.00	131.00	141.00
18	112.00	109.00	123.00	146.00	158.00	156.00	168.00	166.00	179.00
20	138.00	135.00	152.00	180.00	195.00	192.00	208.00	205.00	221.00
22	167.00	163.00	184.00	218.00	236.00	233.00	252.00	248.00	268.00
24	199.00	194.00	219.00	259.00	281.00	277.00	300.00	295.00	319.00
26	234.00	228.00	258.00	305.00	329.00	325.00	352.00	346.00	374.00
28	271.00	264.00	299.00	353.00	382.00	377.00	408.00	401.00	434.00
(30)	311.00	303.00	343.00	406.00	439.00	433.00	469.00	461.00	498.00
32	354.00	345.00	390.00	462.00	499.00	493.00	533.00	524.00	567.00
(34)	400.00	390.00	446.00	521.00	564.00	557.00	602.00	592.00	640.00
36	448.00	437.00	494.00	584.00	632.00	624.00	675.00	664.00	718.00
(38)	500.00	487.00	550.00	651.00	704.00	695.00	752.00	740.00	800.00
40	554.00	539.00	610.00	722.00	780.00	771.00	833.00	820.00	887.00
(42)	610.00	594.00	672.00	796.00	860.00	850.00	919.00	904.00	978.00
44	670.00	652.00	738.00	873.00	944.00	933.00	1000.00	992.00	1070.00
(46)	732.00	713.00	806.00	954.00	1030.00	1010.00	1100.00	1080.00	1170.00

续表

钢丝绳公称直径(mm)	钢丝绳近似重量(kg/100m)			钢丝绳公称抗拉强度(MPa)			
				1770		1870	
				钢丝绳最小破断拉力(kN)			
d	天然纤维芯钢丝绳	合成纤维芯钢丝绳	钢　芯钢丝绳	纤维芯钢丝绳	钢　芯钢丝绳	纤维芯钢丝绳	钢　芯钢丝绳
14	67.80	66.10	74.70	106.00	115.00	112.00	121.00
16	88.60	86.30	97.50	139.00	150.00	146.00	158.00
18	112.00	109.00	123.00	176.00	190.00	186.00	201.00
20	138.00	135.00	152.00	217.00	235.00	229.00	248.00
22	167.00	163.00	184.00	263.00	284.00	277.00	300.00
24	199.00	194.00	219.00	312.00	338.00	330.00	357.00
26	234.00	228.00	258.00	367.00	397.00	388.00	419.00
28	271.00	264.00	299.00	426.00	460.00	450.00	486.00
(30)	311.00	303.00	343.00	489.00	528.00	516.00	558.00
32	354.00	345.00	390.00	556.00	601.00	587.00	635.00
(34)	400.00	390.00	446.00	628.00	679.00	663.00	717.00
36	448.00	437.00	494.00	704.00	761.00	744.00	804.00
(38)	500.00	487.00	550.00	784.00	848.00	828.00	896.00
40	554.00	539.00	610.00	869.00	940.00	918.00	993.00
(42)	610.00	594.00	672.00	958.00	1030.00	1010.00	1090.00
44	670.00	652.00	738.00	1050.00	1130.00	1110.00	1200.00
(46)	732.00	713.00	806.00	1140.00	1240.00	1210.00	1310.00

附表 14-4　6×37(b)类钢丝绳的力学性能

6×37+FC

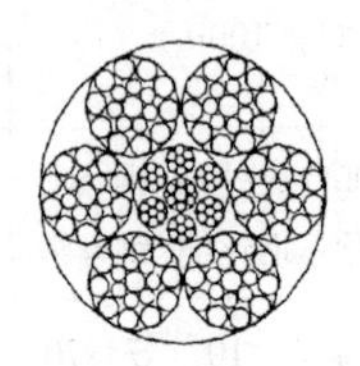

6×37+IWR

钢丝绳公称直径(mm)	钢丝绳近似重量(kg/100m)			钢丝绳公称抗拉强度(MPa)					
				1470		1570		1670	
				钢丝绳最小破断拉力(kN)					
d	天然纤维芯钢丝绳	合成纤维芯钢丝绳	钢芯钢丝绳	纤维芯钢丝绳	钢芯钢丝绳	纤维芯钢丝绳	钢芯钢丝绳	纤维芯钢丝绳	钢芯钢丝绳
5	8.65	8.42	9.52	10.80	11.70	11.50	12.50	12.30	13.30
6	12.50	12.10	13.70	15.60	16.80	16.60	18.00	17.70	19.10
7	17.00	16.50	18.70	21.20	22.90	22.60	24.50	24.10	26.10
8	22.10	21.60	24.40	27.70	30.00	29.60	32.00	31.50	34.00
9	28.00	27.30	30.90	35.10	37.90	37.50	40.50	39.90	43.10
10	34.60	33.70	38.10	43.30	46.80	46.30	50.00	49.20	53.20
11	41.90	40.80	46.10	52.40	56.70	56.00	60.60	59.60	64.40
12	49.80	48.50	54.90	62.40	67.50	66.60	72.10	70.90	76.70
13	58.50	57.00	64.40	73.20	79.20	78.20	84.60	83.20	90.00
14	67.80	66.10	74.70	84.90	91.90	90.70	98.10	96.50	104.00

注: 1. 最小钢丝破断拉力总和＝钢丝绳最小破断拉力×1.249(纤维芯)或1.336(钢芯)。

2. 新设计设备不得选用括号内的钢丝绳直径。

续表

钢丝绳公称直径(mm)	钢丝绳近似重量(kg/100m)			钢丝绳公称抗拉强度(MPa)			
				1770		1870	
				钢丝绳最小破断拉力(kN)			
d	天然纤维芯钢丝绳	合成纤维芯钢丝绳	钢　芯钢丝绳	纤维芯钢丝绳	钢　芯钢丝绳	纤维芯钢丝绳	钢　芯钢丝绳
5	8.65	8.42	9.52	13.00	14.10	13.70	14.90
6	12.50	12.10	13.70	18.70	20.30	19.80	21.40
7	17.00	16.50	18.70	25.50	27.50	27.00	29.20
8	22.10	21.60	24.40	33.40	36.10	35.30	38.10
9	28.00	27.30	30.90	42.20	45.70	44.60	48.30
10	34.60	33.70	38.10	52.20	56.40	55.10	59.60
11	41.90	40.80	46.10	63.10	68.30	66.70	72.10
12	49.80	48.50	54.90	75.10	81.30	79.40	85.90
13	58.50	57.00	64.40	88.20	95.40	93.20	100.00
14	67.80	66.10	74.70	102.00	110.00	108.00	116.00

续表

钢丝绳公称直径(mm)	钢丝绳近似重量(kg/100m)			钢丝绳公称抗拉强度(MPa)					
				1470		1570		1670	
				钢丝绳最小破断拉力(kN)					
d	天然纤维芯钢丝绳	合成纤维芯钢丝绳	钢　芯钢丝绳	纤维芯钢丝绳	钢　芯钢丝绳	纤维芯钢丝绳	钢　芯钢丝绳	纤维芯钢丝绳	钢　芯钢丝绳
16	88.60	86.30	97.50	111.00	120.00	118.00	128.00	126.00	136.00
18	112.00	109.00	123.00	140.00	151.00	150.00	162.00	159.00	172.00
20	138.00	135.00	152.00	173.00	187.00	185.00	200.00	197.00	213.00
22	167.00	163.00	184.00	209.00	226.00	224.00	242.00	238.00	257.00
24	199.00	194.00	219.00	249.00	270.00	266.00	288.00	283.00	306.00
26	234.00	228.00	258.00	293.00	316.00	313.00	338.00	333.00	360.00
28	271.00	264.00	299.00	339.00	367.00	363.00	392.00	386.00	417.00
(30)	311.00	303.00	343.00	390.00	422.00	416.00	450.00	443.00	479.00
32	354.00	345.00	390.00	444.00	480.00	474.00	512.00	504.00	545.00
(34)	400.00	390.00	440.00	501.00	542.00	535.00	578.00	569.00	615.00
36	448.00	437.00	494.00	562.00	607.00	600.00	649.00	638.00	690.00
(38)	500.00	487.00	550.00	626.00	677.00	668.00	723.00	711.00	769.00
40	554.00	539.00	610.00	693.00	750.00	741.00	801.00	788.00	852.00
(42)	610.00	594.00	672.00	764.00	827.00	816.00	883.00	869.00	939.00
44	670.00	652.00	738.00	839.00	907.00	896.00	969.00	953.00	1030.00
(46)	732.00	713.00	806.00	917.00	992.00	980.00	1050.00	1040.00	1120.00
48	797.00	776.00	878.00	999.00	1080.00	1060.00	1150.00	1130.00	1220.00
(50)	865.00	842.00	952.00	1080.00	1170.00	1150.00	1250.00	1230.00	1330.00

续表

钢丝绳公称直径(mm)	钢丝绳近似重量(kg/100m)			钢丝绳公称抗拉强度(MPa)			
				1770		1870	
				钢丝绳最小破断拉力(kN)			
d	天然纤维芯钢丝绳	合成纤维芯钢丝绳	钢芯钢丝绳	纤维芯钢丝绳	钢芯钢丝绳	纤维芯钢丝绳	钢芯钢丝绳
16	88.60	86.30	97.50	133.00	144.00	141.00	152.00
18	112.00	109.00	123.00	169.00	182.00	178.00	193.00
20	138.00	135.00	152.00	208.00	225.00	220.00	238.00
22	167.00	163.00	184.00	252.00	273.00	266.00	288.00
24	199.00	194.00	219.00	300.00	325.00	317.00	343.00
26	234.00	228.00	258.00	352.00	381.00	372.00	403.00
28	271.00	264.00	299.00	409.00	442.00	432.00	467.00
(30)	311.00	303.00	343.00	469.00	508.00	496.00	536.00
32	354.00	345.00	390.00	534.00	578.00	564.00	610.00
(34)	400.00	390.00	440.00	603.00	652.00	637.00	689.00
36	448.00	437.00	494.00	676.00	731.00	714.00	773.00
(38)	500.00	487.00	550.00	753.00	815.00	796.00	861.00
40	554.00	539.00	610.00	835.00	903.00	882.00	954.00
(42)	610.00	594.00	672.00	921.00	996.00	973.00	1050.00
44	670.00	652.00	738.00	1010.00	1090.00	1060.00	1150.00
(46)	732.00	713.00	806.00	1100.00	1190.00	1160.00	1260.00
48	797.00	776.00	878.00	1200.00	1300.00	1270.00	1370.00
(50)	865.00	842.00	952.00	1300.00	1410.00	1370.00	1490.00

附录 15

绳具

附表 15-1　钢丝绳用楔形接头

(GB/T5973—1986)

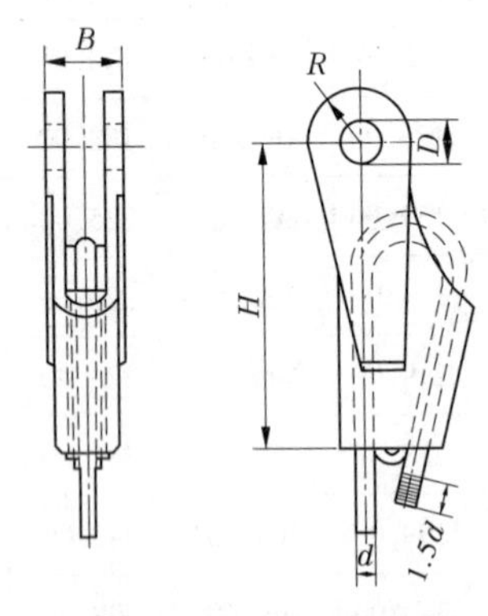

楔形接头公称尺寸(钢丝绳公称直径 d)(mm)	尺寸(mm)				断裂载荷(kN)	许用载荷(kN)	开口销(GB91—1986)	单组重量(kg)
	B	D	H	R				
6	29	16	90	16	43	10	2×20	0.56
8	31	18	100	25	51	10		0.77
10	38	20	120	25	71	15	2×25	1.01
12	44	25	155	30	100	20		1.70
14	51	30	185	35	118.5	25		2.34
16	60	34	195	42	161.3	30	3×30	3.27
18	64	36	195	44	184	35		4.00
20	72	38	220	50	249.6	50		5.45
22	76	40	240	52	285.3	55	4×50	6.37
24	83	50	260	60	327	65		8.32
26	92	55	280	65	373.6	75		10.16
28	94	55	305	70	487.6	95		13.94
32	110	65	360	77	600	120	5×60	17.94
36	122	70	390	85	780	155		23.03
40	145	75	470	90	984	200		32.35

附表 15-2 钢丝绳用普通套环

(GB/T5974.1—1986)

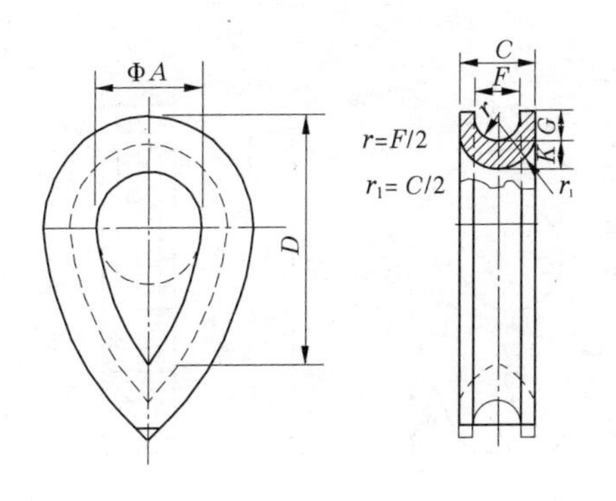

套环公称尺寸（钢丝绳公称直径 d）(mm)	尺寸(mm)							单件重量 (kg)
	F_{max}	F_{min}	C	A	D	G_{min}	K	
6	6.9	6.5	10.5	15	27	3.3	4.2	0.032
8	9.2	8.6	14.0	20	36	4.4	5.6	0.075
10	11.5	10.8	17.5	25	45	5.5	7.0	0.150
12	13.8	12.9	21.0	30	54	6.6	8.4	0.250
14	16.1	15.1	24.5	35	63	7.7	9.8	0.393
16	18.4	17.2	28.0	40	72	8.8	11.2	0.605
18	20.7	19.4	31.5	45	81	9.9	12.6	0.867
20	23.0	21.5	35.0	50	90	11.0	14.0	1.205
22	25.3	23.7	38.5	55	99	12.1	15.4	1.563
24	27.6	25.8	42.0	60	108	13.2	16.8	2.045
26	29.9	28.0	45.5	65	117	14.3	18.2	2.620
28	32.2	30.1	49.0	70	126	15.4	19.6	3.290
32	36.8	34.4	56.0	80	144	17.6	22.4	4.854

注:所用的销轴直径不得小于钢丝绳直径的 2 倍。

附表 15-3　钢丝绳用重型套环

(GB/T5974.2—1986)

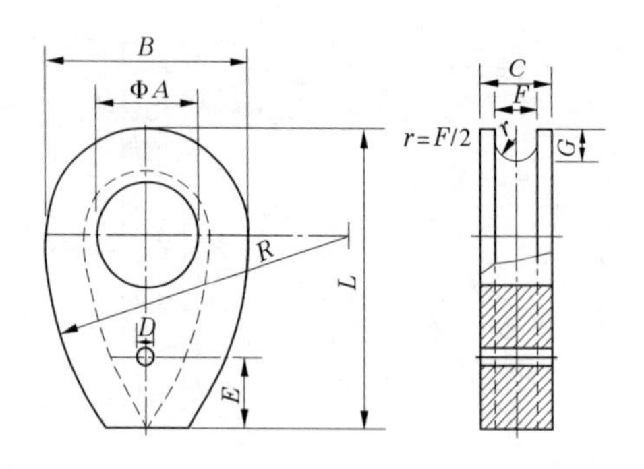

套环接头公称尺寸 (钢丝绳公称直径 d) (mm)	主要尺寸(mm)										单件 重量 (kg)
	F_{max}	F_{min}	C	A	B	R	L	G_{min}	D	E	
8	9.2	8.6	14.0	20	40	59	56	6.0			0.08
10	11.5	10.8	17.5	25	50	74	70	7.5			0.17
12	13.8	12.9	21.0	30	60	89	84	9.0			0.32
14	16.1	15.1	24.5	35	70	104	98	10.5			0.50
16	18.4	17.2	28.0	40	80	118	112	12.0	5	20	0.78
18	20.7	19.4	31.5	45	90	133	126	13.5			1.14
20	23.0	21.5	35.0	50	100	148	140	15.0			1.41
22	25.3	23.7	38.5	55	110	163	154	16.5			1.96
24	27.6	25.8	42.0	60	120	178	168	18.0			2.41
26	29.9	28.0	45.5	65	130	193	182	19.5			3.46
28	32.2	30.1	49.0	70	140	207	196	21.0			4.30
32	36.8	34.4	56.0	80	160	237	224	24.0	10	30	6.46
36	41.4	38.7	63.0	90	180	267	252	27.0			9.77
40	46.0	43.0	70.0	100	200	296	280	30.0			12.94
44	50.6	47.3	77.0	110	220	326	308	33.0			17.20
48	55.2	51.6	84.0	120	240	356	336	36.0			22.75
52	59.8	55.9	91.0	130	260	385	364	39.0			28.41
56	64.4	60.2	98.0	140	280	415	392	42.0	15	45	35.56
60	69.0	64.5	105.0	150	300	445	420	45.0			48.35

附表 15-4 钢丝绳夹(GB/T5976—1986)

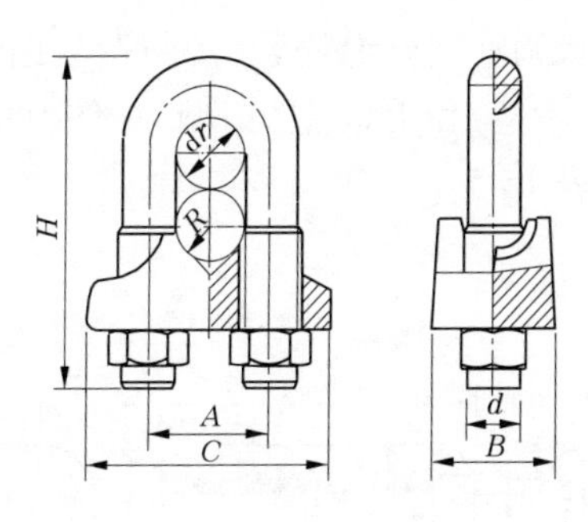

绳夹接头公称尺寸 (钢丝绳公称直径 d) (mm)	尺寸(mm)					螺母 (GB/T6170—1986) d	单组重量 (kg)
	A	B	C	R	H		
6	13.0	14	27	3.5	31	M6	0.034
8	17.0	19	36	4.5	41	M8	0.073
10	21.0	23	44	5.5	51	M10	0.140
12	25.0	28	53	6.5	62	M12	0.243
14	29.0	32	61	7.5	72	M14	0.372
16	31.0	32	63	8.5	77	M14	0.402
18	35.0	37	72	9.5	87	M16	0.601
20	37.0	37	74	10.5	92	M16	0.624
22	43.0	46	89	12.0	108	M20	1.122
24	45.5	46	91	13.0	113	M20	1.205
26	47.5	46	93	14.0	117	M20	1.244
28	51.5	51	102	15.0	127	M22	1.605
32	55.5	51	106	17.0	136	M22	1.727

拉紧器(花篮螺丝、索具螺旋扣)

拉紧器是用来调整钢丝绳松紧,按两端与钢丝绳连接的构造型式分为OO型(环型)和UU型(销型)如图,UU型和OO型拉紧器的规格见附表15-5。

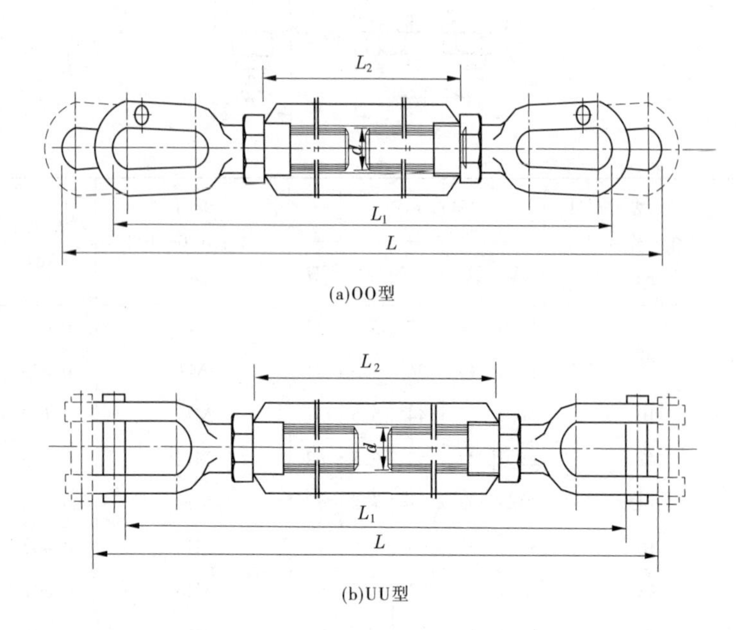

(a)OO型

(b)UU型

附表 15-5 拉紧器规格

号码	容许荷载(N)	最大钢丝绳直径(mm)	d(mm)	L(mm)		L_1(mm)		L_2(mm)	自重(kg)	
				UU 型	OO 型	UU 型	OO 型		UU 型	OO 型
0.9	9000	9.5	M14	434	466	291	326	190	1.07	0.84
1.2	12500	11.0	M16	524	558	356	390	230	1.81	1.56
1.7	17500	13.0	M18	542	582	374	414	230	2.24	1.76
2.1	21000	15.5	M20	603	652	418	468	260	3.56	3.06
2.7	27500	17.5	M22	629	681	444	496	260	4.1	3.44
3.5	35000	19.5	M24	719	787	507	575	310	6.14	5.22
4.5	45000	22.5	M27	757	821	545	609	310	7.29	5.95
6	60000	26.0	M33	881	949	633	701	370	12.7	11.1
7.5	75000	28.5	M36	900	976	652	728	370	15.1	12.5
9.5	95000	31.0	M37	987	1083	722	818	410	21.3	18.1
11	110000	35.0	M45	1027	1121	762	850	410	25.6	20.2
14	140000	39.0	M48	1133	1231	843	941	460	35.9	29.3
17.5	175000	43.5	M56	1159	1261	869	971	460	43.8	36
21	210000	48.5	M60	1247	1361	939	1083	500	57.2	46.2

注：1. 本表摘自 GB561—65。

2. 用于起重设备时，应加大一挡选用。

3. 制造方法有模锻和焊接两种，1.7 号以下均模锻，2.1～6 号模锻和焊接均有，7.5 号以上均焊接。

“十四五”时期
国家重点出版物出版专项规划项目 · 重大出版工程

空间科学与技术研究丛书

航天器微波部件微放电检测技术

DETECTION TECHNOLOGY OF MULTIPACTOR IN SATELLITE MICROWAVE COMPONENTS

魏 焕 崔万照 李砚平 马伊民 王新波 孙勤奋 编著

北京理工大学出版社
BEIJING INSTITUTE OF TECHNOLOGY PRESS

内 容 简 介

航天器微波技术向着大功率、小型化方向发展，微波部件处于大功率工作状态时易发生射频击穿现象，导致微放电发生。由于微波部件微放电阈值不仅与设计相关，还与实际工艺密切关联，为确保航天器可靠工作，需对微波部件开展微放电检测试验。本书介绍了航天器微波部件微放电检测技术，详细介绍了微放电检测技术研究进展，微放电设计验证方法，微放电检测标准、检测技术及最新研究进展与研究方向。

本书面向航天领域一线科研人员、相关高校及研究院所的相关研究人员和高校专业学生，既可用于专业领域内人员作为研究查阅，也可作为高校相关专业学生的参考书籍。

图书在版编目（CIP）数据

航天器微波部件微放电检测技术 / 魏焕等编著. --北京：北京理工大学出版社，2023. 1

ISBN 978 - 7 - 5763 - 2040 - 4

Ⅰ. ①航… Ⅱ. ①魏… Ⅲ. ①航天器—微波元件—放电—研究 Ⅳ. ①V441

中国版本图书馆 CIP 数据核字（2023）第 007861 号

出版发行 / 北京理工大学出版社有限责任公司
社　　址 / 北京市海淀区中关村南大街 5 号
邮　　编 / 100081
电　　话 / （010）68914775（总编室）
（010）82562903（教材售后服务热线）
（010）68944723（其他图书服务热线）
网　　址 / http://www.bitpress.com.cn
经　　销 / 全国各地新华书店
印　　刷 / 三河市华骏印务包装有限公司
开　　本 / 710 毫米 × 1000 毫米　1/16
印　　张 / 12
彩　　插 / 6
字　　数 / 222 千字
版　　次 / 2023 年 1 月第 1 版　2023 年 1 月第 1 次印刷
定　　价 / 59.00 元

责任编辑 / 陈莉华
文案编辑 / 陈莉华
责任校对 / 刘亚男
责任印制 / 李志强

序　言

仰望星空，我们的征途是星辰大海；探索浩瀚宇宙，是人类千百年来的美好梦想，古往今来，中国人从未停止对宇宙的探索。从 1970 年我国第一颗人造卫星载着《东方红》响彻太空，到如今嫦娥五号“月球挖土”实现了中国探月绕、落、回三步走，中国航天事业一步一步开启了崭新的篇章。

随着中国空间技术的发展，航天重大工程和型号任务的实施也会遇到一系列的技术难题，微放电击穿就是其中之一。在极端情况下，微放电击穿能够对飞行器上的微波通信系统造成永久性损伤，这种损伤在发射之后是不可能在轨修复或更换的。本书的作者作为航天工程的一线研究人员，以其深厚的理论功底和丰富的工程实践经验撰写此书。此书涉及微放电击穿的物理机理、微波部件微放电设计验证分析、微放电检测基本原理与方法及其国内外检测标准，分析了微放电检测研究进展，是工程实践与理论分析紧密联系的科技图书。

阅读过程中，体会到本书没有枯燥的理论叙述，全是围绕微放电击穿问题从产生机理、设计分析与试验检测技术来介绍，有很强的实用性、可用性及可操作性。目前，大功率微波部件必须开展微放电试验检测。

从事航天研究大半辈子，我个人认为中国要从航天大国迈向航天强国，要特别加强像这样的基础理论研究，深入理论指导工程实践，结合理论分析与检测研究，从根本上找出微放电击穿的问题源头，才能提出一套切实可行的解决方案，建立完善的微放电击穿分析理论与检测方法，指导部件设计与工程试验。我深知撰写这样一本书籍所要花费的时间与精力，本书的作者都是航天工程的一线研究人员，有些还是从事大半辈子试验检测的研究人员，他们能在繁重的科研任务和型号任务之余完成这本书，实属不易！相信读者在阅读本书的过程中，不仅能学到微放电击穿的相关专业知识，也能感受到作为航天一线人员的作者希望把其所了解和掌握的理论知识与实践经验记录下来，和大家分享的殷切之心，能够感受到艰苦奋斗、勇于攻坚、开拓创新的航天精神。希望更多像作者一样的有心人愿意将自己的理论知识和丰富的实践经验分享给大家，让后来从事这方面工作的工程技术人员，以及相关专业的师生能够得到帮助，助推我国航天事业以及空间技术的后续发展。

杨士中

中国工程院院士

前　言

空－天－地一体化通信将成为未来移动通信的重要特征，借助航天器进行通信、导航、遥测等服务已经成为科学探索的重要方式，进一步改变着人们的生活方式，而航天器有效载荷大功率微波系统仍是关键环节。随着下一代航天器载荷技术向更高功率、更多通道数、更小尺寸发展，航天器微波部件发生微放电的可能性大大增加。航天器有效载荷中的大功率微波部件如输出多工器、滤波器、开关矩阵、天线馈源等，由于结构复杂，如果设计的微放电阈值电平不高，或者防护措施做得不够，就很容易发生微放电。借助微放电仿真设计验证方法可对航天器在轨环境进行分析和验证，减少反复设计，避免长周期的地面试验，但是鉴于实际大功率部件微放电影响因素复杂且航天器高可靠性要求，在轨飞行件必须开展微放电检测试验。

本书介绍了微放电效应，指出了航天器微波部件开展微放电检测的必要性，围绕微放电检测技术，介绍了国内外微放电检测研究进展和微放电设计验证方法，总结了微放电检测的关键问题，针对种子电子详细分析了微放电试验用种子源，最后介绍了微放电检测技术最新进展。本书面向航天领域一线科研人员、相关高校、研究院所的相关研究人员和高校专业学生，既可用于专业领域内人员作为研究查阅，也可作为高校相关专业学生的参考书籍。

本书共6章，由魏焕、崔万照、李砚平、马伊民、孙勤奋、王新波、张雨婷、杨兆伦编写，全书由魏焕统稿。魏焕负责全书章节的编写与校对工作，其中崔万照、孙勤奋参与第1章、第2章的编写，马伊民、张雨婷、杨兆伦参与第3章和第6章的编写，李砚平、马伊民参与第4章的编写，李砚平、王新波参与第5章的编写，崔万照、王新波参与第6章的编写。

中国工程院院士杨士中在百忙之中为本书撰写了序言，并提出了许多宝贵意见。本书的研究工作得到重点实验室基金项目（编号：6142411112101、6142411191103、6142411191104、6142411191105）、国家自然科学基金（编号：61901361、51827809、62101434、61901360）资助。本书的出版得到国家出版基金项目资助，并获得“十四五”时期国家重点出版物出版专项规划项目·重大出版工程项目支持。本书还得到了中国空间技术研究院西安分院原院长李军、书记沈大海、院长谭小敏、副院长李立、实验室副主任李小军等的关心和支持；感谢双龙龙、王海林、王保新、郭鲁川、彭璐、胡少光、周少杭、田源等在大功率微放电测试方面的专业支持，感谢课题组胡天存、王瑞、张娜、白鹤、何鋆、王琪、陈翔、杨晶、苗光辉、谢贵柏为微放电做了大量工作；感谢北京优诺信创科技有限公司余涛总经理等与中国空间技术研究院西安分院殷新社、孙勤奋、李砚平、柏潇、李登辉、左刚等在多载波微放电检测平台开发研究中所做出的工作。本书在撰写和编辑过程中，得到了北京理工大学出版社编辑的精心校阅，特别是得到了陈莉华、李颖颖编辑的多次交流与指导。在此一并表示感谢。

科技发展与日俱进，技术进步突飞猛进，作者在编写全书的过程中虽穷尽十年之研究，始终未能完全覆盖微放电检测技术研究的方方面面。同时，随着检测手段的发展，微放电检测技术必将取得更大的发展。虽然我们竭尽全力，但受限于水平和能力，难免有一些疏漏和不足之处，恳请广大读者和专家批评指正。

目　录

第1章
绪　论

1.1　概述

1.1.1　微放电的概念

随着气压下降，气体的密度降低，气体分子之间的距离变大，电子的平均自由程也随之增大，电子碰撞电离损失随之减小，在射频电磁作用下电子从电场加速中可获得更高的能量，从而引发二次电子倍增放电现象，微放电就是典型的二次电子倍增放电现象。微放电也称为二次电子倍增效应，是指部件处于 1×10^{-3} Pa 或更低压强时，电子在外加电磁场的加速下，在金属表面或介质表面上发生的谐振放电现象。

1.1.2　微放电产生的条件

根据微波部件表面材料成分与结构的不同，微放电效应有多种形式，典型的微放电现象有：①金属谐振结构中的双表面微放电；②包含介质结构的单表面或金属与介质混合的介质微放电。

对于真空环境，电子在电磁场中运动时，平均自由程往往大于微波部件中电磁场强度最大区域的最窄间距。因此，当电子以一定能量和角度与微波部件碰撞时，将发生二次电子发射（Secondary Electron Emission，SEE），若碰撞时发射的二次电子数量总是大于碰撞吸收的电子数量，且发射的二次电子总能跟上电磁场的相位变化频率，不断获得能量与加速，则发生电子雪崩效应，即所谓的微放电效应，此时电子数目随时间呈指数增长，如图 1-1 所示。

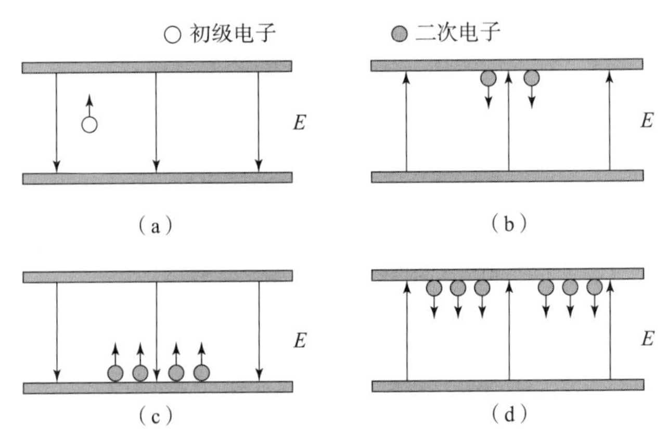

图 1-1 双金属表面微放电发生过程示意图

（a）初级电子在电场作用下加速；（b）初级电子碰到器件表面产生二次电子，并在反向电场作用下向器件另一侧内壁运动；（c）、（d）二次电子在反向电场作用下再次碰到器件表面产生二次电子，直到发生电子雪崩

对于介质微波部件而言，考虑到介质表面电荷积累，微放电过程比金属微放电复杂得多。当电子碰撞到介质材料表面时，如果出射电子少于入射电子，如图 1-2（a）所示，则在介质材料表面积累负电荷；如果出射电子多于入射电子，如图 1-2（b）所示，则在介质材料表面积累正电荷，经过一段时间后介质材料表面会积累大量正电荷。介质材料表面带电不仅对二次电子发射物理过程产生影响，同时影响出射电子在空间中的运动轨迹，因此介质微放电是一个复杂的耦合作用过程。

由上述过程可知，理想条件下微放电效应的建立，需要满足以下几个条件。

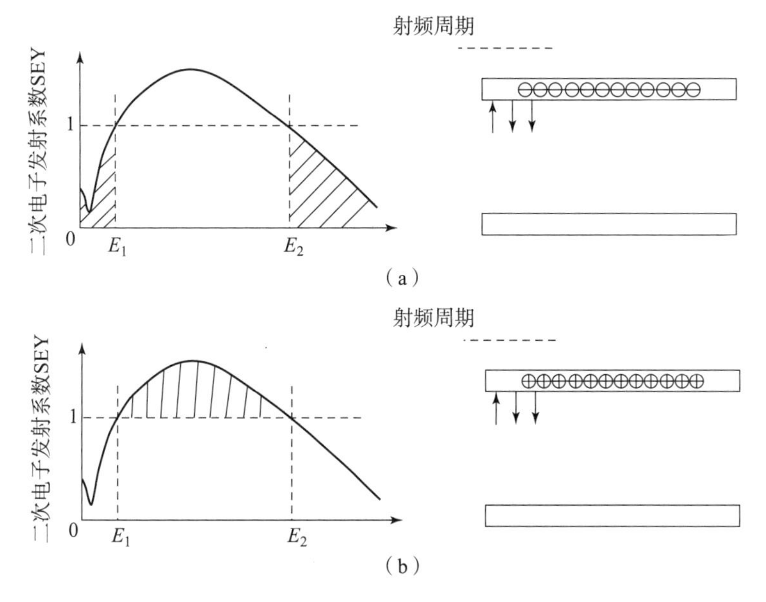

图1-2 介质材料表面带电原理示意图

(a) 介质带负电荷；(b) 介质带正电荷

[注：图中 E_1、E_2 为二次电子发射系数等于1时入射电子第1和第2能量点

(射频周期作用积累下的效果)]

1.1.2.1 真空条件

微放电发生的基本条件之一是电子的平均自由程足够长，使得电子在微波部件中发生两次碰撞之间加速时与周围的原子或分子碰撞的概率很小。电子的平均自由程是电子与气体分子相继发生两次碰撞之间所运动的平均路程。在标准大气压（101.3 kPa）和室温（298 K）条件下，忽略空气中稀有气体和其他组分，只考虑空气中气体组分79%的氮气与气体组分21%的氧气，电子的平均自由程计算公式如下：

$$\lambda = \frac{k_B T}{\pi r^2 P} \tag{1-1}$$

式中，k_B 为玻尔兹曼常数，取值为 1.38×10^{-23} J/K；T 为气体的温度环境（K）；r 为气体分子的半径（m）；P 为当前的气体压强（Pa），可以计算出与大功率微波部件尺寸相当的分米级电子平均自由程的气压 P 不大于

10^{-3} Pa，即我们常规定的微放电试验要求真空度不大于 10^{-3} Pa。

可以看出，对于不大于 10^{-3} Pa 的气压下，电子的平均自由程在 10^{-1} m 量级，与微波部件尺寸可比拟，满足微放电发生的必要条件。

1.1.2.2 自由电子源

要产生微放电，需要有初始电子源，可能的源有以下几种。

1. 自由电子

在低地球轨道上（1 000 km 以下），有很多自由电子源，可以达到较大电子密度，其中包括太阳电磁辐射、太阳热辐射、带电粒子辐射、电离层等，在 750 km 的高度以上，电离层电子的密度一般可以从 $10^8/m^3$ 开始变化，根据太阳活动和卫星位置而不同，诱发卫星环境产生污染、静电等变化，如图 1－3 所示，辐射等可穿透卫星，引发微波部件内自由电子。

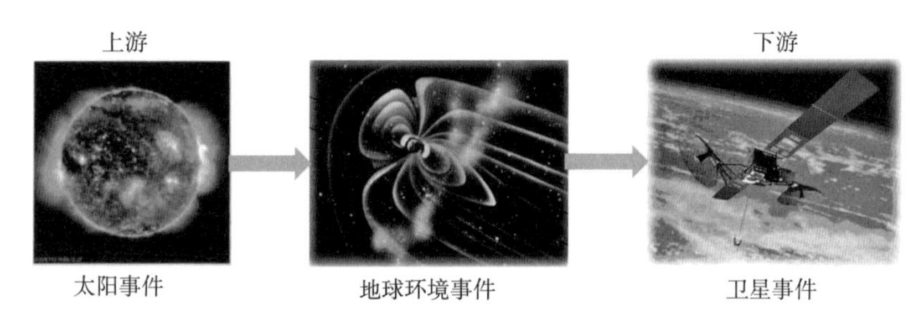

图 1－3 太阳事件引发卫星事件过程示意图（见彩插）

2. 场发射

如果导体表面的电场强度足够，而且电场的方向是使电子加速离开表面的，那么表面的势垒便会很窄，有可能产生电子隧道。尽管要达到足够的电流密度需要极高的场强（$10^9 \sim 10^{10}$ V/m），但是表面的不规则性、表面的氧化和尘垢污染可以在极低的场强下使得发射显著增强。研究发现，被擦伤的铝表面就有场发射的可能性，对于这种材料来说，就不需要有额外的自由电子。

3. 光电发射

这里包括外界的电磁辐射和粒子辐射所产生的电子。

4. 航天器排气

航天器上所用电缆的非金属外皮、黏结剂、热控涂层和填料等，在真空状态下会因扩散和脱附作用放气，并产生质量损失，其中一部分可能在较冷的表面重新凝结，并对航天器设备造成污染。这种污染往往会长期残留在航天器附近，这些分子容易被光电发射产生的电子电离，从而提供引起微放电的自由电子。

1.1.2.3 材料的最大二次电子发射系数大于1

微放电效应发生的一个基本条件是材料的二次电子发射系数最大值大于1。如表1-1所示，常用的典型航天材料的最大二次电子发射系数均大于1。二次电子发射系数不仅与材料有关，而且与初级电子入射能量有关，而初级电子的入射能量取决于外加射频信号的功率以及初级电子在两次碰撞之间获取的能量。因此，当外加射频信号的功率较小时，初级电子的入射能量较低，无法激发较多数量的二次电子，微放电效应难以建立。当外加射频信号功率非常大时，初级电子的入射能量较高，穿入表面很深，以至于产生的二次电子被材料内部分子、原子捕获而无法到达表面，无法激发足够的二次电子发射，因此外加射频信号的功率必须在一定范围内才能激发微放电效应。

表1-1 典型材料的最大二次电子发射系数 σ_{max}

材料	Al_2O_3	BeO	CsI	Ag	Cu	Fe	W	Pt	Pd
σ_{max}	4	3.4	20	1.5	1.3	1.3	1.4	1.8	1.3

1.1.2.4 二次电子的渡越时间是微波信号半周期的奇数倍

微放电发生的最后一个条件为从材料表面出射的二次电子的渡越时间

应当是微波信号半周期的奇数倍（1 倍、3 倍、5 倍等，即 1 阶放电、3 阶放电、5 阶放电等，目前常用微波频段与功率条件下出现 1 阶放电，毫米波和太赫兹频段更容易出现高阶放电），使得出射的二次电子在电磁场的作用下总能够获得加速并进行下一次的碰撞，持续发生电子谐振倍增。但是，近年来关于单边微放电和多载波微放电的研究表明，在特定条件下在足够长的单周期内也有可能发生微放电。因此，需要注意的是：该必要条件在特定条件下不再成立。航天器大功率微波部件均满足以上微放电效应建立的条件，极易发生微放电效应，涉及通信、导航和遥感卫星等航天器。

根据微放电传统分析理论，微放电阈值与微波信号的工作频率和部件间隙尺寸之积（$f\times d$）紧密相关。平行板间的微放电阈值与 $f\times d$ 的关系如图 1－4 所示，可以看出 $f\times d$ 越小，微放电阈值越低，尤其在低频段，即使 d 很大，微放电阈值仍很低，微波部件在很小的功率条件下就会发生微放电效应。

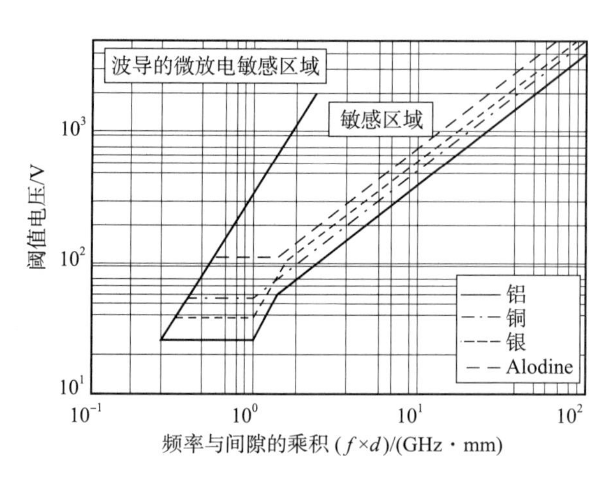

图 1－4 平行板间的微放电可能发生区域

1.2 微放电检测技术研究背景

1.2.1 微放电的危害

随着下一代航天器微波部件向更高功率、更多通道数、更小尺寸发展，航天器微波部件发生微放电的可能性大大增加。航天器有效载荷中的大功率微波部件如输出多工器、滤波器、开关矩阵、天线馈源等，由于结构复杂，如果设计的微放电阈值余量或者防护措施做得不够，就很容易发生微放电；一旦发生微放电，将会使得微波传输系统驻波比增大、反射功率增加、系统噪声增加，甚至损坏部件，从而使系统不能正常工作，造成很大的损失。

当空间设备中发生微放电时，通常会损害系统设备，造成系统不能正常工作，典型的部件发生微放电的损坏情况如图1-5所示。图1-5（a）中同轴滤波器内腔介质谐振杆出现放电，图1-5（b）中铁氧体环行器内部出现间隙微放电，图1-5（c）中微带电路同轴接头焊接处出现放电，图1-5（d）中天线外观无明显异常，拆开天线发现其内导体镀金层已局部发黑，周围聚四氟乙烯介质已局部烧毁。

一般情况下，常见的微放电危害具体表现在以下五个方面。

（1）使谐振类设备失谐，导致所传输的微波信号失调。

由于微放电实际上是一种高度非线性的，且随时间变化，这种效应会引起谐振腔的 Q 值、耦合参数、波导损耗和相位常数等的波动，不可避免地使系统失调，导致系统性能下降。

（2）导致金属内部气体逸出，产生更严重的气体放电。

发生微放电以后，便会使设备排气。如果这种气体不用适当的方法排除，就会产生气体放电。气体放电会释放比微放电更多的能量，导致部件

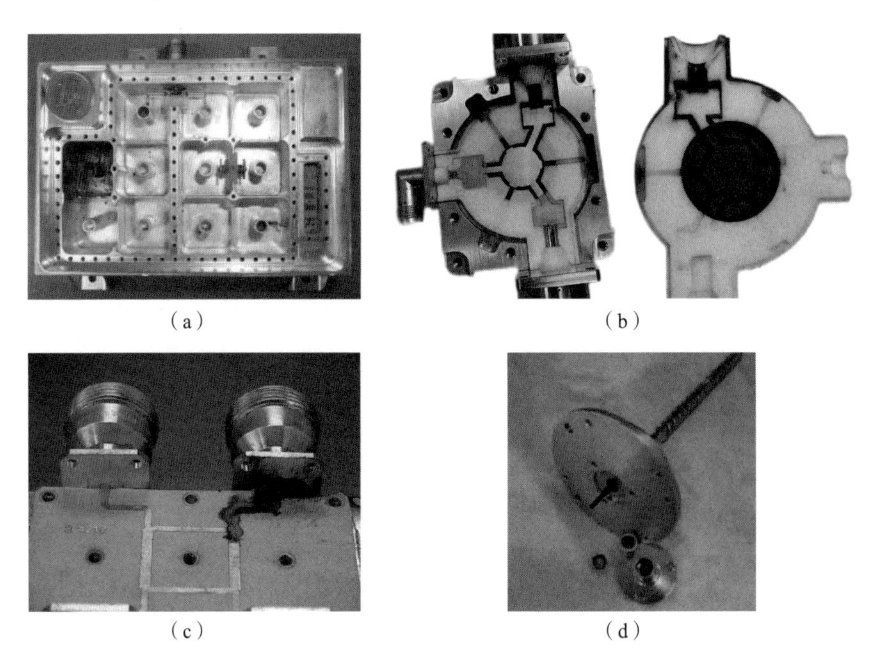

图1-5 微放电效应及其引发的其他放电效应对微波部件的损坏

（a）同轴滤波器内腔被损坏；（b）环行器介质填充端口被损坏；

（c）微带电路被损坏；（d）天线放电后内部照片

损坏，甚至毁坏整个系统。

（3）产生靠近载波频率的窄带噪声。

（4）部件表面会被微放电产生的电子侵蚀，造成部件性能下降，或系统的总体功能失效。

（5）微放电是大功率微波部件中重要的非线性因素之一，是引起部件无源互调现象的原因之一。

1.2.2 微放电试验验证的必要性

微放电检测是航天器大功率微波部件微放电性能的必要手段。目前，国外对于大功率微波部件微放电验证方法主要分为两类：

（1）对于设计成熟的微波产品，在保证充足微放电设计余量的基础上，采用严格的过程控制手段，并开展微放电抽检试验。

（2）对于新设计的微波部件，除了需要开展常规的仿真验证，还必须开展微放电检测试验。微放电仿真验证若不能完全模拟微放电检测试验，则必须进行微放电试验验证。

大部分厂家认为，他们生产的微波部件已经过合格的鉴定手续，而且是完全洁净的，因此所预期的功率容限可以达到。然而，根据经验，许多元器件由于某些意想不到的污染会使其阈值下降，这是由于：

（1）表面材料状况。

（2）黏结剂和润滑剂的存在。

（3）制作过程中存在某些没有预计到的污染。

（4）锐利边缘上场强的增加。

因此，至少必须对将要飞行的实际元器件的代表性样品进行测试，最好是对飞行元器件本身也要开展测试。对单载波工作的微波部件，测试容限应达到 6 dB，从而适应测试以后由于下列原因而导致的微放电阈值下降：

（1）操作和存放过程中的长期污染。

（2）发射以后污染的转移。

（3）在轨道上电压驻波比的变化。

随着大功率微波技术的发展，介质加载的大功率微波部件由于体积小、重量轻等优势开始应用于通信、雷达和导航等领域。包含介质材料的大功率微波部件在高真空、强辐照的太空环境中更容易发生二次电子发射，导致介质材料性能退化，影响卫星载荷的寿命和可靠性。

综上所述，二次电子倍增产生的微放电效应十分复杂。一方面，微放电发生会产生严重影响，而微放电产生机理复杂，尤其是包含介质的微波部件由于放电发生的影响因素复杂，至今还没有被完全掌握；国内外针对微放电仿真分析开展了大量研究工作，但是微放电阈值又与真空压力、加工工艺、表面处理、材料成分、污染等因素有关，这些给微放电仿真分析设计引入不确定性。另一方面，实际中加工工艺与工艺缺陷，以及存放过程中暴露在空气中、湿度、空气污染物、温度等可能带来的污染等方面原因，会导致实际的微放电阈值比设计的低，在太空中，它也会受到电子、离子或光子的照射的影响。因此，一般对制造好的微波部件以及待使用的微波部件或系统需要进行微放电测试，以确保在轨工作安全可靠。

1.2.3 微放电研究趋势

随着载荷技术向多通道、高频段方向发展，需要不断深入研究多载波微放电与高频段微放电的理论与检测技术。

1.2.3.1 多载波微放电

多载波微放电理论阈值早期计算方法按照 N^2P（N 为载波数量，P 为单路载波输入功率）规则，随着载波数量 N 的增加微放电阈值快速以 N^2 倍的速度增加；后来提出 T_{20} 规则（这是随着近年微放电理论的发展，在大量仿真对比基础上得到的经验规则），即多载波波形包络高于单载波微放电阈值的持续时间使得电子能够在平行平板两极板间渡越超过 20 次才发生微放电。T_{20} 规则允许多载波信号的包络在短时间内超过单载波微放电阈值，只要电子渡越时间不超过 20 次，即允许电子在谐振频率上谐振不超过 20 次。随着仿真技术的发展，多载波理论研究更加深入，提出了多载波微放电“最坏状态”，可出现长周期二次电子数量累积放电，如图 1－6 所示，相比图 1－7 所示的周期内放电其微放电阈值更低。

1.2.3.2 毫米波频段微放电

对于高频段，甚至毫米波和太赫兹等更高频段微放电问题，二次电子倍增过程可能会出现高阶放电现象，理论研究更加复杂，相比低频段更容

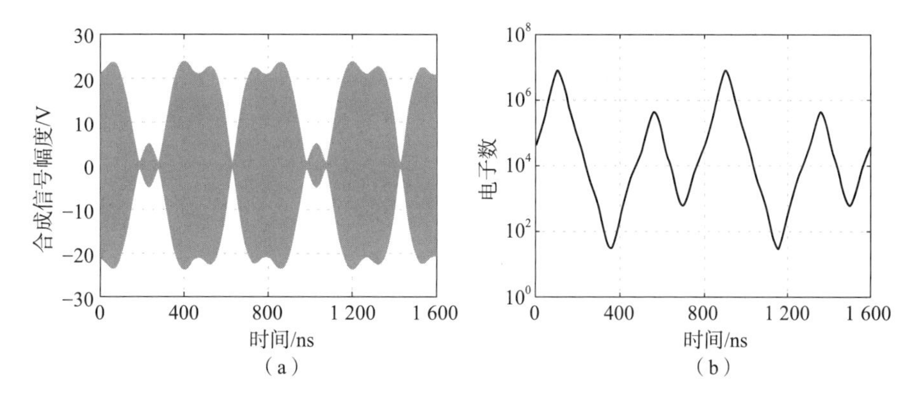

图1-6 长周期放电的“最坏状态”

(a) 时域波形;(b) 对应的电子数涨落

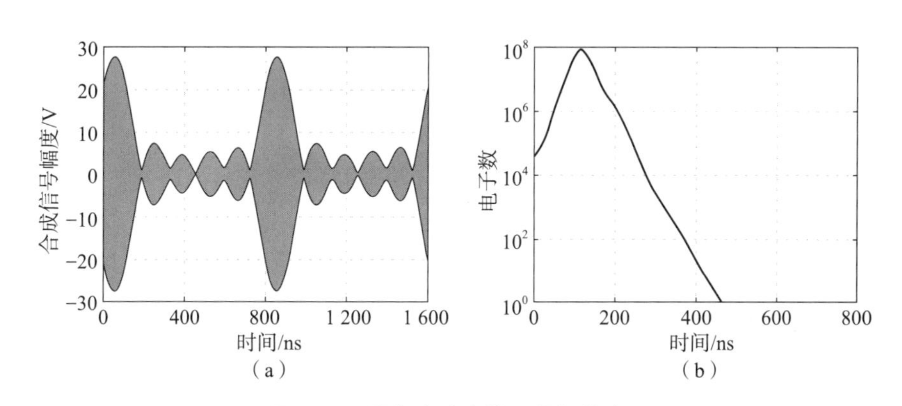

图1-7 周期内放电的“最坏状态”

(a) 时域波形;(b) 对应的电子数涨落

易出现高阶微放电现象，微放电阶数示意图如图1-8所示。图1-8(a)中电子在$T/2$时间内到达对面极板，即$N=1$，称为1阶放电，也是我们常见的微放电过程；图1-8(b)中假设电子初速为0，电子在第3个$T/2$时间内运动到对面极板，即$N=3$，称为3阶放电。更高阶数的微放电过程可以以此推理得出。

根据经典微放电理论计算的高阶微放电敏感曲线如图1-9所示，可以看出：一般情况下，高阶放电敏感区域下边界比1阶高，随着频率间隙乘积($f\times d$)的增大，高阶微放电起主导作用。

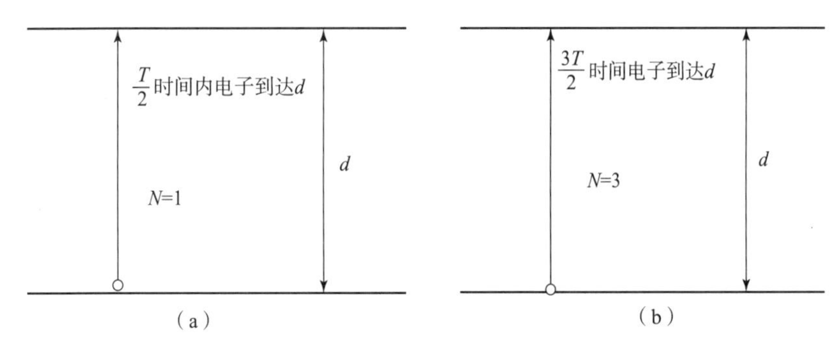

图 1-8 平行板间高阶放电示意图

(a) 1 阶放电电子在半周期内运动；(b) 3 阶放电电子在半周期内运动

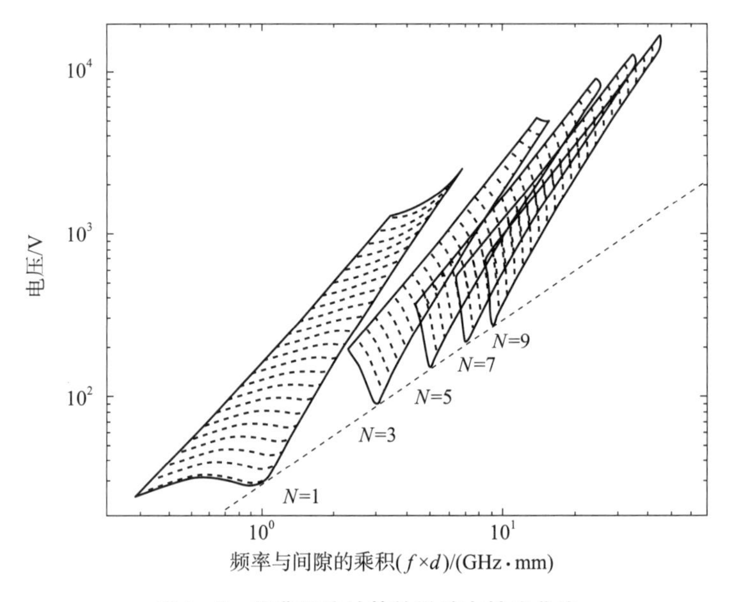

图 1-9 经典理论计算的微放电敏感曲线

1.3 微放电检测研究进展

随着计算机技术的发展，目前对微放电的研究可以利用计算机对放电过程进行模拟，使得人们对微放电的认识更加直观。欧洲航天局（European Space Agency，ESA，又称欧空局）通过试验建立了金属平板结构、矩形波导结构、圆波导结构、方同轴传输线等微波传输线的微放电敏感曲线，开发了微放电仿真软件——微放电计算器（Multipactor Calculator）；由中国空间技术研究院西安分院联合国内相关高校研究开发了微放电仿真与分析平台，实现了电磁 - 粒子联合微放电过程的数值模拟，建立了同轴结构二次电子非线性动力学理论模型和微放电敏感区域统计模型，搭建了二次电子发射特性研究平台，实现了对典型微波部件的微放电数值模拟，如同轴结构微放电敏感区域统计模型。

对微放电的研究，初期主要集中在一些平板类电极和传输线上，如电子开关的分析应用、矩形波导微放电阈值分析等。近些年随着空间技术的发展，航天器微波部件放电的可能性增加，空间系统上的一些重要微波部件（如谐振腔、微波窗、空间耦合器和放大器等）的微放电成为研究的热点。康奈尔大学的 R. L. Geng 等人研究了超导腔与波导中的微放电，总结了超导腔中微放电的基本理论，并研究了微放电的抑制。国内对微放电的研究日趋活跃，且研究的内容主要集中在以下五个方面：

（1）双金属导体表面间的微放电。

（2）介质加载微波部件的微放电。

（3）微放电数值模拟方法研究。

（4）二次电子发射系数测量与发射模型研究。

（5）多载波微放电分析与检测的研究。

目前，对微放电产生机理的研究已经很多，但由于微放电过程本身有许多影响因素，对实际的部件或系统的微放电研究，还需要进行检测。国内外对微放电检测方法的研究已经有了几种相对成熟的检测方法，如调零检测法、前后向功率检测法、谐波检测法、近载波噪声检测法、调幅检测法等。但随着微波部件结构的不断复杂，使用功率的不断提高，以及工作频率的提高等对微放电检测方法提出了新的要求。

随着空间站、低轨互联网卫星、北斗导航卫星的升级、深空探测等工程的逐步开展及相应预研技术的研究，微波载荷系统工作频段已逐步向K、Ka、Q、V、毫米波甚至THz频段扩展。高频段毫米波载荷系统仍将面临微放电效应的威胁，微放电检测技术、系统产品仍需面向未来的试验测试保障需求，不断进行覆盖频段的扩展及检测方法的优化。

近年来，国内在微放电检测技术与设备研制方面均取得了一定的进展，中国空间技术研究院西安分院设计并建立了多载波微放电测试系统；国内相关厂商设计并研发了基于紫外光的微放电检测种子电子源和自动调零检测设备，为微放电检测理论研究与工程实践的进一步发展提供了支撑。

1.4 小结

随着空间科学与技术的发展，大功率微波部件遇到了由微放电效应导致的可靠性问题的严峻挑战。本章介绍了微放电发生的条件，阐述了微放电检测技术的研究背景，总结了微放电检测研究进展，在此基础上阐述了微放电检测的研究方向，为国内微放电检测技术的持续研究提供了参考方向。

第 2 章
微放电设计验证方法

2.1 概述

微放电设计验证方法指的是大功率微波部件微放电在仿真设计阶段验证微放电阈值的方法，即微波部件微放电阈值仿真方法。自 20 世纪发现微放电以来，微放电分析技术获得了长足发展，经过近百年的起步和发展阶段，以及随着现代计算机技术的快速发展，国外已经广泛开展了微放电效应的数值模拟研究，已经建立了平板结构、矩形波导结构等典型微波部件的微放电数值模拟模型，开发了 Multipactor Calculator 等微放电仿真软件；国内在产学研的推动下也开发了微放电仿真与分析平台（Multipactor Simulation and Analysis Tool，MSAT）。本章将详细介绍微放电仿真设计方法及影响仿真精度的关键影响因素——二次电子发射，分析微放电设计验证方法，指出微放电验证的重要性。

2.2 微放电仿真设计方法

2.2.1 微放电敏感曲线

欧空局通过试验建立了金属平板结构、矩形波导结构、圆波导结构、方同轴传输线等微波传输线的微放电敏感曲线，对于不同$f\times d$的情形进行了大量微放电试验，开发了微放电仿真软件——微放电计算器（Multipactor Calculator），其软件界面如图2-1所示，该软件被国内外射频工程师广泛用于大功率微波部件设计。设计人员根据微放电仿真软件所得的电磁场分布来初步判断微放电最容易发生的区域，选择积分路径，获得两平板间的电压，将该电压与Multipactor Calculator软件计算中对应平板$f\times d$的微放电阈值电压相比较，来确定微放电余量。利用该软件能够快速获得微波

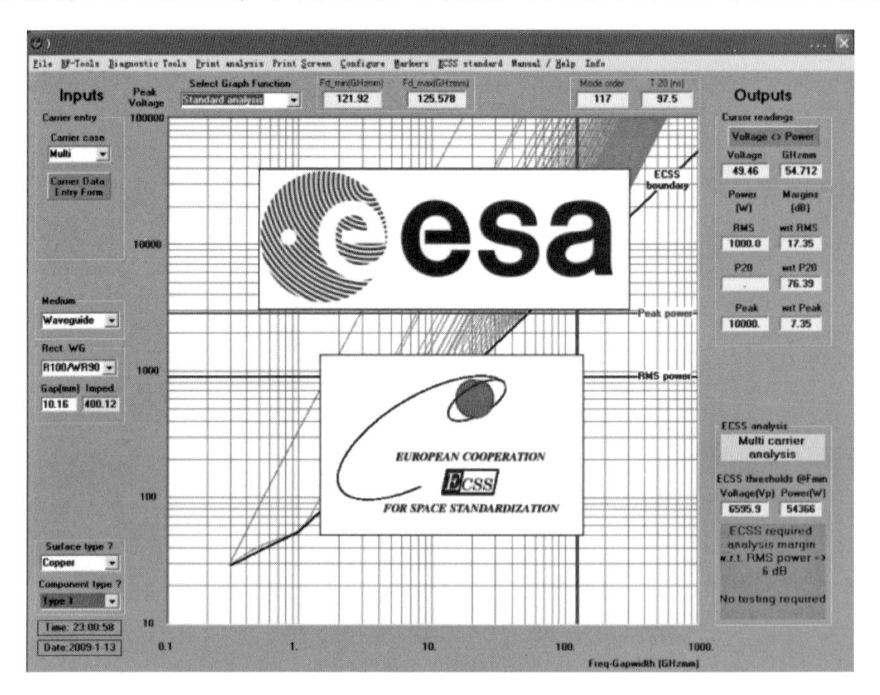

图2-1 ESA开发的微放电仿真软件Multipactor Calculator（见彩插）

部件的微放电阈值电压，但对设计师的设计水平依赖较大，不同的区域判断和不同积分路径选择都会使得微放电阈值电压发生变化，使得产品一致性不高，而且该软件对波导结构的微波部件非常有效，但对同轴结构微波部件的微放电阈值电压预测准确度较低，对于更复杂结构微波部件，例如同轴腔体滤波器，该软件则不再适用。

2.2.2　电磁粒子联合仿真软件

近十年来，国内在微放电仿真分析方面开展了大量研究工作。中国空间技术研究院西安分院、东南大学、西安交通大学、浙江大学等单位逐步开展了微放电效应基础理论与数值模拟研究工作，经过十余年的技术研究积累，提出了微放电电磁粒子联合仿真与阈值分析方法，自主研发了我国首套微放电仿真与分析平台 MSAT，如图 2－2 所示，该软件可以结合微波部件材料表面二次电子发射系数测量数据仿真微波部件微放电阈值，结合实际部件表面状态的仿真精度相对较高。

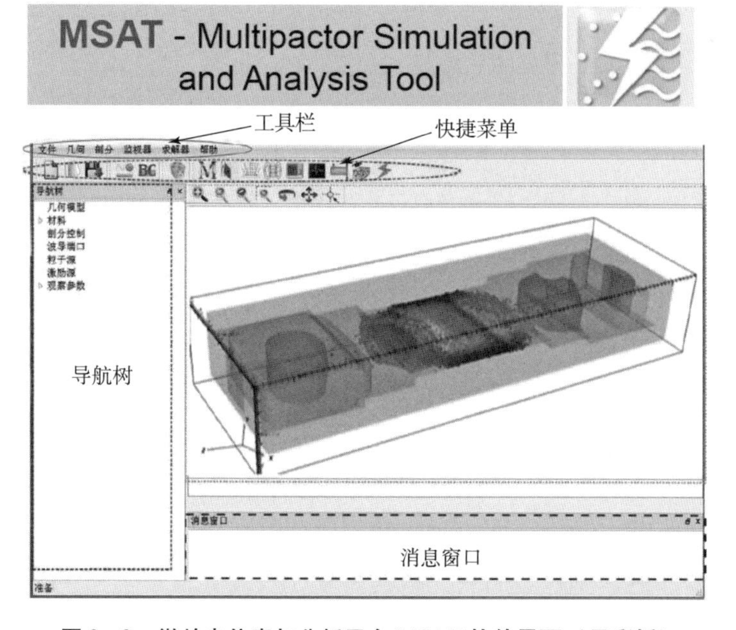

图 2－2　微放电仿真与分析平台 MSAT 软件界面（见彩插）

MSAT 采用电磁时域有限差分方法（Finite Difference Time Domain，FDTD）求解微波部件内部时变电磁场分布，通过粒子模拟方法（Particle - in - cell，PIC）计算微波部件内部空间电子随时间演化的过程，将两者在源代码无缝连接实现微放电仿真分析。MSAT 电磁粒子联合仿真算法原理如图 2 - 3 所示，MSAT 通过耦合电磁场计算与粒子非线性运动推进，加入考虑金属微波部件表面实际工况特性的二次电子发射模型，实现微放电三维仿真与阈值分析，在三维空间成功复现了微放电起始、演变与饱和的完整物理过程。根据报道结果，实际微波部件微放电阈值仿真结果与微放电测试结果吻合良好，精度较高。

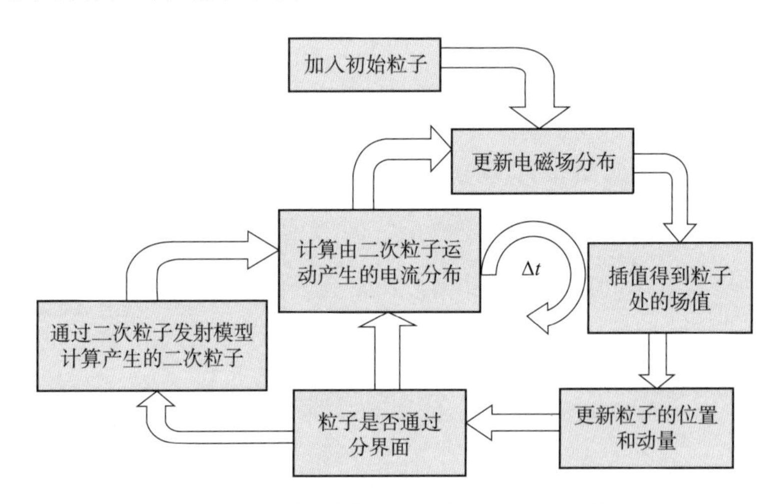

图 2 - 3 MSAT 微放电仿真电磁粒子联合仿真算法原理

2.3 二次电子发射

2.3.1 二次电子发射的概念

二次电子（Secondary Electron，SE）发射是指具有一定能量、速度和入射角的初始电子（Primary Electron，PE）或其他粒子照射固体材料（金属、半导体、绝缘体）表面时，从这些物体表面会发射电子的现象，如图 2 - 4 所示。从表面发射的二次电子具有随机的数量、能量和角度分布。二次电子发射是入射电子与材料浅表层复杂作用的过程：一束具有一定能量的初始电子轰击材料表面，一部分电子由于库仑相互作用被原子电势影响而改变运动方向，从表面逸出成为弹性散射电子，由于原子核的质量远大于电子的质量，弹性散射电子的能量基本等于初始电子能量；其余电子进入材料表面，其中一部分电子与材料内原子发生非弹性碰撞，将一部分能量传递给发生碰撞的原子或分子后逸出表面，成为非弹性散射电子；还有一部分初始电子在材料内部遭到非弹性散射，引发材料内部大量的电子被激发，这些激发出来的电子如果还具有足以克服表面势垒的能量，则可从表面逸出成为真二次电子。

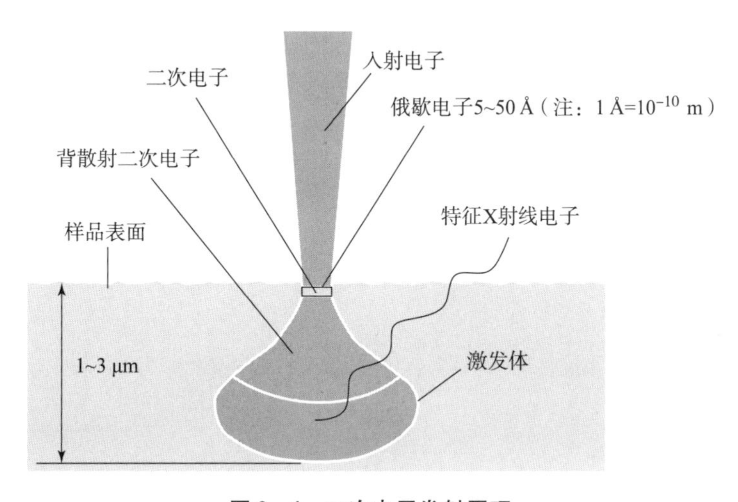

图 2－4　二次电子发射原理

衡量二次电子发射的能力，通常采用二次电子发射系数（Secondary Electron Yield，SEY）和二次电子能谱（Secondary Electron Spectrum，SES）。SEY 定义为：从材料表面发射的二次电子（包括本征二次电子和背散射电子）与入射电子个数之比，该比值一般用 σ 表示。图 2－5（a）所示为 SEY 随入射电子能量 E_{PE} 变化的典型曲线，可以看出随着 E_{PE} 的增加，SEY 先增大后减小。在 SEY 增大的过程中，当其第一次达到 1 时对应的入射电子能量为第一交叉能量点 E_1；当 SEY 增大到最大值 σ_{max} 时对应的入射

电子能量为 E_{max}；在 SEY 下降过程中，再次达到 1 时对应的入射电子能量为第二交叉能量点 E_2。在加速器、微波部件及微放电等领域，器件和系统的性能对 SEY 峰值非常敏感，只有当 SEY 峰值足够小时，才能保证器件不会被电子倍增效应所损伤，因此 SEY 峰值是研究 SEY 的一个重要参数。此外，E_1 和 E_2 对于抑制微放电，降低材料的放电概率也有重要的意义。图 2-5（b）所示为典型的二次电子能量分布曲线，电子发射数的分布可以分为三个部分：真二次电子、弹性散射电子和非弹性反射电子。第一部分在能量最低的地方，即在附近出现一个峰，它对应着能量较小的电子，这一部分电子是由一次电子入射到收集极表面激发出的二次电子，称为真二次电子，并且占二次电子总数的大部分；第二部分出现在能量最高的地

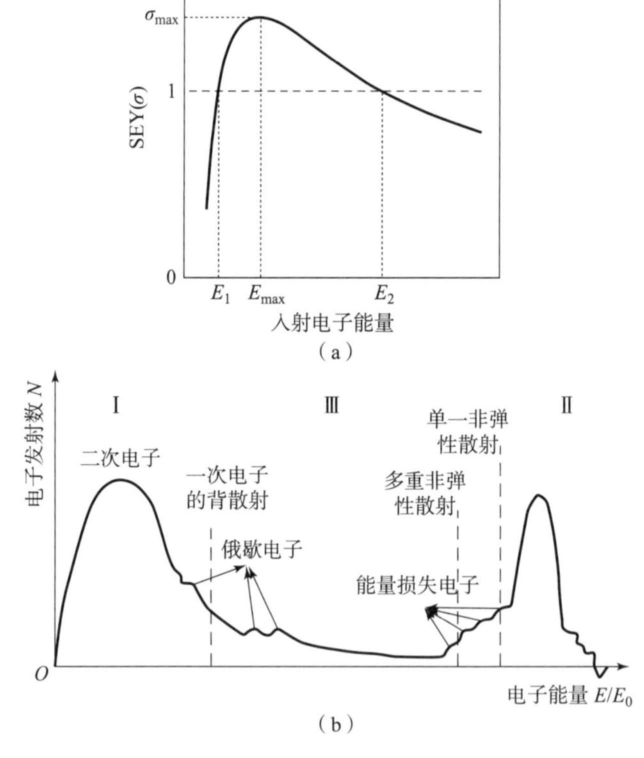

图 2-5 SEY 曲线与二次电子能谱

（a）典型 SEY 曲线；（b）二次电子能谱

方，它对应着一群与一次电子速度近似相同的电子，它是由于一次电子受到原子核库仑场的作用而改变运动方向，从收集极表面出射的电子，称为弹性散射电子；第三部分介于真二次电子和弹性散射电子之间，由一次电子和原子核外电子的非弹性碰撞产生，它的能量区很宽，这部分二次电子称为非弹性反射电子，这部分电子数目相对较少。

SES 是二次电子发射特性的另一个重要因素，用于描述二次电子的能量分布。典型的 SES 曲线如图 2－6（a）所示，由于二次电子主要包含了能量较低的本征二次电子以及高能背散射电子两类，因此 SES 在二次电子能量 E_{SE}较小处有一个明显的本征二次电子峰（TSE peak），简称本征峰，在 E_{SE}较大处有一个迅速上升的背散射电子峰（BE peak），简称背散射峰。由于本征二次电子在总二次电子中占主要部分，反映了绝大多数二次电子的能量分布，因此人们往往更关注 SES 的本征峰。图 2－6（b）为按照最大值归一化的 SES 的本征峰。研究本征峰主要关注两个参数：半峰宽（FWHM）和最可几能量（MPE）。半峰宽为峰值下降到一半时的峰宽，体现了本征二次电子能量分布范围及集中区域。MPE 为峰值对应的二次电子能量，反映了数量最多的本征二次电子所具有的能量。

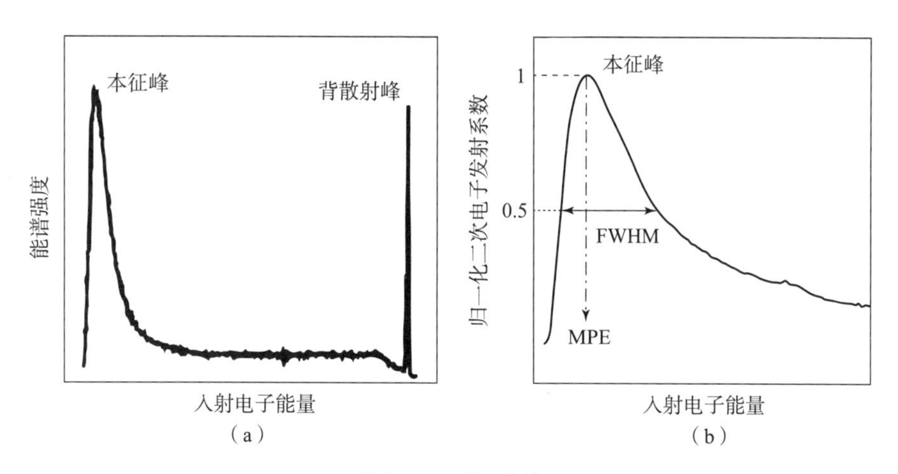

图 2－6　SES 曲线

（a）典型 SES 曲线；（b）SES 本征峰

由于二次电子在材料表面几纳米深度内产生，二次电子的能量较低（只有几电子伏特），因此二次电子发射系数对材料表面状态极为敏感，这也是微放电阈值受工艺及其过程控制不确定性影响的重要原因，进而使得实际中的微波部件即使在仿真设计验证充分条件下，总是建议开展微放电试验检测。下面将介绍二次电子发射特性的测量，可以将样片的测量数据用于仿真分析中，较为接近微波部件真实表面状态的情况下仿真其微放电阈值。

2.3.2 二次电子发射特性的测量

由于材料自身的性质各不相同，针对不同的材料二次电子发射系数测量方法也应有所区分。对于金属材料，二次电子电流较易测试，可直接通过偏压电流法测得；而对于介质和半导体材料，测量过程中易产生表面充电效应且不易中和，需要使用更为复杂的测量手段。

介质和半导体材料的二次电子发射特性基本上与金属相似，但是由于其表面带电的原因，在测量和研究方法上要相对困难复杂得多。当受到源电子照射时，表面会积累电荷。二次电子发射系数 $\sigma>1$ 时积累正电荷，$\sigma<1$ 时积累负电荷。电荷累积引起表面电势的改变，改变源电子的入射能量以及二次电子、背散射电子的逃逸能量，从而导致整个二次电子发射系数连续性变化，直到达到动态平衡。因此测试金属二次电子发射系数的方法不适用于介质材料的测试。

针对介质和半导体材料，也可在一定情况下采用直流法和收集极法进行二次电子发射系数测试，但为减少表面带电的影响，一般有以下两种改进措施：

（1）采用短脉冲的源电子束，如果脉冲持续较短，重复率较低，表面带电现象可以忽略，此方法一般用于半导体材料，如果被测材料的导电性很差，产生的表面电荷在脉冲停息时间内漏不掉，这个方法就不适用。

（2）配备一把低能电子枪用于中和表面带电，在初始电子束脉冲停息的时间内平衡掉待测材料的表明电势。

下面以中国空间技术研究院西安分院的介质二次电子发射系数测试系统（见图 2-7）为例，详细介绍金属材料二次电子发射系数的测试方法。首先介绍一套高性能多功能介质二次电子发射特性研究平台和介质材料二次电子产额脉冲测量方法。该平台配备有三层栅网结构的收集器和 30 ~ 30 000 eV 宽能量范围的电子枪，可在 10^{-8} Pa 超高真空下测量介质材料的二次电子发射特性，并具备 XPS 能谱分析、加热和氩离子溅射清洗原位处理分析功能。

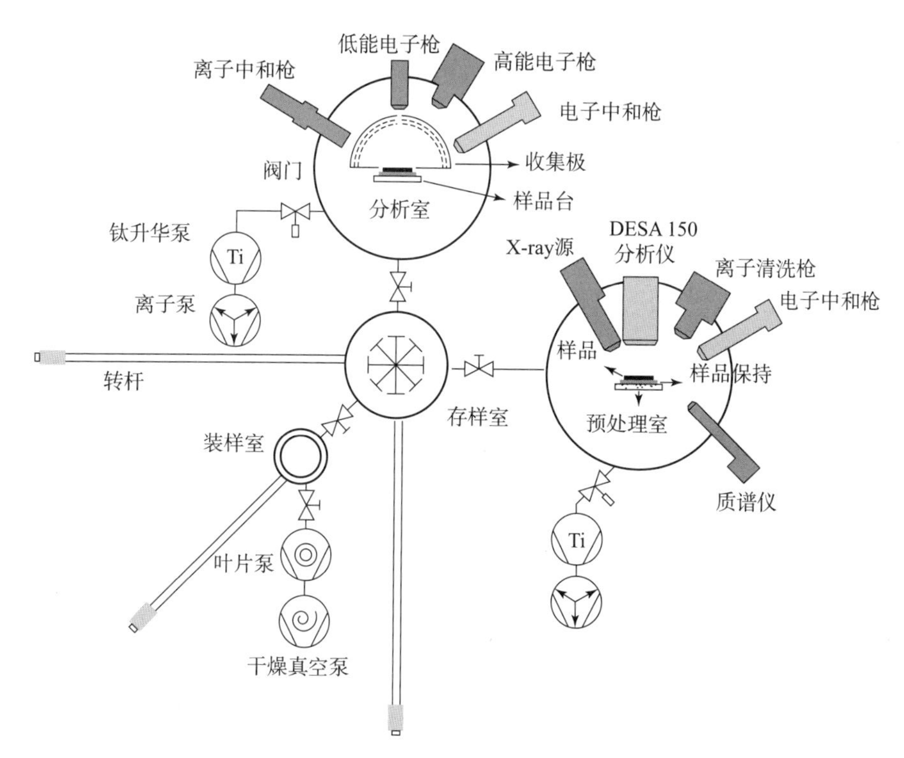

图 2-7 介质材料二次电子发射特性研究平台结构示意图

该平台由真空系统、预处理分析系统和二次电子发射特性测试系统组成，结构示意图如图 2-7 所示。平台设计有装样室、存样室、预处理室和分析室等 4 个腔室。预处理室和分析室分别配备离子泵和钛升华泵，本底真空均优于 6×10^{-8} Pa。

首先，样品经过预处理分析系统，预处理室主要对样品进行氩离子溅射清洗、加热、XPS 能谱分析、气体解吸附及气体成分分析，配备有 XPS 能谱分析装置、氩离子枪、低能电子中和枪和残余气体分析器；接着，样品进入二次电子发射特性测试系统，即分析室，分析室配备了高低能电子枪、电子和离子中和枪以及电子收集器，主要用于测试介质材料的总二次电子产额、背散射二次电子产额以及二次电子能谱。低能电子枪能量范围为 30 ~ 3 000 eV，高能电子枪能量范围为 30 ~ 30 000 eV，高低能电子枪均具备直流和脉冲输出两种模式。电子中和枪的电子能量范围为 10 ~ 100 eV，离子中和枪的离子能量范围为 50 ~ 1 000 eV。当介质材料的二次电子产额（即二次电子发射系数）大于 1 时，样品表面会带正电荷，用低能电子枪进行中和，而当二次电子产额小于 1 时，样品表面会带负电荷，此时用低能离子枪进行中和。

平台电子收集器的结构如图 2 - 8 所示，其由三层栅网和收集极组成。材料发射出的二次电子到达收集极时，会产生二代二次电子，二次电子收集的完全程度决定了二次电子产额的测试精度。如果收集极不能够完全将二代二次电子收集，将给二次电子产额测试带来一定的偏差。该平台采用三层栅网加收集极结构收集二次电子和二代二次电子，测试时第一层栅网和样品之间等电位，第二层栅网、第三层栅网和收集极之间等电位，给第二层栅网施加正偏压（相对于第一层栅网），可在

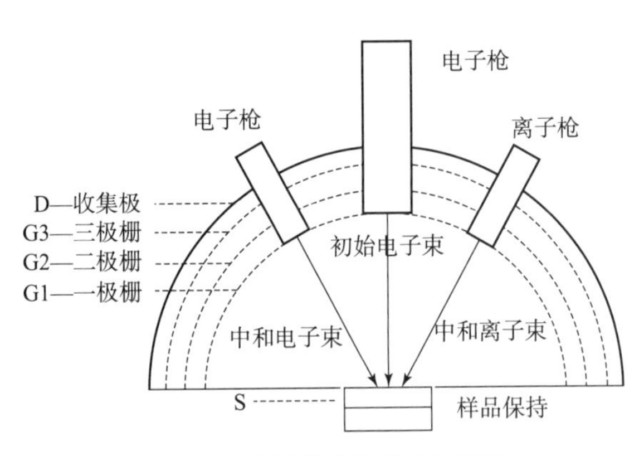

图 2 - 8 电子收集器结构示意图

不影响低能入射电子的基础上收集二代二次电子，相比于只有单一收集极结构的收集器，该平台的收集器结构可提高二次电子产额的测试精度。此外，在不同栅网和收集极间施加不同的偏压，还可收集背散射二次电子。在第三层栅极上进行电压扫描，可测量二次电子能谱曲线。

对于导电样品，可在直流模式下用收集极法测量二次电子发射特性，由 Keithley 6487E 型皮安表测量入射电流和二次电子电流。而对于不导电的样品，可在脉冲模式下用收集极法测量二次电子发射特性。脉冲模式测量时，由 HAMEG HM8150 型信号发生器输出脉冲信号，触发高能或低能电子枪输出和截止电子束。脉冲电流信号经 DHCPA - 100 型电流放大器放大为电压信号后，由 RIGOL DS1054 型示波器接收并显示。图 2 - 9 是脉冲模式下测量二次电子电流脉冲的接线示意图。

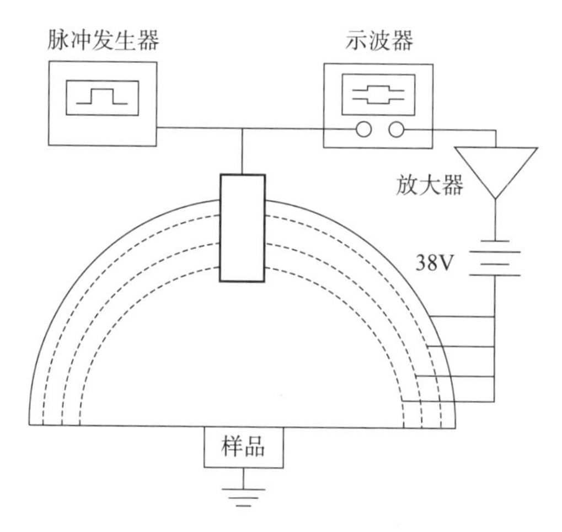

图 2 - 9　二次电子电流脉冲测试示意图

2.3.3　影响二次电子发射系数的因素

不同材料由于其原子序数、晶体结构、活跃性等原因，导致二次电子发射系数差异，到目前为止，材料本身对二次电子发射系数影响的理论研究还没有确定的结论。由于二次电子在材料表面几纳米深度内产生，二次电子的能量较低（只有几电子伏特），因此二次电子发射系数对材料表面极为敏感，表面吸附的污染物和表面形貌的改变都会对材料的二次电子发射系数产生影响。

2.3.3.1 金属材料的二次电子发射系数测量

金属材料二次电子发射系数的测量相对介质材料而言较为简单，随着理论研究与测量手段更为深入，使用电子枪对材料的二次电子发射系数进行测量成了目前主流的测量手段。对于金属材料而言，二次电子发射系数测量方法主要包括偏压电流法和收集极法两种。电子枪法采用电子枪作为稳定的电子源，聚焦的电子束打在待测样品上，测试收集到的二次电子电流，就可以得到二次电子发射系数。相比以前的三极管法和四极管法，电子枪法在测量的可靠性和准确性方面都有显著的提升，电子枪法还可以分析二次电子发射系数与入射角之间的关系。

国内外多家单位对金属二次电子发射系数测量开展了研究，这里以中国空间技术研究院西安分院的金属二次电子发射系数测试系统（见图 2-10）为例，详细介绍金属材料二次电子发射系数的测试方法。测试系统由两把电子枪提供初始电子，电子束能量分别为 20 ~ 5 000 eV 和 30 ~ 30 000 eV。

对二次电子的收集可以采用收集极法和偏压直流法两种方法。收集极法的测试原理如图 2-11 所示：首先将样品台与收集极相连，此时皮安电流表测的电流为源电子电流，记为 I_p；在相同入射条件下，断开样品和收集极，此时测得的收集极上的电流为二次电子电流，记为 I_s。

$$\text{SEY} = \text{二次电子电流}/\text{入射电子电流} = I_s/I_p$$

偏压电流法通过在样品上施加不同的偏压，可以近似得到源电子电流和二次电子电流，如图 2-12 所示，在样品上加一个较大的正偏压，皮安表测得的电流近似认为是电子枪的源电子电流 I_p；在样品上加负偏压测试的电流为源电子电流与二次电子电流之差 I_r；通过计算可以得到材料的二次电子发射系数。

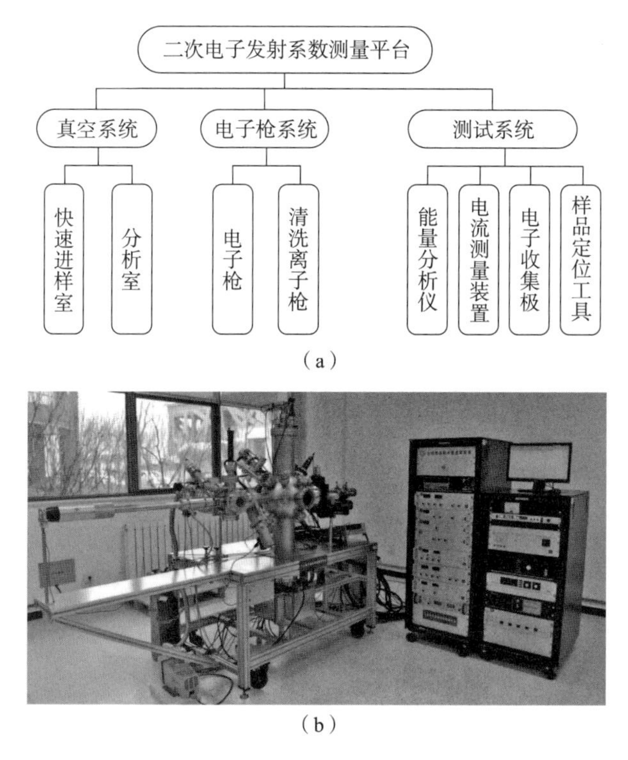

图2-10　金属二次电子发射系数测量设备（见彩插）

（a）系统组成图；（b）现场设备图

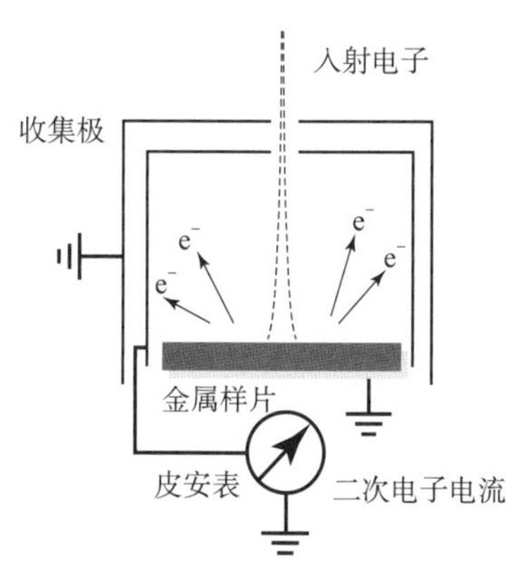

图2-11　收集极法测试原理

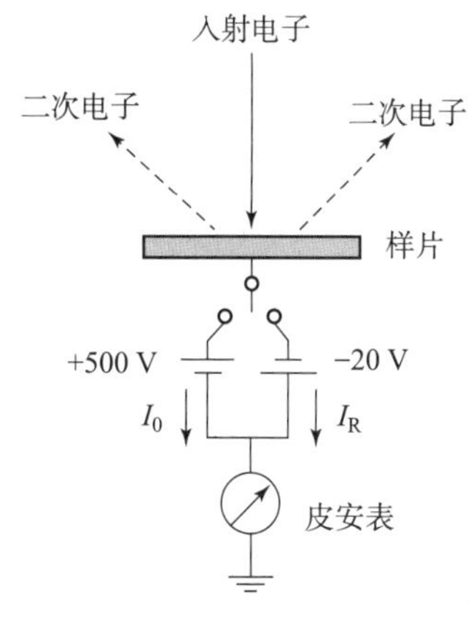

图2-12　二次电子发射系数偏压电流法测试原理图

偏压电流法与收集极法各有优缺点。从理论上讲，收集极法对二次电子的收集效果更好，但是收集极法需要保持源电子束与收集极小孔以及样品和收集极的对准，操作不如偏压电流法方便。此外收集极的尺寸限制了样品的移动范围。偏压电流法操作简单、快捷，但是由于出射的高能电子可能逃逸样品表面，造成测得的源电子电流比实际值偏小。图 2－13 为使用该平台测量 Cu 材料的 SEY 与谢爱根测量结果的对比情况，可以看出该平台与谢爱根测量结果吻合较好，而且偏压电流法与收集极法测量的结果也吻合得非常好。

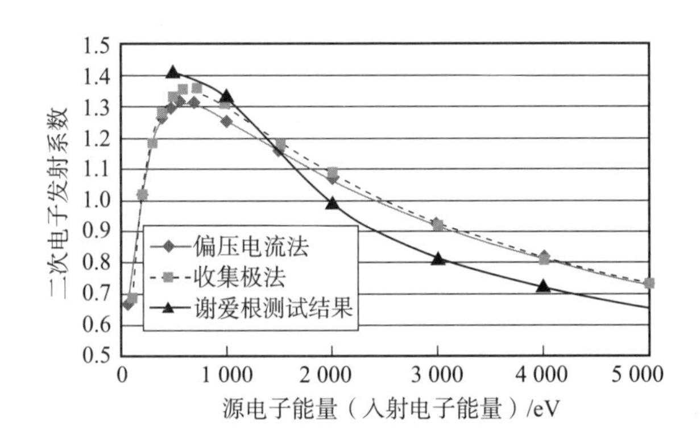

图 2－13 平台测量 Cu 材料的 SEY 与谢爱根测量结果的对比

2.3.3.2 表面吸附和污染物对二次电子发射系数的影响

一般情况下，暴露于大气中的样品表面会存在一定量的吸附气体及污染物，某些金属表面还会形成氧化层，影响二次电子发射系数。

在电子进入材料表面时和出射时都会受到表面吸附和污染物的影响。一方面，当电子进入表面时，表面存在的吸附和污染物会影响内二次电子的逃逸深度 λ，从而影响 σ_{max} 对应的入射能量 E_{max}；另一方面，吸附和污染物会使材料表面势垒 U 及内二次电子能量的期望值 E_v 发生变化，从而影响 σ_{max}。假设长期暴露于大气中的样品表面吸附饱和，内二次电子的逃逸深度 λ 的变化如表 2－1 所示。

表 2-1　常见金属材料暴露于大气后电子运动平均自由程的变化

材料名称	原子序数（Z）	电子运动自由程 λ/nm	暴露于大气后电子运动自由程 λ/nm
金（Au）	79	1.6	1.4
银（Ag）	47	1.4	0.7
铜（Cu）	29	1.2	0.9
铝（Al）	13	3.8	3.7

1. 加热脱吸附对二次电子发射的影响

通过加热脱附试验可以研究表面吸附对材料二次电子发射系数的影响。对镀银样品加热至不同温度，并在加热过程中实时监测真空室内气压的变化，得到样品表面气体脱附量 Q_s 随样品温度 T_s 的变化规律如图 2-14 所示。

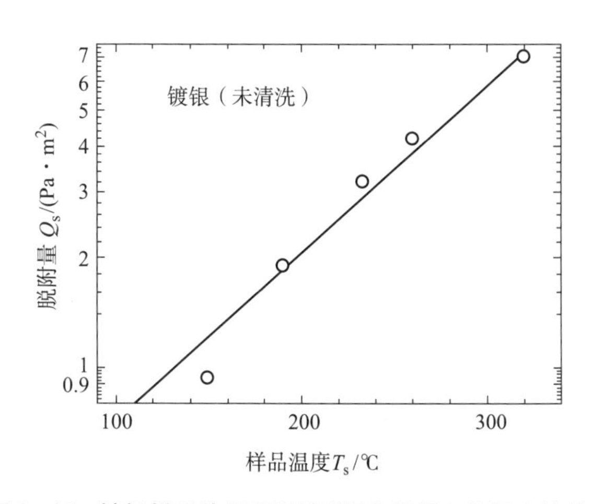

图 2-14　镀银样品单位面积脱附量与样品加热温度的关系

当气体从表面脱附后，材料表面的功函数发生变化，从而影响二次电子发射系数。例如，镀银样品容易在大气中吸附气体，因此加热后有气体从表面逸出，从而使表面功函数升高，二次电子发射系数减小。图 2-15 所示为未清洗镀银经过不同温度的热脱附后测量的二次电子发射系数，

图 2-16 分析了二次电子发射系数峰值 σ_{max} 和功函数 φ 随样品温度及脱附量的变化规律。

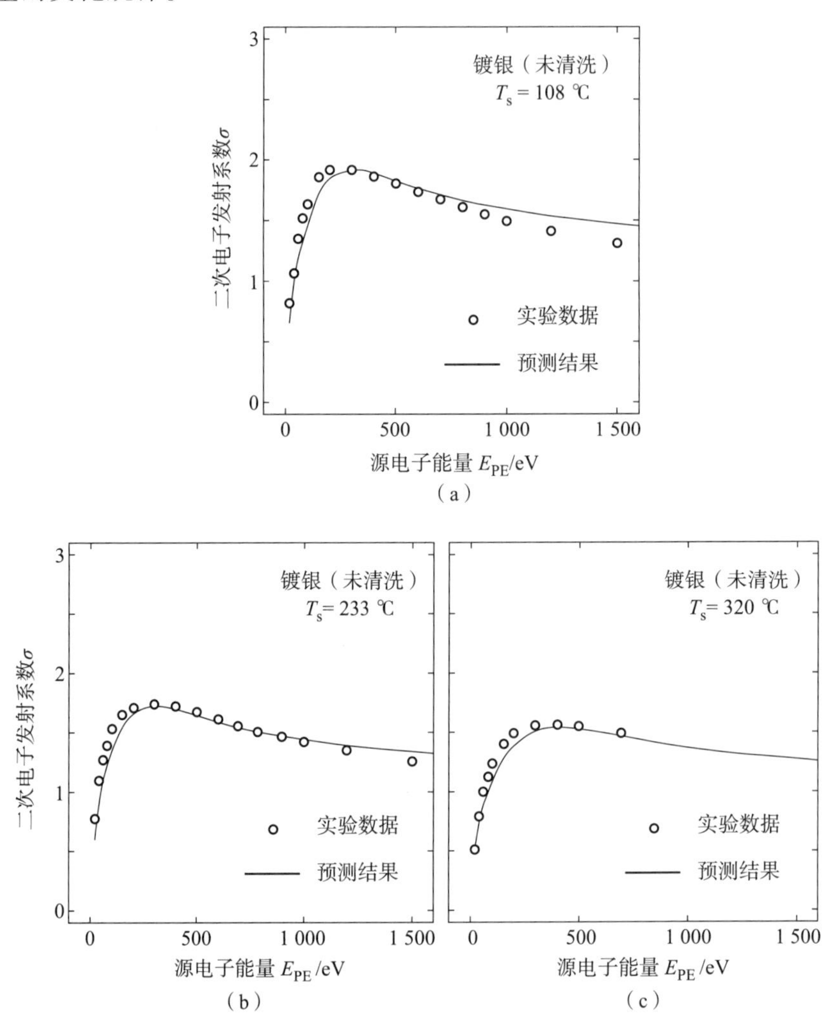

图 2-15 未清洗镀银在不同加热温度时二次电子发射系数与试验结果对比

2. Ar 离子脱吸附对二次电子发射的影响

暴露在大气中的金属在吸附气体的同时，水汽、尘埃、碳氢化物、氯化物、硫化物和氟化物等还会以膜或颗粒的形式存在于金属表面或渗透在浅表层，金属表面还会生长不同厚度的氧化层，且暴露时间越长氧化层越厚。这些污染物都会影响金属材料的二次电子发射系数，图 2-17 通过采

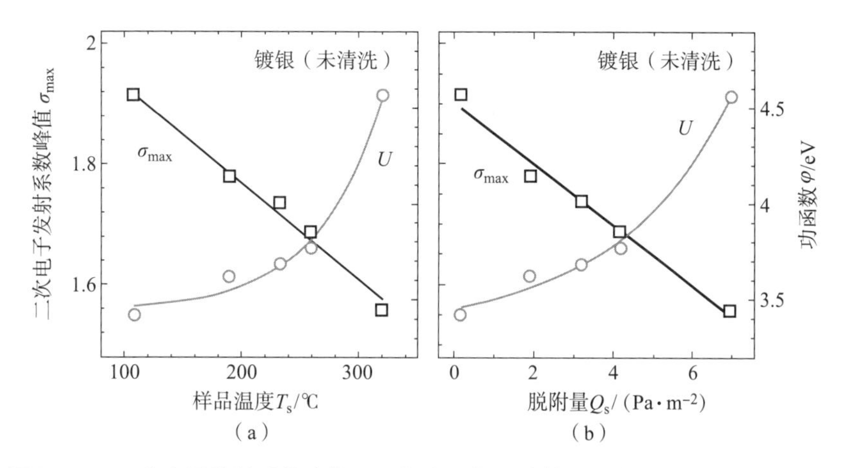

图 2-16　二次电子发射系数峰值 σ_{max} 和功函数 φ 随样品温度和脱附量的变化规律

(a) 随样品温度 T_s 的变化规律；(b) 随脱附量 Q_s 的变化规律

用 Ar 离子溅射去除表面的污染物的试验，分析金属表面污染物对二次电子发射系数的影响。

分析图 2-17 中二次电子发射系数随源电子能量的变化情况，可以看出：未清洗的样品表面会存在氧化层，因此表面势垒接近于其氧化物的功函数；未清洗的样品表面还会吸附污染物，使得势垒降低，二次电子发射系数增大。其中，铝材料表面很容易形成致密的 Al_2O_3 钝化层，Ar 离子清洗难以去除氧化层；镀金材料性质稳定，不易被氧化，因此 Ar 离子清洗前后表面势垒变化不大。

2.3.3.3　表面形貌对二次电子发射系数的影响

抑制金属材料二次电子发射的方法主要有外加偏置电场法和表面处理法。通过外加电场或磁场来抑制二次电子时会对入射束流、束斑产生不利影响。因此表面处理法更具优势，而这种方法又可以分为表面陷阱构造法、沉积低 SEY 薄膜法、表面束流轰击处理法。

1. 表面陷阱构造法

表面陷阱构造法主要分为三类：图 2-18 (a) 构造的矩形凹槽或图

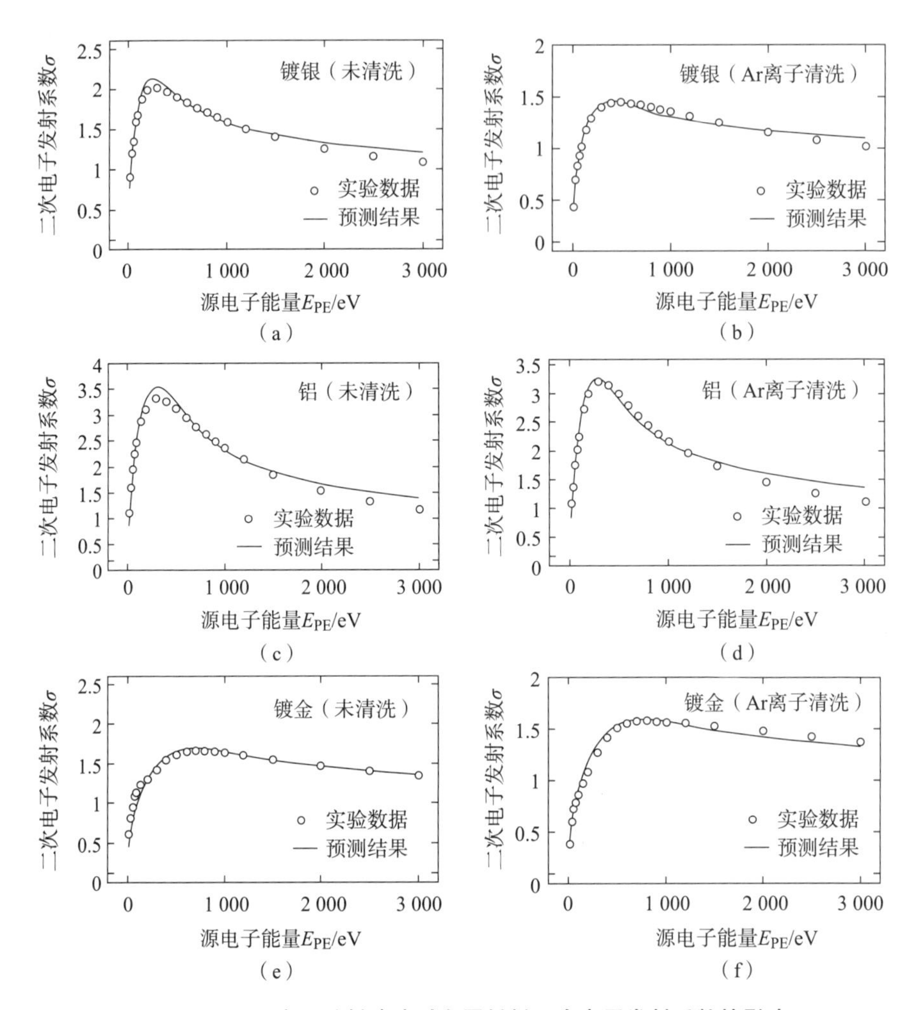

图 2-17　Ar 离子溅射清洗对金属材料二次电子发射系数的影响

2-18（b）构造的三角形凹槽、图 2-19 构造的微孔阵列、图 2-20（a）构造的天鹅绒表面或图 2-21 所示的纤维或泡沫表面。

2. 沉积低 SEY 薄膜法

已有研究表明，碳和非晶碳的 SEY 值较小，因此石墨烯涂层受到研究者的关注；研究石墨烯涂层铜二次电子发射时给出了更直观的结论，采用化学气相沉积法在铜基底上沉积石墨烯，结果表明，石墨烯涂层是抑制二

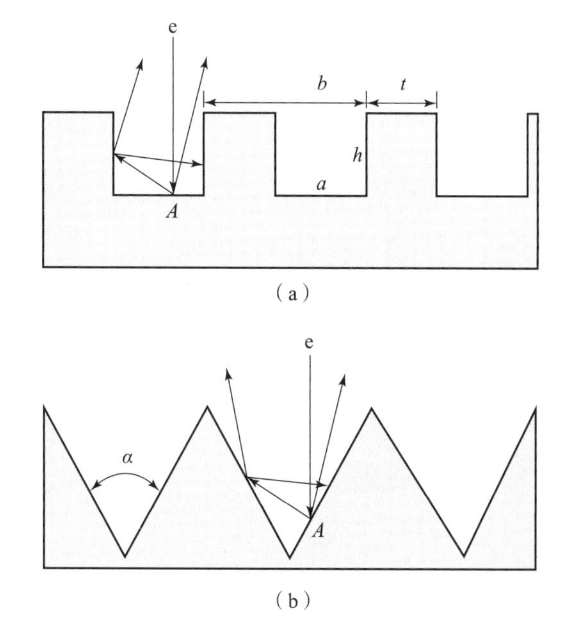

图 2－18　构造规则图形

(a) 矩形凹槽；(b) 三角形凹槽

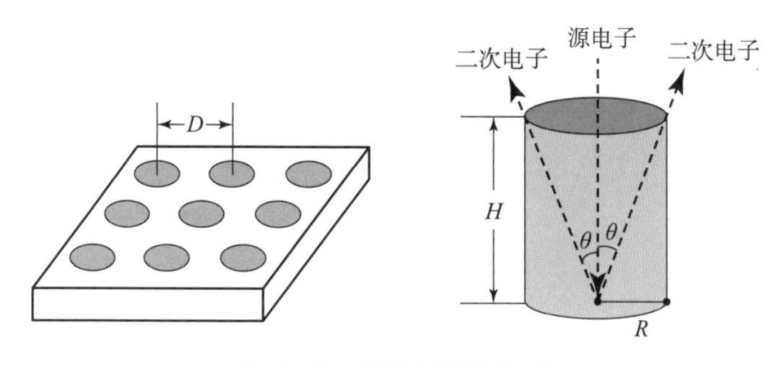

图 2－19　圆柱形微孔阵列

次电子发射的有效方法。谢贵柏等研究了基于远程等离子体化学沉积石墨烯薄膜减小二次电子发射系数的简便方法，沉积生长石墨烯后，整个衬底上完全覆盖了一整层的石墨烯薄膜，如图 2－22 所示，采用不同衬底表面的二次电子发射系数如图 2－23 所示，分别为 Ag 衬底和 Cu 衬底镀层二次电子发射系数随时间的变化关系。

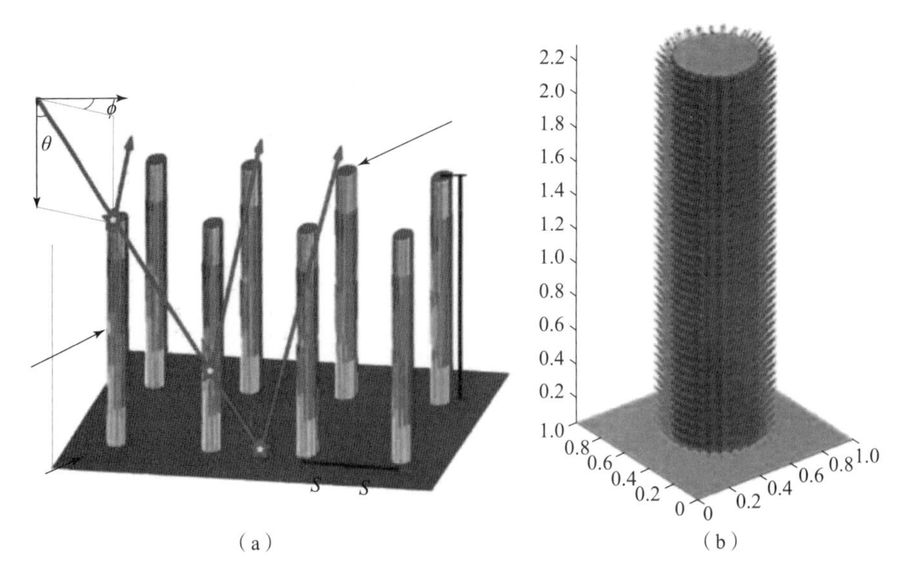

图 2-20 微绒阵列

(a) 天鹅绒表面；(b) 泡沫表面

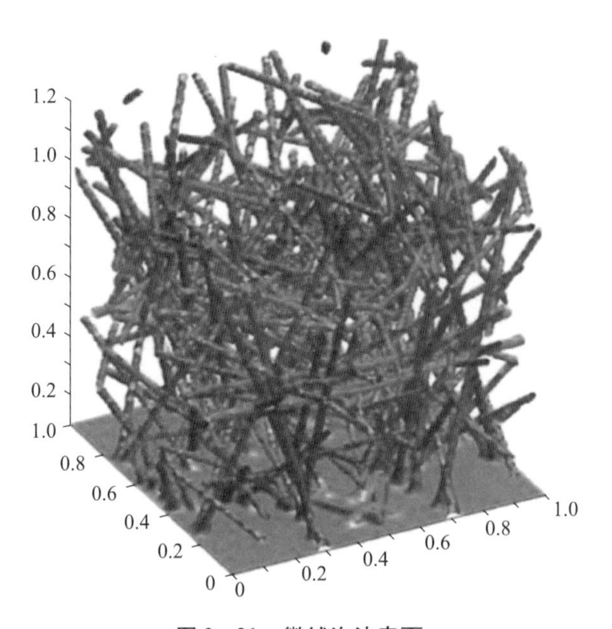

图 2-21 微绒泡沫表面

图 2-22　衬底表面石墨烯的原子力显微镜图像

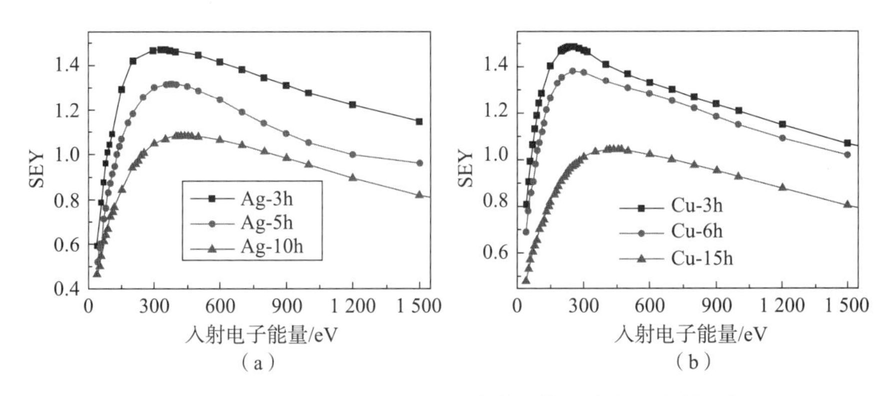

图 2-23　沉积生长石墨烯后衬底表面的二次电子发射系数

（a）Ag 衬底；（b）Cu 衬底

近年来还有研究者开展了氮化钛（TiN）镀层抑制二次电子发射的研究，分别采用不同工艺方法制备 TiN 薄膜，不同工艺参数制备的典型 4 种薄膜特性如表 2-2 所示，TiN 薄膜 SEY 的大小强烈依赖于表面形貌的变化，分别测量所得的 SEY 结果如图 2-24 所示，可以看出相比于致密的 TiN 薄膜（3#和 4#），具有多孔结构的疏松 TiN 纳米结构（1#和 2#）表现出较低的 SEY。

表 2－2 不同 TiN 薄膜物理特性参数

样品	厚度/mm	沉积速率/(nm·min^{-1})
1#	240	2.000
2#	130	1.083
3#	110	0.917
4#	73	0.608

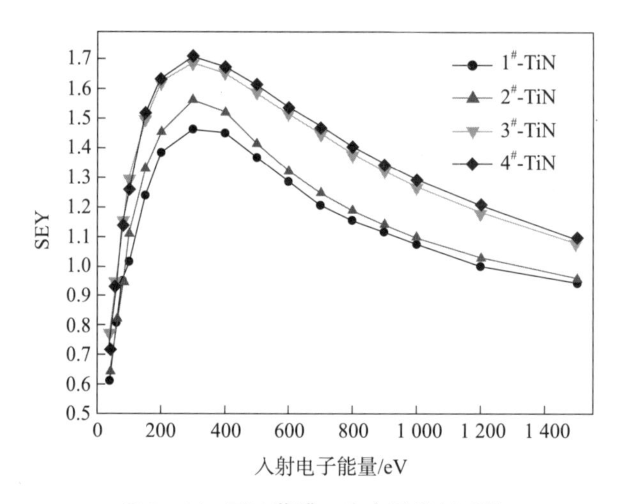

图 2－24 TiN 薄膜二次电子发射系数

3. 表面束流轰击处理法

在材料表面构造陷阱结构和沉积非金属薄膜可降低其二次电子产额，但该方法会改变部件的电性能；对材料进行表面束流处理也可以达到抑制二次电子的效果，常见的束流处理方法有磁控溅射（二次电子发射抑制效果如图 2－25 所示）、电子轰击及激光处理；对电性能要求严苛情况下的微波部件二次电子倍增效应的抑制具有重要的参考价值；近年来，还有研究提出采用激光刻蚀铁氧体表面处理后表面沉积低 SEY 薄膜的方法抑制二次电子发射系数。

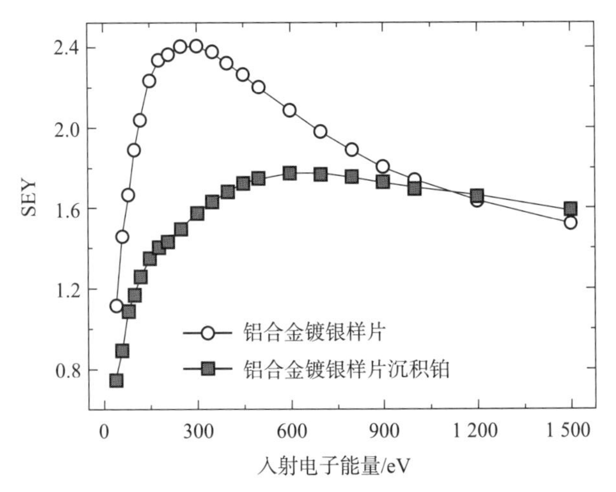

图 2－25　铝合金镀银样片以及沉积铂样片的 SEY 曲线

阅毕金属材料、介质和半导体材料二次电子发射系数测量方法及装备介绍和影响二次电子发射系数的因素，从二次电子发射概念介绍可以看出：尽管二次电子发射测量设备的发展由来已久，但仍有很多问题需要改进，例如测量源电子入射角度对二次电子发射系数的影响，原位表面特性观察与分析、原位处理、介质表面电荷中和等还需要不断研究。二次电子发射作为基础研究问题，其理论分析和测量方法还需持续开展研究。

2.4　微放电设计验证方法

我们在本章 2.2 节已经讲述了微放电仿真分析软件，并且随着技术进步，软件的仿真精度逐步提高，采用实际测量的二次电子发射系数可更好地仿真实际微波部件微放电阈值。微放电仿真设计方法对于大功率微波部件研发设计阶段起着关键指导作用，是大功率微波部件微放电设计的重要工具，可有效指导微放电验证试验的开展。微放电仿真验证不能完全模拟微放电检测试验也导致微放电试验验证必须开展。同时，对于实际航天器大功率微波部件，在高可靠性要求下还需要在额定工作功率的基础上留有一定余量。ESA 微放电检测标准规定对于新设计的微波部件在仿真分析验证充分的基础上，飞行前必须开展微放电试验；对于成熟设计的微波部件，建议开展微放电试验。

由于大功率微波部件总是处于航天器有效载荷关键部位，降低功率使用或者失效将产生严重影响，因此对于大功率微波部件微放电问题，我们总能保证微放电试验验证，确定将在轨问题提前预测，确保航天器可靠运行。微放电仿真设计方法目前难以取代微放电检测试验，主要体现在以下三个方面。

首先，微放电仿真验证的输入条件难以模拟微波部件真实状态。ESA 和 NASA 微放电检测相关标准确定微放电试验加载功率半小时以上，微放电数值仿真目前最多持续微秒范围内，微波频段脉冲输入信号的微放电检测试验信号持续时间一般在百微秒范围，仿真验证与试验检测之间的差异还有待进一步研究。同时，对微放电阈值有重要影响的二次电子发射系数还与部件材料表面状态、温度的动态变化和功率加载相关，而二次电子发射系数测量目前还无法实现微波部件工况下的测量，目前最新的微放电仿真验证中采用与微波部件相同工艺的样片测量数据进行计算。这些因素决定了微放电仿真分析与试验验证的阈值存在一定的差距。

其次，随着大功率微波技术的发展，介质加载微波部件逐渐用于大功率微波部件，研究复杂度增加。介质材料由于介电常数高、损耗和温度稳定性优等特性开始应用于通信、雷达和导航等领域，介质加载的大功率微波部件由于体积小、重量轻等优势具有较强的竞争力。包含介质材料的大功率微波部件在高真空、强辐照的太空环境中更容易发生二次电子发射，导致介质材料性能退化，影响卫星载荷的寿命和可靠性。随着空间载荷功率增高，大量包含介质加载的微波部件开始被广泛应用，其内部的电磁场分布变得极为复杂，并且介质表面会因为二次电子倍增而带电，使得介质表面产生准静电场，时变电磁场作用与准静电场作用下二次电子不断倍增，最终产生微放电效应。典型的微波部件中主要存在介质－金属、介质－介质以及单介质单表面三种类型，如图2－26所示。

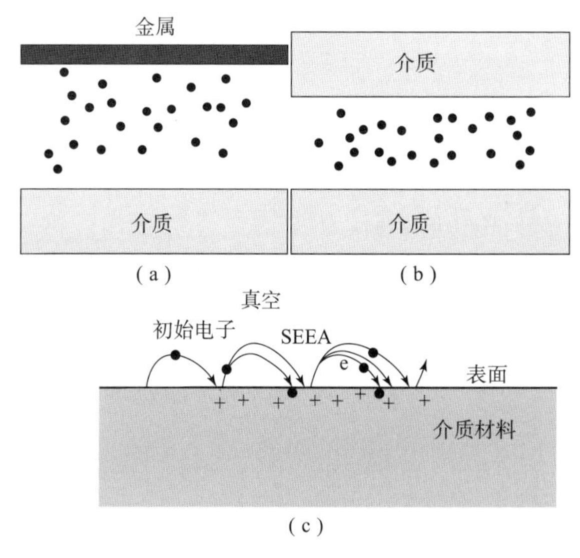

图2－26 介质表面微放电（见彩插）

（a）介质－金属微放电；（b）介质－介质微放电；（c）单介质表面微放电

最后，二次电子倍增产生的微放电效应十分复杂（尤其是介质加载微波部件的微放电效应）。一方面，微放电发生会产生严重影响，而微放电产生机理复杂，尤其是包含介质的微波部件由于放电发生的影响因素复杂，至今还没有被完全掌握；国内外针对微放电仿真分析开展了大量研究工作，但是微放电阈值又与真空压力、加工工艺、表面处理、材料成分、污染等因素有关，这些给微放电仿真分析设计引入不确定性。另一方面，实际中加工工艺与工艺缺陷，以及存放过程中暴露在空气中、湿度、空气污染物、温度等可能带来的污染等方面原因，会导致实际的微放电阈值比设计的低，在太空中，它也会受到电子、离子或光子的照射的影响。因此，一般对制造好的器件以及待使用的器件或系统需要进行微放电测试，以确保在轨工作安全可靠。

微放电设计验证方法在经过近百年的发展已取得了显著的成绩，我们在对大功率微波部件开展充分微放电设计验证时，预留了相应的安全设计余量；但是，由于涉及航天器应用，我们总是尤其谨慎，大功率微波部件要求尽可能都开展微放电试验。

2.5 小结

本节介绍了微放电仿真设计验证方法，包含国内外仿真微放电阈值的分析软件、二次电子发射测量方法及影响因素分析，同时介绍了影响微放电的关键因素，为微放电设计验证提供了方法。但是作为高可靠性要求的航天器大功率微波部件，也分析了必须开展足够地面验证试验的因素。

第3章 微放电检测标准

3.1 概述

目前微放电检测标准主要有ESA的标准化机构ECSS主导2003年发布的ECSS-E-20-01A、2003年修订发布的ECSS-E-20-01A Rev.1、2020年发布的ECSS-E-HB-20-01A与ECSS-E-ST-20-01C（《Space Engineering-Multipactor Design and Test》），以及美国政府和航空航天工业发布文件TOR-2014-02198（《Standard/Handbook for Radio Frequency Breakdown Prevention in Spacecraft Components》）。我国微放电检测标准由中国航天科技集团有限公司提出，包括2020年发布的QJ 2630—2020《航天器组件空间环境试验方法第3部分：低气压放电和微放电试验》与2014年发布的QJ 20325—2014《航天器射频部件与设备测试方法第2部分：微放电》，其中2014年发布的标准QJ 20325—2014还发布了英文版。国内外关于微放电检测的标准均介绍了微放电试验目的、检测试验基本要求、微放电检测原理与方法，同时ESA标准还介绍了影响微波部件微放电阈值关键因素二次电子发射系数的测量，本章介绍了国内外微放电检测标准，并进行了对比分析。

3.2 微放电试验目的

随着航天技术的飞速发展，航天器大功率微波通信投入使用，空间设备内部的微放电效应已经成为制约空间通信技术发展的重要因素；近年来，有效载荷小型化集成技术快速发展，局部功率密度过大也促使了微放电的发生，高集成度系统必须要对微放电效应进行全面、系统的研究。研究微放电效应产生的机理、分析微波部件微放电的阈值及如何有效地抑制微放电效应已经成为我们当前迫切的任务。尽管通过以往研究获得了微放电效应敏感区域，可以据此来预测简单微波部件的微放电阈值，但实际的微放电阈值不能完全确定，由于缺乏在各种几何条件下的可靠的微放电效应敏感性设计标准曲线，所以要建立实际使用的设计容限。

尽管厂商生产的微波部件经过了合格的鉴定手续，而且是完全洁净的，但实际上许多微波部件由于某些意想不到的污染会使其阈值下降，这是由于：面材料状况、黏结剂和润滑剂的存在、制作过程中存在某些没有预计到的污染和锐利边缘上场强的增加，使得航天器有效载荷所用微波部件微放电阈值下降。

因此，至少必须对将要飞行的实际部件的代表性样品进行测试，最好是对飞行部件本身也要测试，且测试电平要比微放电阈值高一定余量，以适应测试以后由复杂因素导致的微放电阈值下降，主要的影响因素包括操作和存放过程中的污染、发射以后污染的转移和在轨道上电压驻波比的变化等。

3.3 国内外微放电检测标准

国内外微放电检测相关的标准是微放电研究的重要参考，也是开展微放电试验检测的重要依据，本节介绍了中国、欧洲和美国微放电检测标准，为微放电检测技术研究提供参考。

3.3.1 我国微放电检测标准

我国微放电检测标准由中国航天科技集团公司提出，中国航天科技集团公司第五研究院总装与环境工程部起草完成，发布的中华人民共和国航天行业标准 QJ 20325—2014，包括4个部分，即低气压放电、微放电、功率耐受和无源互调，其中第2部分的微放电标准规定了航天器真空放电试验的目的、试验要求、试验程序、试验中断及故障处理要求，适用于航天器在真空环境中可能发生电晕放电和微放电的真空放电试验。

微放电测试是模拟空间中的大功率试验，需要严苛的检测条件，涉及的条件必须满足要求才能开展试验。一般涉及的条件有测试环境、测试方法、测试要求、测试流程、测试步骤和测试数据结果判读等。试验要求主要包括测试压力、测试温度、被测件安装要求、系统驻波比、自由电子、脉冲信号、测试时间与安全要求。下面将详细介绍中华人民共和国航天行业标准关于微放电检测试验的要求，其他部分内容详见参考文献[4][5]。

3.3.1.1 测试环境

1. 真空度

真空度要求如下：

（1）被测件关键部位（如馈电波导内）的真空度应低于 1.3×10^{-3} Pa，环境真空度应保持一段时间后进行微放电试验，具体时间参见专用技术条件的规定。

（2）对封闭式射频部件与设备，环境真空度应保持一段时间后（对于封闭波导型为4~6 h，对于同轴系统为24 h）再进行微放电试验。对开放结构的射频部件与设备（如天线），环境真空度应保持2 h后再进行微放电试验。

（3）对由大量复合材料构成的射频部件与设备，环境真空度可降低至 10^{-3} Pa，保持时间应大于 24 h。

2. 自由电子

自由电子要求为：自由电子发射源应工作 2 h 后再进行微放电试验，以满足大功率微波部件内自由电子分布均匀，确保测试有效性。

3. 被测件试验温度

被测件试验温度要求如下：

（1）微放电试验分为低温、常温、高温三个试验温度状态。

（2）低温、高温状态的试验温度及温度控制精度参见专用技术条件的规定。

4. 试验场地

大功率微放电试验，由于其试验特殊性，试验场地需满足的要求如下：

（1）试验一般在金属真空罐（或透波真空罐）中进行，当进行辐射性微放电试验时，应在屏蔽吸波室内进行，屏蔽度应大于 60 dB，吸波材料吸波率应大于 25 dB。

（2）测试人员一般应在屏蔽吸波室以外的测试控制室，通过视频监视器进行试验。

（3）除另有规定外，环境条件如下：

①温度：15 ~ 35 ℃；

②相对湿度：20% ~ 80%；

③大气压力：78 ~ 103 kPa。

5. 仪器及设备

一般要求试验用仪器及设备（微波仪器、真空测试设备、温度巡检仪等）应经计量部门检定合格，并在有效期内使用。微放电真空试验设备包括透波真空罐体（或金属真空罐体）、抽真空设备和真空测试设备，主要用于形成模拟轨道环境的真空测试状态。

透波真空罐体主要用于辐射状态下的射频部件与设备的微放电试验，在测试频率点的透波率应大于70%。金属真空罐体用于辐射状态的射频部件与设备的微放电试验，金属真空罐体内部应使用专门的吸波箱体（如铁氧体类不易挥发的吸波材料，避免吸波材料对被测件造成污染），在试验频段内微波吸收率大于20 dB。

抽真空设备一般由机械泵、分子泵及低温泵组成。真空测试设备一般由阻硅管、离硅管及真空计组成。

6. 高、低温试验设备

高、低温试验设备一般包括热沉设施和试验温度测试设备，用于实现真空罐体内高、低温环境温度状态及高、低温状态下的温度测量。

如果使用金属真空罐体，可在真空罐体内采用热沉设施的方法进行微放电试验高、低温状态的模拟；如果使用透波真空罐体，可在真空罐体内采用热沉设施的方法进行微放电试验中高、低温状态的模拟，热沉设施不应影响辐射状态的射频部件与设备的场辐射，也可采用红外灯加热的方法实现微放电试验中高温状态的模拟。

试验温度测试设备可使用热电偶或铂电阻，温度巡检仪可读取温度数据。温度测试范围在-100～200 ℃范围内，测量精度应小于3 ℃。

7. 自由电子产生设备

微放电试验加入自由电子时，可诱发微放电现象的发生。自由电子可采用钨丝冷发射的方法获取，或采用辐射源产生自由电子（如铯源、锶源等）。自由电子发射源应靠近被测件，如果使用辐射源产生自由电子，可将辐射源贴附在被测件的表面。利用标准试验件进行微放电验证试验，判断产生的自由电子数量是否满足要求。

在一个微波脉冲峰值持续的时间内，至少应发出100个以上自由电子。以辐射源为例，如果微波脉冲周期为 10 ms，占空比为 1%，则在微波脉冲峰值持续时间 100 μs 内，辐射源应至少发出 100 个以上的自由电子，根据辐射源的辐射衰变率，可计算所需辐射源的尺寸，辐射源发射的自由电子数量可通过辐射源每秒钟蜕变粒子数乘以微波脉宽计算后得到。

8. 微波试验设备

信号发生设备包括信号源、微波信号调制单元、微波功率放大器，用于大功率微波连续波及微波脉冲信号生成。

微放电试验与检测设备包括平均功率计、峰值功率计、调零单元、频谱分析仪、双定向耦合器，用于标定加在被测件的射频连续波及射频脉冲信号的功率及试验过程中入射和反射功率的大小。必要时，可采用辅助测试设备（如微波矢量网络分析仪），用于被测件的反射、传输状态、系统状态的检测。

9. 被测件

开展微放电测试的航天器大功率微波部件需满足如下的要求：

（1）不应含有挥发性物质，以避免污染微放电试验设备。

（2）试验前应使用无水乙醇清洁被测件内部和外部。

（3）功率容量设计余量不足时，应按专用技术文件的规定对被测件采取散热措施，以避免损坏。

（4）在关键部位应设置测温点，试验过程中实时监测温度变化，避免被测件局部温升过高而受损。

3.3.1.2 测试方法

微放电检测方法主要分为全局检测法和局部检测法。全局检测法可以判断微放电是否发生，但不能检测放电发生的部位。对于飞行系统硬件而言，测试的主要目的是避免发生微放电，全局检测法是可行的方法。如果对于硬件设计研究，需要确切知道容易发生微放电的部位，从而对设计提出改进，则可采用局部检测法。目前全局检测法主要有近载波噪声、谐波、反射功率、残余物检测法。局部检测法主要有电荷探针、光学探测检测法。对于鉴定测试和验收测试的大功率微波部件，微放电测试方法一般采用调零检测法、正反向功率检测法、二次或三次谐波检测法，测试中至少采用两种方法同时进行检测，其中优先选用调零检测法。详细测试方法选择参见第4章介绍。

3.3.1.3 测试流程

根据被测件类型，微放电检测分为非辐射式检测试验和辐射式检测试验，两种试验的区别是辐射式检测试验不仅需要真空环境，还需要在吸波箱（微波暗室）内开展试验。对于天线、馈源等辐射式微波部件的微放电试验，需要采用辐射式测试方法。因此，在搭建测试系统时除了选择合适的检测方法，还需根据被测件类型选取适合的测试环境。典型的微放电检测试验测试流程如图3－1所示。

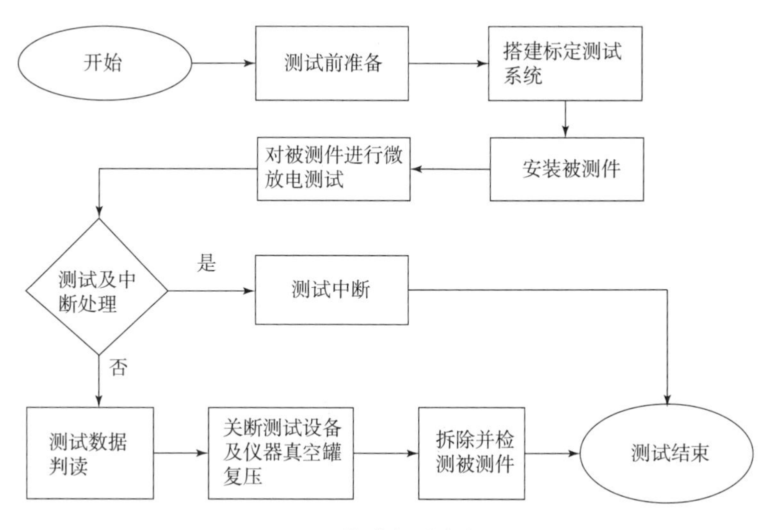

图3－1 微放电测试流程图

1. 测试前的准备工作

（1）按专用技术文件的规定对被测件进行检查，并记录。

（2）确认真空测试设备工作正常。

（3）确认测试仪器和设备均已可靠接地。

（4）清洁被测件和真空罐体。

（5）确认测试系统及其测试附件不会发生微放电。

2. 系统搭建及标定要求

（1）按测试方法示意图连接并搭建好测试系统。

（2）预热使用的测试仪器，并设置测试参数。

（3）标定正向检测端口等效为被测件入口功率及正向功率值。

（4）标定反向检测端口等效为被测件入口反向功率及反向功率值。

具体标定的测试方法按 QJ 3023—1998 中 5.2 的相关内容。

3. 被测件安装要求

（1）将被测件装入真空罐内，进行机械和电气连接。

（2）通过矢量网络分析仪测试连接驻波状态，如被测件为辐射式，则调整被测件的放置位置和方向，使驻波比达到测试要求、测试状态，固定被测件。

（3）在被测件上安装温度传感器。

3.3.1.4 测试步骤和数据判读

（1）微放电试验一般采用加入微波脉冲信号的方式进行，占空比在1%～10%范围可调。如果测试条件允许，也可采用连续波方式进行。为模拟实际的热工作状态，微波脉冲信号应维持一定的脉冲底电平，使得脉冲平均功率达到实际的额定功率（可以增大脉冲信号宽度）。

（2）微放电试验可采用增加辅助热控措施的方式，维持被测件的整体温度（在轨工作的最高温度），并持续整个试验过程，占空比在1%～10%范围可调。

（3）试验频率一般选取实际工作频率点（工作频带的最低频率点）。当测试系统驻波比大于1.5时，应选取驻波波谷点的频率。

（4）从输出端输入的驻波状态试验，一般选取试验频率低于被测件的最低频率，功率为被测件各单路输入的额定功率。

（5）单载波工作的射频部件与设备的微放电试验的试验功率量级是：脉冲信号顶电平为实际额定功率的6 dB（鉴定级）或3 dB（验收级），调节脉冲信号底电平使脉冲平均功率达到实际额定功率。

（6）多载波工作的多端口射频部件，各端口脉冲信号顶电平为单载波额定功率（P_i）的6 dB（鉴定级）或3 dB（验收级），调节脉冲信号底电平使脉冲平均功率达到实际的单路额定功率。

（7）多载波工作的单端口射频部件与设备，当载波数 $n<5$ 时，脉冲信号顶电平为 $2nP_i$ 的6 dB（鉴定级）或3 dB（验收级），调节脉冲信号底电平使脉冲平均功率达到实际的总额定功率 nP_i。

（8）多载波工作的单端口射频部件与设备，当载波数 $n \geqslant 5$ 时，脉冲信号顶电平为 P_{20}（将电子在缝隙间渡越20次的时间定义为 T_{20}，该值为最低频率半周期与微放电阶数的乘积，在一个合成包络周期内具有 T_{20} 驻留时间的最大功率电平为 P_{20}）的6 dB（鉴定级）或3 dB（验收级）。

（9）微放电试验加入的射频功率为被测件输入端口的功率，射频功率的大小应使用功率计及大功率衰减器进行标定，并应计入标定误差。

（10）对于鉴定级的被测件，初始试验功率的设定应比试验所需功率低10 dB，对于验收级的被测件，初始试验功率的设定可比试验所需功率低3 dB。

（11）在增加试验输入脉冲峰值功率时，开始时以1 dB的步长功率增加，当射频功率达到试验所需功率的二分之一时改为以0.5 dB的步长功率增加，在每一个功率，保持10 min，观察微放电现象是否出现，若微放电现象发生，则将功率减小，重新核对微放电阈值。到达试验所需功率后，保持30 min，观察是否有微放电现象发生。

（12）在微放电试验前和试验后，应对被测件电性能进行测试，用于辅助判断是否有微放电现象。

（13）测试中未检测到被测件发生微放电，即调零信号未出现异常或跳动，或压力、功率、被测件温度未见异常，则通过了微放电测试。

（14）测试中检测到被测件发生微放电，即调零信号出现异常或跳动，并且通过调节调零单元不能达到正常的调零状态，或压力、功率、被测件温度异常，则未通过微放电测试。

3.3.2 欧洲微放电检测标准

欧洲的微放电检测标准由 ESA 的标准化机构 ECSS 主导编写，已经发布的标准主要有 2003 年发布的 ECSS－E－20－01A，2013 年的修订版 ECSS－E－20－01A Rev.1 及 2020 年的 ECSS－E－HB－20－01A 和 ECSS－ST－20－01C 等标准。最新的微放电标准手册描述了射频组件与设备的设计测试指南及建议，以实现在空间运行中不发生微放电，它包括之前版本的内容，并且增加了二次电子发射测量研究成果；该标准涵盖了所有类别的卫星射频器件和设备在所有频段上发生的微放电特性。本节主要介绍与中国检测标准不同的部分：微波部件类型与微放电考核方法、微放电设计分析、多载波测试方法，二次电子发射测量相关研究进展在本书第 2 章 2.3 节做了相关介绍，其他内容具体参见参考文献［1］［2］［3］。

3.3.2.1 微波部件类型与微放电考核方法

微波部件表面材料的二次电子发射特性对微放电产生有重要影响。由于微波部件在加工、存储和运输过程中不可避免地存在污染，并会使用黏结剂和润滑剂等，使得微波部件微放电阈值降低，因此微波部件必须保证足够的微放电值余量。微放电设计余量是指微波部件的微放电阈值功率理论计算结果与额定工作功率之间的差额。在透气孔合理设计的条件下，ESA 微放电设计与测试标准按照不同的微波部件类型规定了分析、鉴定级试验、抽检试验、单件产品试验四个阶段的微放电阈值考核余量。

在 ESA 微放电设计与测试标准中将微波部件分为三类：第一类（P1）是微波路径全为金属，或者是为增加微放电阈值而开展的非有机表面微处理的金属，并且金属的二次电子发射特性已知，微波部件透气孔设计合理；第二类（P2）为微波路径包含微放电特性明确的介质或其他材料，微波部件透气孔设计合理；第三类（P3）为除了前两类以外的其他类型微波部件。

对P1微波部件，在微放电阈值分析余量大于8 dB时，如果还满足以下三个条件，则可以不进行微放电试验，认为微放电考核通过：

（1）所分析微波部件是继承于与其类似的已经被验证的合格设计；

（2）所分析微波部件的结构能够进行准确、可靠的电磁场分析；

（3）成熟设计结构，其分析阈值和测试阈值建立了准确联系，所分析微波部件的微放电关键区域与该已有设计一致。

在微放电阈值分析余量不大于8 dB时，需要进行鉴定级微放电试验：测试阈值如果大于6 dB余量，则微放电考核通过；如果鉴定级微放电试验不满足6 dB余量，则需要针对飞行件进行微放电试验。如果是多件飞行件产品同批次投产，只进行微放电抽检；如果所抽样品的微放电阈值余量大于4 dB，则该批次飞行件微放电考核通过；如果抽检样品的微放电余量不满足4 dB或者为单件飞行件，则必须对每件飞行件进行微放电试验，要求微放电阈值余量大于3 dB方可通过微放电考核。

同时，ESA微放电标准中对P2和P3微波部件在不同阶段的微放电阈值考核余量进行了规定。P2微波部件的分析、鉴定级试验、抽检试验、单件产品试验四个阶段的微放电阈值余量分别为10 dB、6 dB、4 dB、3 dB；P3微波部件的分析、鉴定级试验、抽检试验、单件产品试验四个阶段的微放电阈值余量分别为12 dB、10 dB、6 dB、4 dB。P1、P2和P3微波部件的不同阶段单载波微放电阈值考核余量要求如表3－1所示。

表3－1 微波部件不同阶段单载波微放电阈值考核余量

类型	分析余量/dB	鉴定级试验余量/dB	抽检试验余量/dB	单件产品试验余量/dB
P1	8	6	4	3
P2	10	6	4	3
P3	12	10	6	4

表3-1中微放电考核余量是建立在材料二次电子发射特性稳定的成熟工艺基础上的。如果工艺稳定性缺乏严格控制，即使在产品鉴定试验时微波部件满足了微放电阈值余量要求，但是对于新加工的正样产品仍然需要开展微放电测试试验，通常要求鉴定级的微放电测试余量不小于6 dB，同时飞行试验件微放电阈值余量不小于3 dB，并且对于鉴定件和飞行件都要进行微放电试验。针对三类微波部件单载波微放电考核流程如图3-2所示。

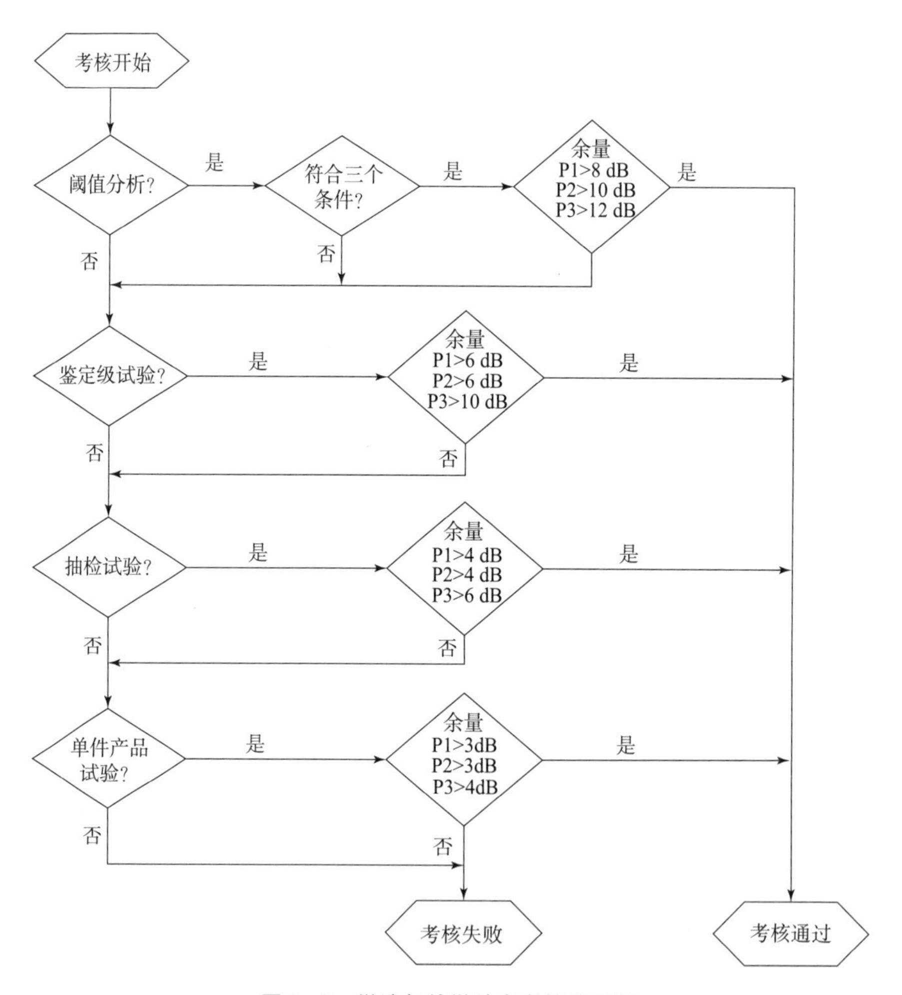

图3-2 微波部件微放电考核流程图

前面已经介绍了微波部件类型与微放电的考核相关内容，下面将对微波部件类型进行介绍。P1 微波部件已开展过大量研究工作，新版的 ESA 标准中对 P2 和 P3 微波部件进一步开展了分析和研究。

1. P2 部件介质充电效应

对于填充介质的微波部件而言，充电效应会使介质带电并在原射频电场的基础上叠加一个静电场，部件的尺寸以及电场变化都有可能对微放电过程造成影响。此外，介质充电的微放电敏感特性也与其处理方式有关，如加工工艺、静电摩擦、烘烤等。介质充电效应使电子倍增过程发生变化，且规律不具有普适性，因此在分析和测试中微放电阈值存在不确定性，所以目前的分析并没有充分考虑充电效应带来的影响。一般情况下，充电效应意味着发生微放电的可能性增加，尽管原电荷在介质表面分布并不均匀，而且通常是未知的，但数值分析可以在一定程度模拟其变化过程。此外介质的 SEY 特性也可能受到充电效应影响，导致其测试结果的不一致，最终影响整个分析的准确性。因为电介质的不确定性，在大功率条件下测试结果之间的差异也较为明显。以图 3－3 所示的同轴滤波器为例，表 3－2 列出了在图 3－3 所示的同轴滤波器中 ESA 采用不同介质材料替换介质板时仿真模拟微放电阈值和测试微放电阈值的差异。

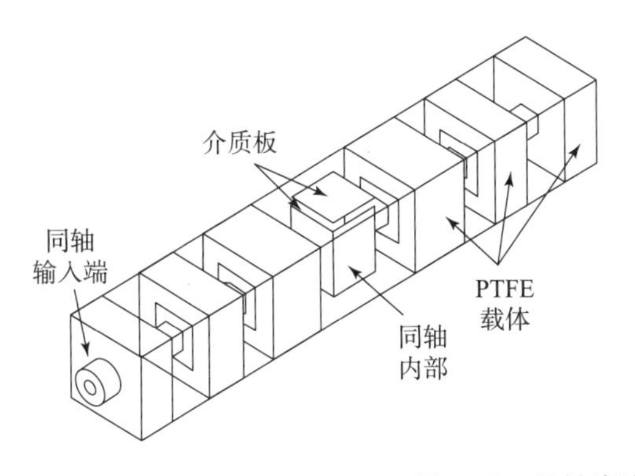

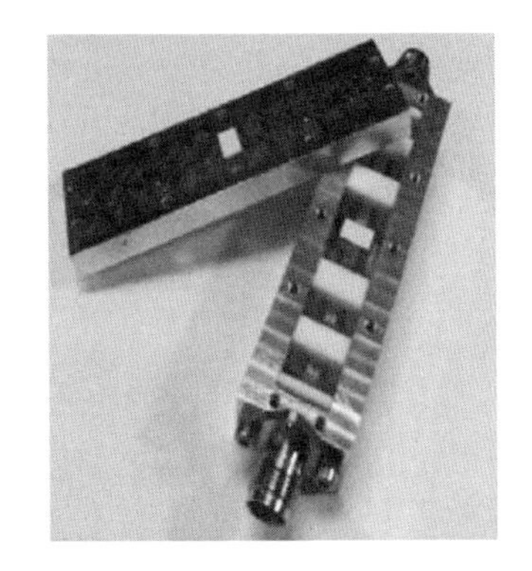

图 3－3　同轴滤波器

表 3-2 不同介质材料在同轴滤波器内的微放电模拟及测试对比

材料	最坏预测情形 W/dBm	理想预测情形 W/dBm	Delta 0 /dB	烘烤 (80 ℃)	测试 W/dBm	Delta 1 /dB	Delta 2 /dB
氧化铝	143.55/51.57	1 023.41/60.1	8.53	否	426/56.29	4.72	-3.81
				是	478/56.79	5.22	-3.31
罗杰斯	1 984.31/62.98	2 296.82/63.61	0.64	否	818/59.13	-3.85	-3.53
				是	1 020/60.08	-2.9	-7.42
聚醚酰亚胺	294.92/54.7	2 640.58/64.22	9.52	否	479/56.8	2.11	-7.42
				是	563/57.50	2.8	-6.72
聚苯乙烯	240.23/53.81	2 359.32/63.73	9.92	否	853/59.31	5.5	-4.42
				是	602/57.79	3.98	-5.94
聚四氟乙烯	2 296.82/63.61	3 343.6/65.24	1.63	否	1 070/60.29	-3.32	-4.95
				是	954/59.79	-3.82	-5.45

Delta 0：不同 SEY 值的模拟差异；
Delta 1：最坏情形下模拟与测试结果差异；
Delta 2：理想情形下模拟与测试结果差异。

表 3-2 中阈值分析的 SEY 数据是通过不同的测试结果获得的，如图 3-4 所示，其中最坏的阈值分析所考虑样本 SEY 偏大，理想的阈值分析所考虑 SEY 较小。

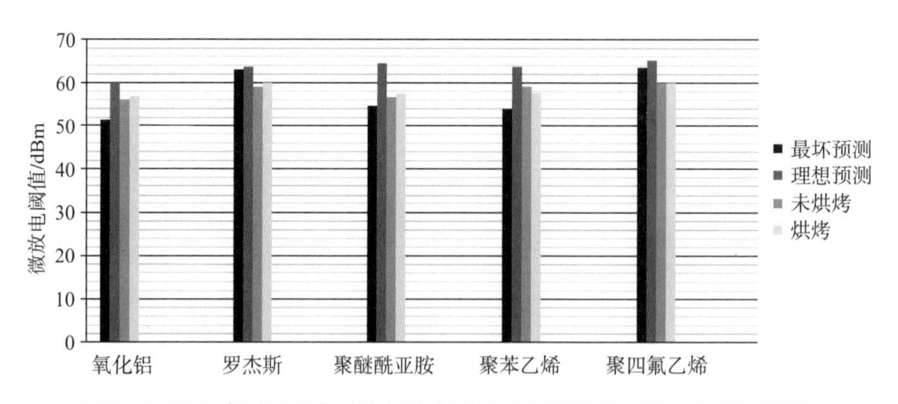

图 3-4 不同介质材料在微波部件内的微放电模拟及测试对比（见彩插）

影响阈值产生差异的因素除了微放电效应外，还包括局部释气引发的电晕放电，或三点效应。J. Puech 等人研究了不同电导率的介质建模精度，对于相对高电导率的介质，发现用“类金属”方法测量和预测的结果有较好的一致性，但对于电导率较低的介质，其测试和预测结果差异较大。M. Belhaj 等进行了不同条件下的充电测试，可借此区分介质电导率的相对高低。

2. 与 P2 和 P3 部件相关的其他放电类型

在航天器微波部件内存在电介质的情况下（对于 P2 和 P3 型部件），可能会出现静电放电现象，并将其统称为“三点效应”，所谓“三点”指三种媒质，即在一个区域内同时存在金属、介质和真空接触条件，并且金属与介质和/或真空间存在尖锐边界接触（见图 3-5）。当临界射频场在金属边缘区域达到一定强度时，会激发电子的场发射现象。部分自由电子及金属所激发的电子受到静电场的作用朝着电介质相对带正电的区域运动。当介质二次电子的发射系数最大值 σ_{max} 大于 1 时，介质表面更容易带正电，这增加了静电场和场发射的能力，若电场的作用范围没有边界，二次电子

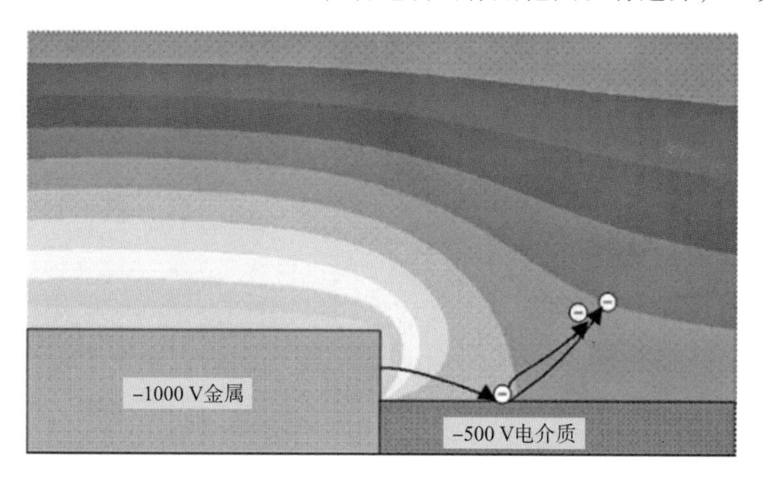

图 3-5 反向电压梯度配置中三点放电示意图（见彩插）

（电位轮廓用色标表示，金属出射的电子会被吸引到邻近的电介质区域，若二次电子的发射系数大于 1，两者的电位差会更大）

会在电场的影响下逐渐远离表面。随着电流密度的增加，雪崩过程仅受到金属锐边或尖端熔化的限制。然而，一旦熔化过程完成，射频电场振幅降低，则“三点”现象趋于消失。

3.3.2.2 微放电设计分析

微放电的两个关键影响因素：一是$f\times d$，二是临界间隙电压随频率的变化。随着$f\times d$的增大，发生微放电的概率变大。在某些情况下，更高的频率意味着更强的场，可以抵消$f\times d$的增加，得到更低的微放电阈值，这意味着至少需要在频段内的三个频率点进行电磁场分析，即在中心频率和上边频、下边频分别研究。为了更好地研究微放电现象，需要明确部件内电场的变化，通过电磁软件或等效电路建模分析其部件内的电场变化，而且部件内所有不同间隙区域的电压变化都需要考虑，尤其在窄间隙高压结构处。微放电分析分为理论分析与三维数值射频电磁计算软件分析。

1. 理论分析

最基础的微放电分析模型是基于两个无限延伸的平行板结构，然而，大多数真实的射频器件的几何结构内部是不均匀的射频电场和弯曲的场线。在这种情况下，基于平行平板结构击穿阈值的往往过于保守，一般采用含有膜片的波导来做微放电优化设计，由于膜片是一个常用的波导管部分，可以实现匹配的目的，应用在滤波器中，又可以耦合不同腔体中的不同电磁模式。

现有的理论只适用于含有膜片结构的矩形波导，基于这些理论并对电子损失机制进行建模，推导出有效的 SEY 模型，并与经典平行板微放电理论一起计算微放电阈值。

（1）横向扩散导致的电子损失：R. Udiljak 等人研究了基于膜片与平行板结构的二维模型，并讨论了发射电子非零切向速度而导致的电子损失机制，其中电子沿膜片结构切线方向的传输问题，是通过统计学方法中一维随机传输过程来模拟的。为实现微放电模拟，二次电子的生成速率要高于电子的损耗速率。因此，通过对电子损失速率的近似计算，有效二次电子发射率可（σ_{eff}）定义为：

$$\sigma_{eff} = \gamma_0 \sigma \tag{3-1}$$

它总是低于材料和平行板理论所给出的标称 SEY（σ）。γ_0 的值由扩散公式近似地表示为：

$$\gamma_0 = \exp\left(-\frac{\pi^2}{\eta(\sqrt{2\pi^3}+2\eta)}\right) \tag{3-2}$$

其中 η 为：

$$\eta = \frac{2l}{v_t d}\frac{fd}{N} \tag{3-3}$$

式中，v_t 是切向二次电子发射速率的平均值，l 是膜片长度，d 是间隙大小，f 是射频频率，N 是微放电模式阶数。（注：η 与 d/l 的值直接相关，这与试验结果一致）。

（2）边缘场造成的电子损失：V. E. Semenov 等人对电容式膜片进行二维建模，并采用共形技术对静态场进行分析，通过这种方式，电场可以沿着膜片的切线方向进行计算。研究发现，膜片中心区域的电场可以近似为平行平板结构的电场，结合相关 SEY 数据并考虑横向随机发射速度和边缘场，便可采用分析平行板方法类比计算膜片结构的微放电电压。

（3）Sombrin 和 Hatch 及 Williams 图表：经典的 Sombrin 图、Hatch 和 Williams 的微放电敏感图被广泛应用于测试研究中，以对比不同条件下所得到的不同微放电阈值。

在使用这些经典的微放电理论时，通常使用连接不同阶数微放电阈值的包络线代替精确的微放电区域，如图 3－6 所示。这是因为在经典理论中，不同微放电阶数之间存在着较大的差异，这可能导致非保守预测。不幸的是，传统的 Sombrin 和 Hatch 以及 Williams 的曲线，若不与试验数据进行拟合，就只能精确匹配一阶微放电的试验结果，其余微放电电压都发生了变化。除此之外，谐振区域过窄，即使插入偶数模也不会产生微放电。

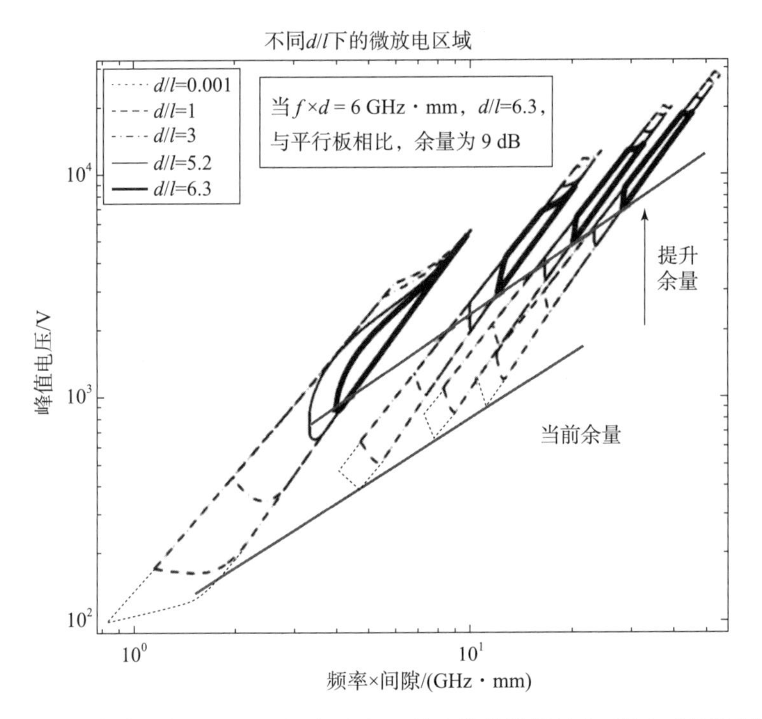

图 3-6 典型二维 Sombrin 图（不同 *d/l* 比率的边缘场效应对比）（见彩插）

（4）非稳态理论的应用：该理论包含了电子发射速度的随机性，能够精确计算所有微放电阶数下的击穿阈值，并通过结合相关的 SEY 数据可以计算微放电的敏感区域，如图 3-7 所示。

2. 三维数值射频电磁计算软件分析

三维数值射频电磁计算软件，除了考虑部件结构内的电磁场变化，还可以模拟粒子在电磁场中的运动轨迹，并自动纳入边缘场效应。这是一种合理准确的方法，可以预测不同情况下的微放电。该标准中常用的微放电仿真分析工具有 FEST3D/SPARK3D、CST Particle Studio 等仿真软件（见图 3-8），目前已被法国达索（DASSAULT，DS）公司收购。

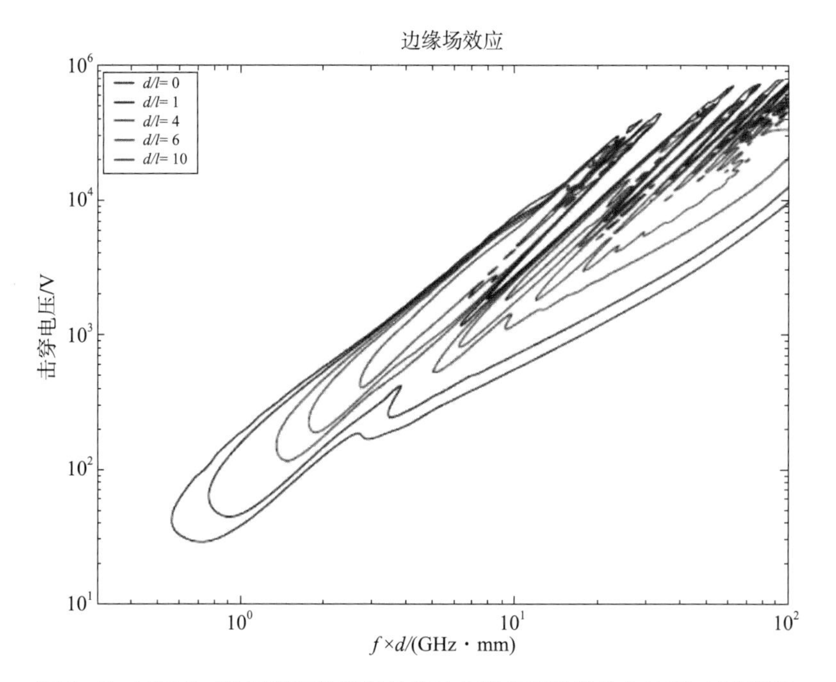

图3-7　不同的 d/l 下带有边缘场效应的非稳态理论微放电计算（见彩插）

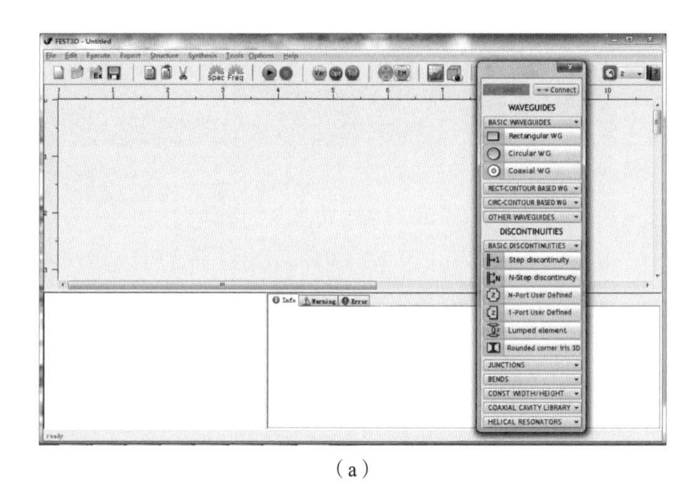

（a）

图3-8　常用的微放电仿真分析工具

（a）FEST3D

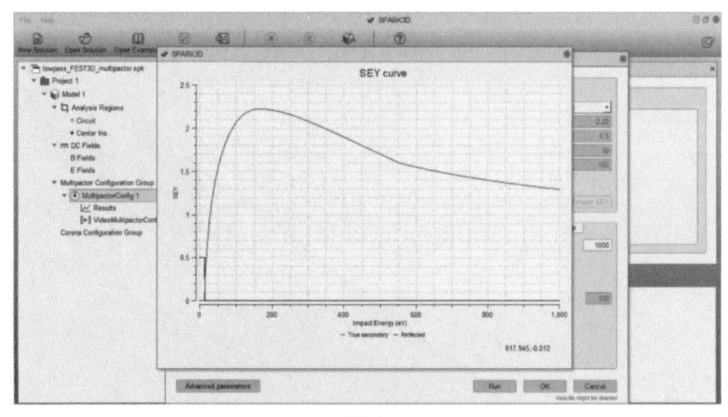

（b）

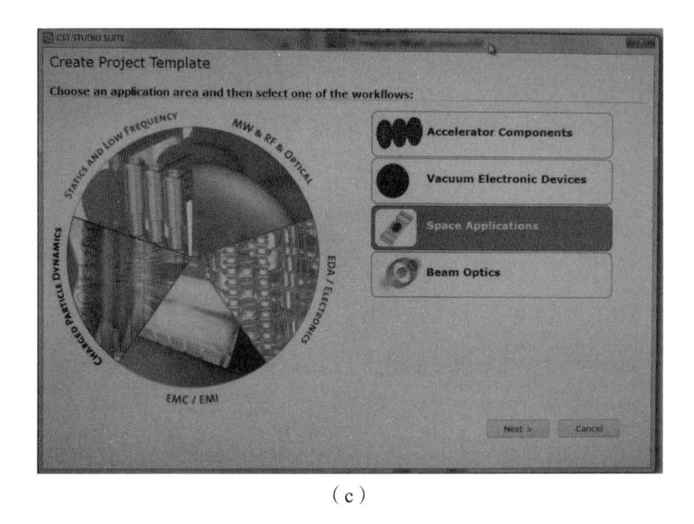

（c）

图3-8　常用的微放电仿真分析工具（续）

（b）SPARK3D；（c）CST Particle Studio

3.3.2.3　多载波测试方法

1. 用等效功率下的单载波进行多频测试

通过定义合理的等效单载波（又称连续波，Continuous Wave，CW），就可使用CW测试类比研究多载波放电问题。多载波信号在时域上可以近似为时间为t_{on}和振幅为V_{on}的脉冲信号。可以确定最差情况下产生的最低微放电阈值电压V_{mc}（V_{on}，t_{on}），如图3-9所示。

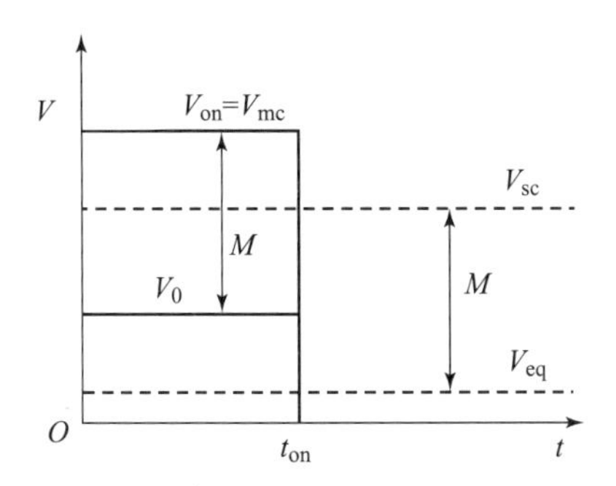

图3-9 脉冲模型和CW的余量定义

图3-9中各参数的含义为：t_{on}为最差情况下的脉冲持续时间，V_{on}为多载波信号在t_{on}时间内的微放电阈值，V_0为多载波工作电压，V_{eq}为等效单载波电压，V_{sc}为单载波电压阈值，M为工作电压和多载波阈值之间的余量。

等效单载波电压是指在单载波中的应用电压V_{eq}，它相对于单载波电压阈值V_{sc}产生相同的余量M。

$$\frac{V_{sc}}{V_{eq}}=\frac{V_{mc}}{V_0} \tag{3-4}$$

$$V_{eq}=V_0\frac{V_{sc}}{V_{mc}} \tag{3-5}$$

功率形式表达为：

$$P_{eq,sc}=P_0\frac{P_{th,sc}}{P_{th,mc}} \tag{3-6}$$

式中，$P_{eq,sc}$为等效的CW功率，$P_{th,sc}$为单载波阈值，P_0为多载波平均运行功率（所有载波功率值之和），$P_{th,mc}$为多载波平均阈值（所有载波功率值之和）。

为了计算等效的CW功率，需要同时进行单载波和多载波分析。

理论上，多载波功率阈值由以下因素制约：

$$\frac{P_{th,sc}}{N}\leqslant P_{th,mc}\leqslant P_{th,sc} \tag{3-7}$$

这对等效 CW 功率提出约束条件：

$$P_0 \leqslant P_{eq,sc} \leqslant NP_0 \tag{3-8}$$

根据式（3－6），等效定义一个替代式（3－8）的方法：

$$P_0 \leqslant P_0 \frac{P_{th,sc}}{P_{th,mc}} \leqslant NP_0 \tag{3-9}$$

$$P_{th,mc} < P_{th,sc} < NP_{th,mc} \tag{3-10}$$

最后总结出下面的边界定义：

若 $P_{th,sc} < P_{th,mc}$，$P_{eq,sc} = P_0$；若 $P_{th,sc} > NP_{th,mc}$，$P_{eq,sc} = NP_0$；若 $P_{th,mc} \leqslant P_{th,sc} \leqslant NP_{th,mc}$，用式（3－6）。

可以借助图3－3 所示同轴滤波器进行说明，分析结果是单载波阈值 $P_{th,sc}$ =1 421 W，通过数值分析得到的多载波阈值 $P_{th,mc}$ = 8 载波 ×181 W/载波 = 1 448 W，每个载波的平均运行功率 P_0 = 8 载波 ×45 W/载波 = 360 W。

方法 1：等效的 CW 功率 $P_{eq,sc}$ = 353 W，因为该值低于式（3－8）中的 P_0，因此产生的等效 CW 功率 $P_{eq,sc}$ = 360 W。

方法 2：不等式（3－10）没有得到满足，因此 $P_{eq,sc}$ = 360 W，按此标准对之后的余量提出要求，余量为 6 dB。

2. 用较少载波数的等效功率进行多载波测试

在载波数量减少的情况下，等效情况可以描述如下：

$$P_{0,mc,n} = P_{0,mc,m} = \frac{P_{th,mc,n}}{P_{th,mc,m}} \tag{3-11}$$

余量定义为：

$$M = \frac{P_{0,mc,n}}{P_{th,mc,n}} = \frac{P_{0,mc,m}}{P_{th,mc,m}} \tag{3-12}$$

其中 m 是载波数量，n 是减少的载波数。用式（3－6）定义一个使用 m 及 n 载波的等效 CW 单载波功率，由于两种情况下的等效 CW 功率必须是相等的，因此可使用式（3－6）将两种方式结合起来。

经过验证，式（3－12）与式（3－11）结果相同。

3.3.3　美国微放电检测标准

为减少航天器部件内射频击穿，美国组织多位在政府和航空航天工业的从业人员编写了《防止航天器部件中的射频击穿标准/手册》（TOR－2014－02198）微放电检测标准化流程，于 2014 年发布。该标准面向组件设计人员、卫星系统工程师以及客户群体，提供了最坏情况下的条件、余量要求，并使用最先进的方法对这些要求进行验证。此外，还提供了推荐的分析方法和举例说明，以确保对所有易受射频故障影响的卫星射频部组件进行微放电验证。该标准涉及微放电及其检测的多方面内容，这里主要介绍与中国标准和欧洲标准不同的 3 个方面的内容：微放电最低标准、微放电系统分析要求、微放电测试验证需求，其他详细内容参见参考文献［8］。

3.3.3.1　微放电最低标准

美国的微放电标准对最小微放电标准明确定义了适用范围为：最低频率为 5 MHz 且微波部件内部射频电压峰值大于 5 V 的部组件（这里称为 5 MHz/5 V 规则）。由于电压是微放电击穿定义的参数，因此不适用于部件工作的最小功率水平，必须使用局部场分析来确定实际微波部件几何结构中的特定电压。对于低于 5 MHz/5 V 的微波部件，不需要考虑微放电。

1. 微放电敏感频率的选择

对于射频系统内的每个敏感间隙，应评估在不同频率下的微放电击穿情况：

（1）射频带宽内最低的单载波信号。

（2）如果任意几何结构的 $f \times d$ 在带宽内最低的单载波信号下均小于 0.5 GHz · mm，则在射频带宽内最高的单载波信号处进行评估。

（3）对于大带宽系统，如果可能的频率范围大于 0.5 GHz · mm/d_{max} mm，则应在频率步长范围内评估每个间隙：

$$\Delta f=\frac{0.5\ \text{GHz}\cdot\text{mm}}{d_{max}\ \text{mm}}$$

如果在最低和最高的单载波信号之间可能存在更敏感的$f\times d$和电压组合，则应考虑在可用带宽内评估其他频率。

2. 微放电间隙

满足5 MHz/5 V规则的所有元件和传输线类部件，其内部结构的每一处间隙都应独立评估微放电的发生风险。满足5 MHz/5 V规则的金属－金属、金属－介质、介质－介质部件（其内部包含开放的未填充的间隙，且在两个表面之间可能有微放电电子运动轨迹涉及的范围），都需要考虑微放电发生的风险。目前双表面微放电是常见的微放电，在特殊情况下（如磁性器件或直流偏置系统内）可出现单表面微放电，典型的航天器系统中也有可能出现单表面微放电。

在设计和分析中，需要检查所有可能的间隙，包括那些因公差变化产生的间隙，因为几何公差的微小变化可以引起微放电阈值的显著变化。

3. 最小频率间隙乘积（$f\times d$）准则

对于较低的$f\times d$，在物理上有一个截止点，即它有可能不满足电子倍增微放电的标准，这种现象被称为$f\times d$截止或$f\times d_{min}$，而这主要依赖于二次电子发射系数（SEY）。$f\times d_{min}$正比于$\sqrt{E_1}$，即SEY曲线的第一交叉点能量值的平方根，具体如图3－10所示。参数$f\times d_{min}$也被称为间隙过小，典型的结构如图3－11所示。具体参考准则为：

（1）$f\times d<0.5$ GHz·mm，可不考虑微放电击穿。

（2）$f\times d>0.5$ GHz·mm，且满足5 MHz/5 V规则，需要考虑微放电击穿问题。

3.3.3.2 微放电系统分析要求

在考虑波形（单载波、调制波、多载波）、部件损耗、系统电压驻波比和故障的情况下，可计算施加到大功率链路中各部件的最坏情况瞬时峰

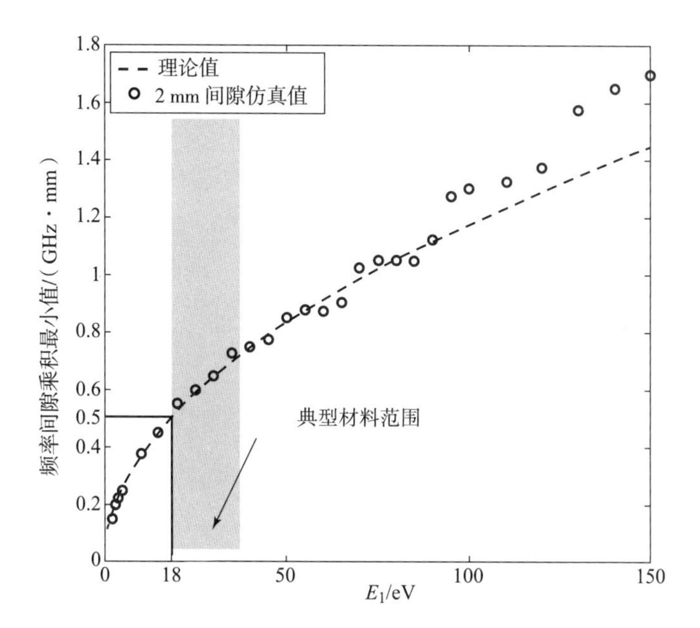

图 3-10　$f \times d_{min}$ 实际值由 SEY 曲线的第一交叉点能力决定

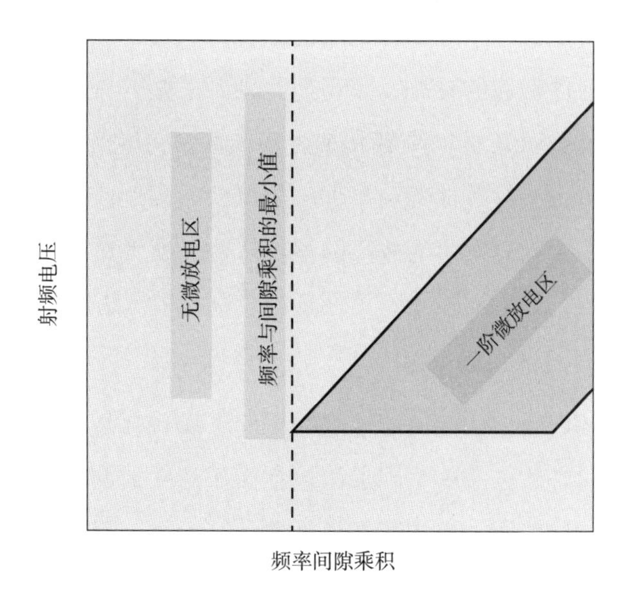

图 3-11　$f \times d_{min}$ 以下无微放电区域图（见彩插）

值功率和平均功率，应用这些值可以推导平均功率和峰值功率的测试要求，以及在确定微放电和电离击穿余量时计算出内部最大电压。

在图 3－12 所示的单载波情况下，本节提供了确定射频系统中每个组件的边界射频功率的要求。在这个例子中，最坏情况下放大器的输出功率是确定的，当该功率通过下游不同的组件时，这个功率通过组件损耗而降低。同时，在假设同相电压增加时，下游驻波比将导致组件内的电压升高。所有这些系统参数都是可测量和可预测的，在确定易受射频击穿影响的系统中每个组件的适用功率时，应包括这些参数。

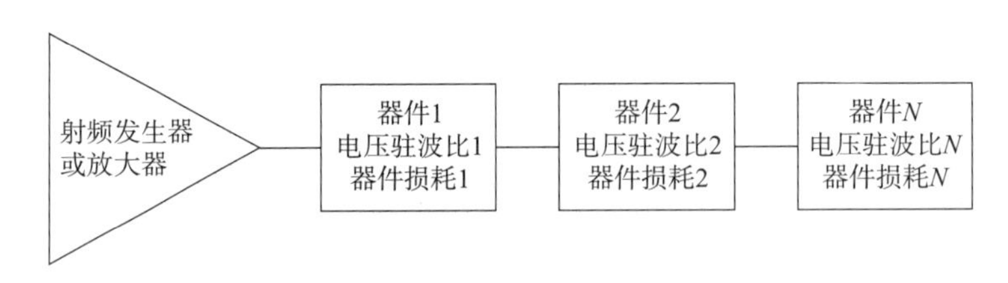

图 3－12 单载波射频系统的例子

（其中组件 N 必须进行微放电故障评估）

为了确定可能影响系统部件电压的条件，应考虑故障条件。这些条件可能源于失效部件引起的驻波、非预期冗余开关矩阵配置、超速场景、从下游窄带组件反射回来的非预期带外功率、非预期热条件、测试系统或程序故障或所分析系统的其他特定条件。测试功率限制应只考虑单一故障情况，而不考虑多个同时发生的故障的累积影响，所考虑的故障条件应是可靠的和可恢复的，如果故障是不可恢复的，则无须考虑。

1. 测试电压驻波比的环境

在工厂测试期间，部件可能暴露在不同于操作环境的复杂环境中，在指定测试功率时必须考虑这些因素，包括由于连接或测试设备条件，如测试电缆和不完全负载而导致的匹配条件差。与天线一起测试的组件在测试中需要特别考虑辐射环境。在确定下游组件的反射功率时，吸收体不完全失配和在热真空环境中多重反射应予以考虑。

2. 其他地面测试注意事项

当指定可以输出气体或受热载荷影响的部件的功率处理时，应指定平均功率（热）和峰值瞬时功率（调制、多载波）条件。

在地面测试中，一些高度谐振的部件在真空环境下可能比在一个大气压的湿度水平下能承受的功率更大。在指定测试条件时，应注意检查真空操作功率处理和地面测试功率处理条件。

被测设备应进行通风，以确保内部压力低于 1.33×10^{-2} Pa，以避免电离击穿。确保达到要求的内部压力所需的时间，应增加到真空静置时间，同时设备中的每个空腔都应有单独的通风装置。在可能的情况下，该设备中具有对微放电敏感的间隙，则需要进行局部通风以适应可能的局部诊断方法。应该设置通风孔，以便直接通风到真空区域。

通风速率是由设备或空腔容积除以该区域的所有通风的总真空电导的比值定义的。为了适应早期运行或更高的热负荷时可能发生的释气，应将足够的排气口纳入，以使排气率最大化，防止足够的压力上升到电离击穿的压力阈值。最初的在轨运行应该考虑出气率和可能的功率配置的调整，以允许不断地释气和随后的内部压力降低。

3.3.3.3　微放电测试验证需求

微放电测试需要模拟飞行状态，因此测试条件严格，这里介绍微放电测试需求验证的最低标准。

1. 击穿检测方法

应通过全局和/或局部诊断的方式检测微放电现象。全局诊断被定义为对检测设备和被测设备中发生的微放电的检测。这种诊断方法通常不能确定微放电故障的具体位置。局部诊断被定义为直接从微放电电子群中或局部等离子体中探测局部电子电流或光电发射。

微放电测试所需的检测方法应包括：

（1）至少两种高灵敏度全局微放电检测方法。

（2）如果可能，至少一种高灵敏度局部微放电检测方法。

微放电测试所需的监控设备应包括：

（1）入射功率监控（峰值功率和平均功率）。

（2）反射功率监控（峰值功率和平均功率）。

（3）输出功率监控（峰值功率和平均功率）。

（4）测试单元温度。

（5）腔体压力。

若需要定位微波部件内部放电位置时，应进行局部诊断。在部件设计时，应考虑在微放电敏感位置附近设置通风孔，以便提供局部诊断通道。对微波部件内部无法定位放电位置的完全填充的、密封的或完全介质加载的设备，不需要进行局部诊断。

2. 测试装置验证

在飞行件进行微放电余量验证的测试之前，应首先验证测试装置在测试功率以上无微放电现象或故障问题发生，确保微放电检测验证试验能在可靠测试装置进行。

（1）设置验证：在没有连接被测部件的情况下，在测试频率输入时设置验证要求加载大于要求的测试功率，以验证测试组件、系统等不发生微放电现象。除非存在特定的问题，设置验证可以在环境温度下进行，不应有微放电击穿的现象。

（2）已知的击穿设备：一个已知微放电击穿阈值的微放电设备应在与被测设备相同的测试配置中进行测试。验证试验应与被测装置以相同的频率进行。成功检测击穿的证据应至少通过两个高灵敏度的全局诊断以及任意局部诊断同时证明。在飞行单元测试之前和之后，应证明使用已知微放电设备成功检测到击穿。

3. 脉冲测试

（1）占空比：为了利用测试验证微放电的余量，平均最大功率将超过指定的 3 dB 余量。对于连续波器件，在 3 dB 的平均连续波功率下测试该器件可能会对器件产生过大的热应力。在这种情况下，应使用一定占空比的脉冲测试，使最坏情况的平均功率（0 dB）和3 dB水平的峰值功率相匹配。3 dB余量的情况相当于50%的占空比。平均功率应保持在0 dB功率水平，但有一个例外，即当标称占空比无法达到极端低温时，可以降低占空比。

（2）脉冲长度：对于特定测试频率，最小脉冲长度应大于10 000个射频周期。在任何情况下，脉冲宽度不得小于1 μs。所选脉冲宽度的可检测性应由已知击穿装置来确认。对于测试配置的加载种子电子水平低于在轨的测试配置（如实验室采用的辐射源），应该考虑允许更长的脉冲长度进行测试的例外情况。较长的脉冲长度可以降低对种子电子的敏感性，并为常见诊断提供更多的时间响应。

4. 加载种子电子

加载种子电子被定义为将自由电子引入被测设备内的局部微放电敏感区域。在微放电测试中，对测试条件的加载种子电子的最低要求为：脉冲测试条件下，当脉冲宽度小于1 ms或占空比小于5%时，需要加载种子电子；CW测试可不用加载种子电子，但在可能的情况下建议使用。

电子种子源应向击穿风险区域提供局部电子，强度的考虑应包括放射性同位素的选择、被测设备外壳材料、壁厚以及对内部几何结构的物理方位。

5. 真空

在进行热真空循环微放电测试之前，所有组件都应在航天器测试环境即大气（非干氮气）中至少暴露24 h。其他热真空测试应与微放电测试的热真空循环分开进行。对于初始真空室抽气降压，一旦真空室压力达到 6.55×10^{-3} Pa，为了降低电离击穿的风险，在给被测设备通电之前，部件应在小于 6.55×10^{-3} Pa的压力和环境温度的真空室内静置至少12 h。对于含有挥发性化合物或不明确的排气路径的产品，可延长真空静置时间。当施加射频功率时，在测试的任何部分中，真空腔室压力不得超过6.55×

10^{-3} Pa。由于电离击穿的风险，超过这个压力点将重新启动真空静置期。

6. 温度要求

真空静置期间以及射频功率施加之前，被测设备和基板温度不得超过射频工作前在轨部件最大温度或环境舱室温度的较大值。在部件微放电水平测试中，需要具有代表性的飞行热循环剖面。设备应在施加射频功率的情况下进行热循环。温度极限应由设备的适用验收、原型飞行、原型确认或确认温度来确定。

在一个温度下的最小停留时间应该是在热稳定之后至少 10 min，斜率至少应与操作预测一样快。对于热剖面测试条件，设备应在冷极端温度下测试，然后在热极端温度下测试。这是为了在第一次在轨应用射频功率的基础上保持边界和飞行测试条件所必需的。

7. 数据采集

在整个测试过程中，应持续监控和记录上述列出的所有项目，以便测试后评审。检测方法（局部和全局诊断）的数据采集速率应足以测量在单个脉冲内发生的瞬时微放电事件。其他参数，如温度和压力，应在测试期间以相对于变化速度的合理速率进行监测。

8. 合格/不合格标准

合格/不合格标准是特定被测设备的属性和所选择的检测方法，并应针对该检测方法进行规定。射频击穿应通过至少两个全局诊断方法或一个局部诊断方法同时检测来表明。同时，超过预定阈值的任何持续时间的增加应被认为是射频击穿的确定痕迹。阈值水平应在测试文件中规定，在检测报告中应包含对单个全局诊断的检测。

为了通过测试成功地验证余量，应提供完整记录的历史数据，以便在不同时检测任何位置击穿的条件下验证部件性能。此外，还应提供在已知故障装置上成功检测的证据。

对于不能持续或难以重复的短脉冲微放电或电离击穿，应根据等价条件进行充分考虑和评估。如果判定可能发生放电击穿确认痕迹或测试失败，在未通过的被测产品上进行的后续测试不能被认为可以免除原故障。

3.4　小结

本章介绍了微放电试验目的与检测标准，重点介绍了国内外微放电检测相关标准，包括我国与欧美标准。我国微放电检测标准从整体上概括了微放电检测，微放电试验测试环境、测试方法和试验要求；欧洲微放电检测标准主要介绍与我国检测标准不同的部分，即设备和部件分类、微放电设计分析、多载波测试方法；美国微放电检测标准介绍了微放电最低标准、微放电系统分析要求、微放电测试验证需求等。参考国内外微放电检测标准可为微放电测试提供方法与理论。

第 4 章
微放电检测方法

4.1 概述

根据第 3 章对微放电检测标准的讨论，本章详细介绍了微放电检测方法，为微波部件微放电分析提供参考，为微放电检测试验提供理论依据。

4.2 检测基本条件

微放电测试是模拟空间中的大功率试验，需要严苛的检测条件，涉及的条件必须满足要求才能开展试验。一般涉及的条件有测试环境、测试仪器及设备的要求。测试要求主要包括测试压力、测试温度、被测件安装要求、系统驻波比、自由电子、测试输入信号、大功率吸收、测试时间与安全要求。测试条件与测试要求在第 3 章已详细介绍，这里重点介绍微放电测试试验输入信号、大功率吸收与试验用初始电子源。

4.2.1 检测输入信号

微放电测试中，对于工作于连续波情况的微波部件，微放电测试试验采用单载波的方式测试，测试功率采用通道中的额定功率，考虑到部件后期可能存在的不确定性因素导致阈值下降，同时考虑到航天产品寿命，需要在单载波信号的基础上加上合适的脉冲信号，使得加载在待测件的峰值功率满足 3 dB 或者 6 dB 余量的要求。

在宽带、大功率通信卫星系统中，为了保证高功率微波放大器的线性度，一般会将通信带宽划分为多个通道，每个通道采用不同的载波和带宽，从而合成一个宽带的多载波信号，航天器有效载荷传输的多载波信号是将基带信号通过某种调制方式调制到多个载波上进行通信的，所以多载波合成信号与载波配置、调制方式、基带信号均密切相关。载波配置包括载波数、载波频率间隔、载波功率分布和载波相位分布四个参数，它们是多载波信号合成的基础。多载波信号包络特性研究是研究多载波微放电的入手点，需在实现任意多载波信号合成的基础上，分析不同多载波参数对信号包络特性的影响。通过数值计算软件，可将不同载波数、载波频率间隔、载波相位分布的各载波信号进行相加，完成信号合成。对于确定的多载波配置，多载波信号的功率包络取决于各个载波间的初始相位。因此，还需要开展多载波工作状态下的测试试验，但是受测试仪器设备限制，多载波微放电试验一般难以开展，需要通过多载波微放电理论分析与充足余量来确保多载波状态下部件不发生微放电。

大功率微波部件工作在单载波情况时，内部电压的幅度是恒定的，一旦超过微放电阈值电压，二次电子数目将呈指数级增长。当大功率微波部件工作在多载波情况时，部件内部合成电压受载波幅度、相位、频率等因素的影响而随时间变化，只有在部分时间内，合成电压的幅度超过微放电阈值，二次电子数目呈间歇式增长，因此多载波微放电的情况更为复杂，二次电子的运动累积过程难以用传统单载波的理论计算得到。

根据经典的单载波微放电理论，在平行板结构中，二次电子的谐振条件为其渡越时间是半射频信号周期的奇数倍，即 $n\pi$，其中 $n=1, 3, 5, 7\cdots$，

其中 n 称为微放电的“阶数”。例如，一阶微放电对应于二次电子穿过间隙的渡越时间等于半个射频周期。微放电阶数可以表示为外加电压和工作频率乘以间隙宽度（即 $f\times d$）的函数。

该理论定义了微放电阈值 V_B，即可以引发微放电的电压最小值。V_B 是关于 $f\times d$ 和表面二次电子发射系数的函数。

ESA 的多载波微放电“20 - gap - crossing”设计规则为：多载波信号包络大于上述阈值电压的时间等于或大于 T_{20} 时，微放电极有可能发生。其中，$T_{20}=10n/f_m$，n 为微放电的阶数，f_m 为多载波信号的中心频率。在多载波情况下，如果二次电子倍增的持续时间不超过 20 个电子渡越时间，则微放电引起的噪声将低于热噪声，可认为微放电未能有效建立。

ESA 认可的多载波微放电“20 - gap - crossing”规则中，P_{20} 功率经常被用于判断多载波微放电的发生。P_{20} 功率有多种定义，其中典型的定义为：多载波信号波形在单载波阈值功率处信号包络宽度达到 20 倍电子渡越周期（T_{20}）时的峰值功率。对于多载波合成的大功率信号，其多载波信号包络一般部分大于阈值电压，部分小于阈值电压。前者满足二次电子逸出条件，总的二次电子数量指数增加；后者不满足二次电子逸出条件，二次电子被逐步吸收。

在很多情况下，微波部件都可能工作于多载波环境下，而瞬态的峰值功率明显高于微放电的阈值。特别是如果没有初始电子，并假设不存在上面提到的长期累积放电条件，部件工作了很多个小时，但是通过快速上升沿检测器却检测不到任何现象。因为在一个瞬态中产生的放电在下一个瞬态峰值之前已经衰减掉了，所以每个高于阈值的瞬态峰值与下一个峰值是完全独立的。有时也可能发生这样的情况，一个有初始电子源的微放电事件在一个大功率峰值刚开始的时候就发生了，也有足够的放电量累积，以使该微放电事件能够被检测到。这些独立的瞬态事件在理论上是存在的，并且在试验中能够检测到，只是由于发生的时间特别短，受限于检测设备灵敏度而有一些困难。

关于多载波微放电试验还在探索中，因为多载波微放电检测系统涉及多路载波、相位控制系统等，系统建设复杂且成本高。通过多年的分析研究，中国空间技术研究院西安分院设计了 Ku 频段多载波微放电效应研究平台，未来将不断探索多载波微放电分析与试验检测技术，第 6 章将详细介绍该研究平台。

4.2.2　非辐射型检测与辐射型检测

微放电检测根据部件类型分为非辐射型检测与辐射型检测，两者采用的检测方法相同，但是具体的系统连接和实现方式有所不同。非辐射型检测系统，测试链路采用电缆或者波导连接；辐射型检测中经过测试件的微波功率需要吸波暗室较好地吸收。一般情况下，微波系统的测试与调试中任何空置的端口都要连接上匹配负载。这节我们将介绍非辐射型与辐射型微放电检测中大功率通过部件后的大功率匹配负载和吸波暗室。

4.2.2.1　非辐射型的大功率匹配负载

大功率匹配负载作为重要的终端器件，常用波导接口。波导大功率负载具有频带宽、功率容量高、电压驻波比低的特点，广泛应用于雷达、通信等系统。近年来，航天系统的国产化进程加快，波导大功率负载也有了更多的用武之地，但特殊的使用环境，使得大功率器件设计时必须考虑微放电的发生。由于负载直接吸收信号功率并转化为热量，使得负载上的温度相对较高，导致负载的金属腔体以及其他材料上的电子活跃程度更高，具有较高的放电风险。负载也常和其他器件一起工作，如与环行器一起工作起到反射保护的作用，与开关一起工作起到终端匹配吸收的作用。若系统中其他部分发生故障，负载可能承受超过几倍甚至几十倍的额定功率的冲击，一旦超过负载的承受极限，将发生放电现象。

对于大功率波导负载，一般认为电场强度从波导口往后将持续减小，发生微放电的可能性更低，而实际应用中却并非如此。因此本节通过研究负载内电场分布，了解负载上电场分布的集中区域，确定容易发生微放电的位置，用以反馈到波导大功率负载的设计当中，从而降低发生微放电的可能性。波导大功率负载主要是通过腔体内部的渐变结构，使得微波信号在腔体中多次反射吸收以降低回波能量，从而达到吸收和匹配的目的。常规的波导负载采用规则腔体加载渐变吸收体的结构，如图 4-1（a）所示，其中浅色矩形为金属腔体示意，深色三角体斜劈为吸收材料，图 4-1（b）中展示了工程中使用的大功率负载。

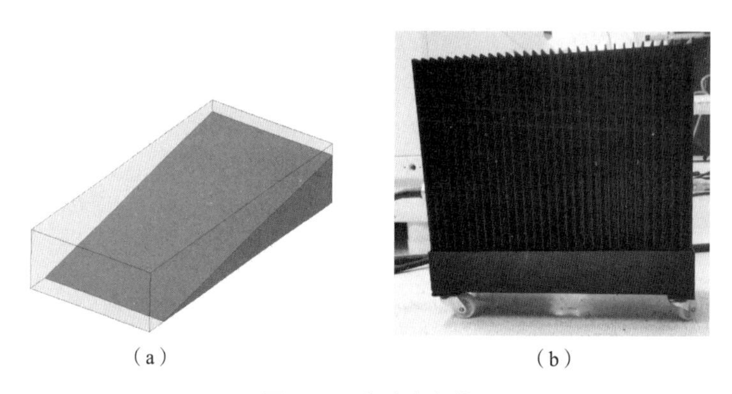

（a）　　　　　　　　　　（b）

图 4-1　大功率负载

（a）规则腔体加载渐变吸收体结构；（b）吸波负载实物图

4.2.2.2　辐射型试验的吸波暗室

辐射型部件微放电试验，如天线、馈源类试验件等，由于其产品结构的特殊性，需要一个大功率吸波箱。吸波箱置于真空罐内，大功率馈源置于吸波箱内。试验时馈源辐射的高功率，应全部被吸波箱吸收。大功率微波吸收箱体由屏蔽层、黏合剂、平板微波吸收材料组成。在实际试验中，要考虑辐射功率的吸收，除此之外还需要考虑温度、功率、尺寸结构等，总体上，建立合格的天线产品微放电试验系统十分困难，其主要难点和关键点包括以下四个方面。

（1）大尺寸天线产品的合理放置：要确保被测件在真空罐内安装后与

实际工作状态接近，安装过程中须不断测试连接的驻波状态，合理调整天线位置与方向，保证驻波满足测试要求状态。安装过程不应改变其热边界条件和测试设备的状态。安装所用悬挂、支撑和固定装置不得使用高放气量和含污染物质的材料，工装不能靠近天线的辐射场内。

（2）高低温试验设计：考虑到航天器舱外天线的实际工作温度，高温试验通常要求大于 100 ℃。为满足微放电试验的高低温要求，可采用外挂加热笼的方式。

（3）大功率测试载波吸收：天线产品的最大试验功率可达到连续波上百瓦，脉冲功率上千瓦量级，如何吸收辐射出的大功率测试载波对整个试验系统是一个很大的挑战；须选用满足真空功率要求的测试附件。

（4）测试准确性：通常要求多种测试方法并用，以确保测试结果的准确性。

辐射型微波部件微放电试验，一种是采用大功率透波真空罐、吸波暗室以及远程控制测试相结合的方式，实现的原理框图如图 4－2 所示，图 4－3 展示了大功率透波真空罐的实物图。

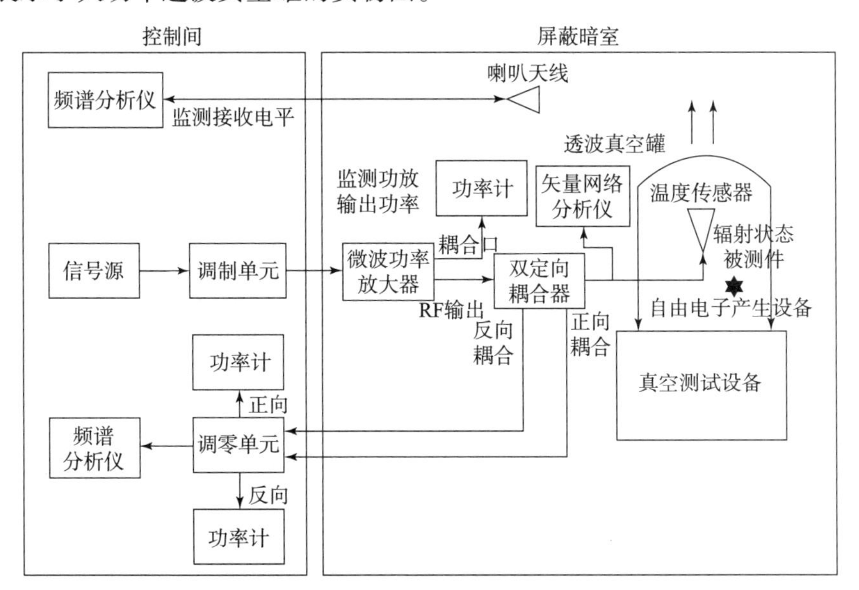

图 4－2　采用大功率透波真空罐实现辐射型微放电测试框图

图 4-3 大功率透波真空罐实物图

辐射型微波部件微放电试验，另一种是采用非透波真空。系统的天线微放电测试针对以上采用透波真空系统实现微放电测试的局限性，提出了另一种使用非透波真空系统的微放电测试方法，二者实现功能及需求的互补。采用非透波真空系统时，其内部需使用专用的真空吸波箱体，测试系统实现原理框图如图 4-4 所示，信号源发出射频信号，经过微波信号调制单元形成高电平和低电平可调的脉冲信号，由微波功率放大器放大后，经过双定向耦合器，再经过密封波导窗（或密封同轴接头）进入真空罐内，通过波导（或同轴电缆）馈入天线，天线的辐射功率辐射至真空大功率吸波箱体。采用该架构时，可同时使用调零检测法、正反向功率检测法以检测微放电现象。

真空系统中的大功率真空吸波箱是实现该测试架构的关键，需考虑其吸波性能、吸波材料承受功率密度及温变范围等。图 4-5 所示为大功率真空吸波箱结构图，包括主吸波屏、吸波箱体及侧壁吸波屏等部分，其均由吸波模块和吸波框架组成。

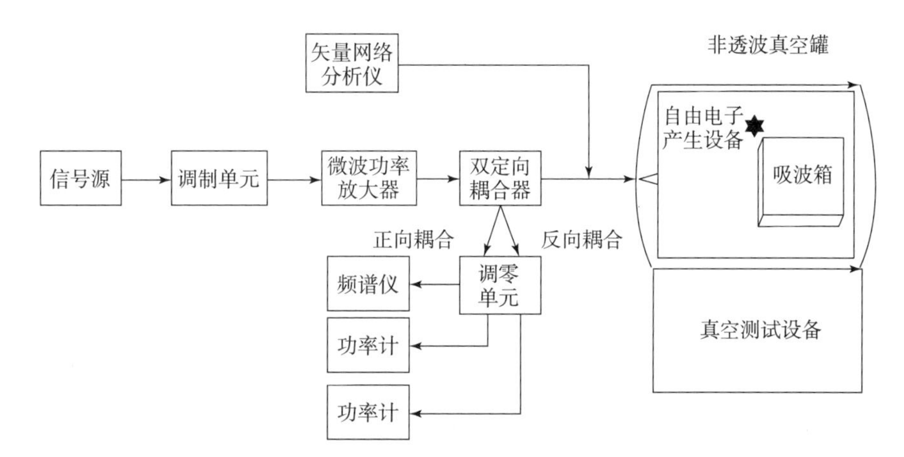

图 4-4　采用非透波真空罐的辐射型测试方法测试示意图

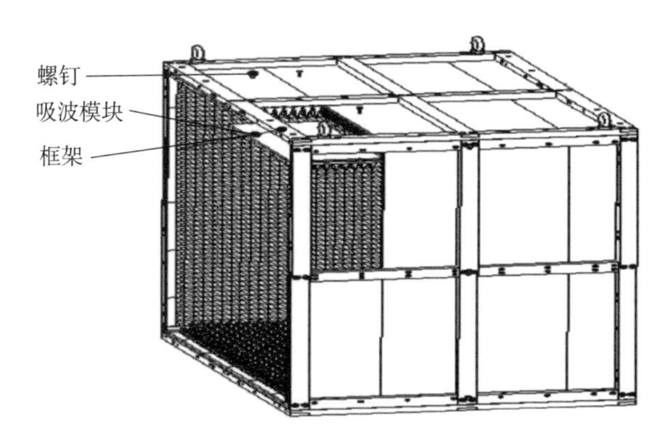

图 4-5　大功率真空吸波箱

4.2.3　检测初始电子源

空间环境主要指真空、电子、质子、离子、太阳紫外、原子氧、碎片、极端温度、污染等环境，这些环境可产生总剂量效应、单粒子效应、充放电效应等。在空间环境中，航天器在轨时被来自太阳辐射释放的电子云包围，或者被太空污染物的高能粒子包围，宇宙空间中的高能粒子流，包括质子、α 粒子，其他重离子、中子、电子、光子、介子等。由于磁性圈、太阳耀斑、宇宙射线粒子辐射等原因存在大量的粒子（包括电子），并穿透微波部件的壁，在部件内部形成能够诱发微放电的种子电子。当进行地面测试时，由于缺少这种自由电子源，会引起放电阈值的升高或者不稳定。

为了在地面有效评估微波部件的微放电风险，在微放电试验中必须在微波部件内部产生种子电子。欧洲航天局的微放电设计与试验标准中明确规定，在微放电试验中必须加载足够多的种子电子，并验证种子电子加载的有效性。如果不合理加载种子电子，即使满足发生微放电的条件，也可能无法激发微放电，导致测试阈值较真实阈值偏高，使得产品存在潜在微放电风险。因此，微放电试验验证需要合理加载种子电子是至关重要的。

目前地面微放电检测试验中自由电子产生的方法通常有下列几种。

（1）辐射源：如锶-90源、铯-137等。

（2）紫外光源：UV光照射金属通过光电效应产生的自由电子，第5章将详细介绍初始电子源。

（3）电子枪：热发射和场致发射产生的自由电子。

4.3 微放电检测基本原理

4.3.1 微放电引起谐波分量

微放电过程中会引起信号谐波分量，这种变化是非线性的。NASA运用图4-6所示的试验测试微放电引起的谐波分量的变化，开有小孔的矩形罩的盒子作为施加微放电电极的接地端，在两个平行的金属板间加100 MHz、3 W的发射功率用于激发微放电。将一个经过隔离的电流收集器放入平行的金属板间，用于收集微放电时电流的变化值。设施的外围，用一个双通道示波器的一个通道观测电流收集器收集的微放电时电流的变化，另一个通道监测极板间所加的原始信号电流。微放电试验在 10^{-5} Pa 的真空罐中开展。

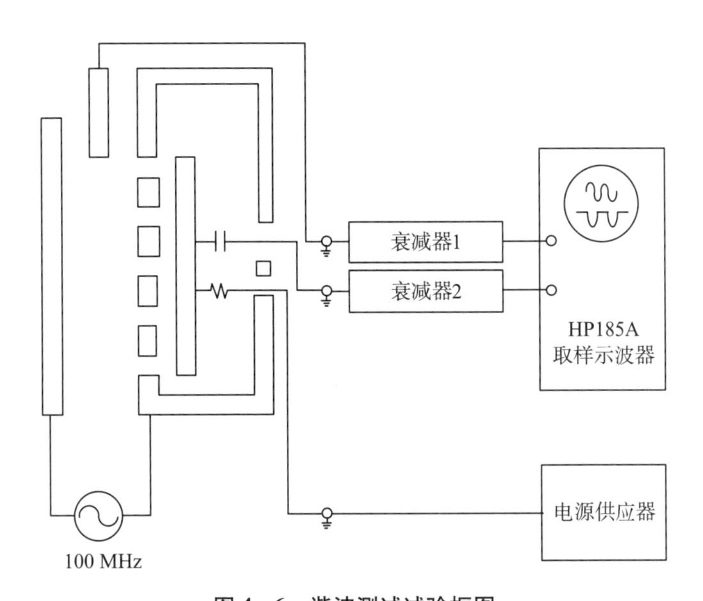

图4-6　谐波测试试验框图

根据微放电过程中对信号的非线性影响，假设极板间所加的信号是电压幅度为 A、角频率为 ω 的正弦信号：

$$V_e = A\sin\omega t \tag{4-1}$$

假设信号通过产生微放电部件的电流电压关系如下：

$$I_d = K[a_1 V_e + a_2 V_e^2 + a_3 V_e^3 + \cdots] \tag{4-2}$$

将式（4-1）代入式（4-2），去除直流分量，得到谐波分量的表达式如下：

$$I_d = KA\left[\left(a_1 + \frac{3}{4}a_3 A^2\right)\cos\omega t + \frac{1}{2}a_2 A\cos2\omega t + \frac{1}{4}a_3 A^2\cos3\omega t + \cdots\right] \tag{4-3}$$

通过测量可以得到谐波分量的幅度值，运用式（4-3）可以计算得到系数 a_1，a_2，a_3，进而得到部件微放电过程中的主要谐波分量值。

通过分析和测试的数值可以得到测试的信号表达式：

$$E_{\text{collector}} = 666\sin(\omega t - 12^\circ) + 240\sin(2\omega t + 77^\circ) + 73\sin(3\omega t + 167^\circ)\ (\text{mV}) \tag{4-4}$$

由此得到如图 4－7 所示的信号波形变化。更高阶次的谐波测试受到试验条件的限制，测试的不确定度限制了分析三次以上的谐波分量。试验

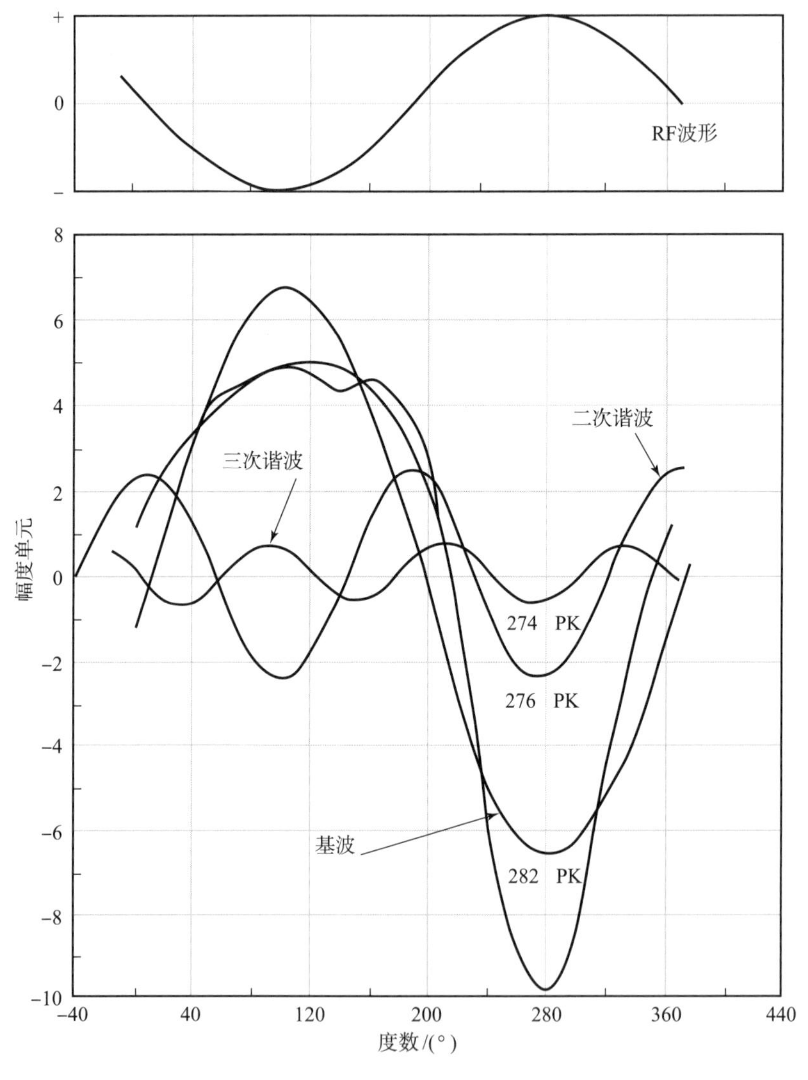

图 4－7 微放电前后信号及谐波的典型波形

结果表明，微放电的非线性影响使信号产生了谐波分量。运用试验测试这些谐波分量的幅度值，同时也为计算交调信号的幅度值提供了一种可能的方法。

从以上的试验和分析中可以看出，部件的微放电非线性作用会引起信号谐波分量产生。这种影响类似于通信系统中非线性对信号的影响。因此，对于大多数的发射和接收系统，设计中将会避免接收频率位于发射频率的谐波分量附近，避免造成信号之间的干扰。

4.3.2　微放电引起多载波信号互调分量

微放电是一个非线性过程。当几个载波同时通过一个非线性网络时，在输出端会产生一些互调产物。对于多载波，通过发生微放电的网络时，由于微放电的作用，会出现互调信号。互调信号位于接收通带内，会干扰传输信号。

对于一个收发双工器，微放电主要由发射信号引起，发射信号相比于接收信号，功率电平较高。假设引起微放电的发射信号电压是 AV，频率是 f_1（相对称之为大信号），接收信号电压是 BV，频率是 f_2（相对称之为小信号），那么发生微放电时，放电电流中包含频率 f_1 与 f_2 的互调信号，接收到的互调信号中最大的是位于发射信号最近的三阶互调（$2f_1-f_2$）产物。运用前面谐波分量的计算方法，将两种信号代入功率和电极电流关系式，可得到频率分量和放电幅度的关系式。对系数进行设定，可以得到近似关系式。表 4－1 是表征信号和调制能量与放电能量之间的等效关系。

表 4－1　信号和调制能量与放电能量之间的关系

频率	幅度等式	相关幅度等价近似系数
f_1	$A(1+0.75a_3A^2)$	$1.98A$
f_2	$B(1+1.5a_3A^2)$	$1.98B$

续表

频率	幅度等式	相关幅度等价近似系数
$2f_1-f_2$	$B(0.75a_3A^2)$	$0.49B$
$2f_2-f_1$	$A\left(0.75a_3\frac{B^2}{A^2}\right)$	$0.49\left(\frac{B}{A}\right)^2$

从表4－1中可以看出，如果微放电过程中没有非线性作用，频率f_1、f_2将是原来的幅度。由于微放电存在非线性作用，信号能量发生迁移，微放电时信号能量和幅度等效为表中的等价形式。为了明显看出信号不同频率之间的影响关系，根据测试数据获取的系数值，令$0.75a_3=0.49$，则得到第三列关系式。从以上可以看出，发生放电后f_2信号的幅度变为$1.98B$（约为放电前幅度B的2倍）。两个信号的变化表明，在这两个信号之间有很强的幅度调制迁移变化，或者理解为信号A有压缩B信号的趋势。幅度表明了信号放电时能量的迁移转变，增加的电极电流增加了电路损耗，需要精确地计算信号能量损失，需要确切测得耦合的微放电电极的信号能量。从表中还可以看出，调制信号$2f_1-f_2$的幅度和信号f_2的幅度B成比例关系。微放电会引起多载波信号互调产物，且互调产物和信号幅度有比例对应关系。

4.3.3 微放电引起信号近载波噪声变化

微放电是一种谐振现象，发生微放电时，微波系统中接近载波频率的本底噪声增加。通过试验可以观测到微放电会引起本底噪声的变化。以下的试验可用来测试近载波噪声的变化。

试验框图如图4－8所示，平行板用于产生微放电，极板间的电流收集电极用于收集微放电过程中噪声电流的变化，收集后的电流经过50 Ω耦合，再经过衰减器衰减后通过窄带滤波器将信号过滤后送入接收机中。具体试验要求如下：

试验中真空度为2×10^{-5} Pa；

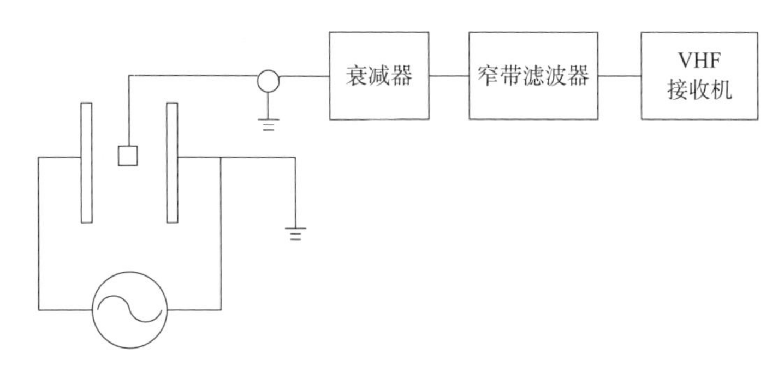

图4-8　微放电噪声变化试验框图

$$N_{\text{noise}} = qI_0 b \frac{R}{2} + kTb \tag{4-5}$$

其中，$q=1.6\times10^{-19}$ C，$I_0=10^{-3}\sim10^{-1}$ A（可调节），$b=1$ Hz，$R=50\ \Omega$，$k=1.37\times10^{-23}$ J/K，$T=290$ K。

校准后的噪声功率为：

$$N_p = 4\times10^{-19} I_0 + 0.0397\times10^{-19}\ \text{W/cycle} \tag{4-6}$$

校准的数据由于每个频率的不同而不同。

由于微放电作用，微放电时噪声功率增加，增加的噪声功率为：

$$N_p = \frac{50k^2 N_0 W_0 C}{Q_0}\ \text{W/cycle} \tag{4-7}$$

式中，k 为电压比例系数，N_0 为同轴输出测试的噪声电平，$W_0=2\pi f_0$ 为谐振角频率，C 为谐振电容，Q 为品质因数。

微放电增加了输出信号中的噪声分量，增加的噪声和电路性质有关系，噪声的增加与微放电极板间电压之间成正比例关系，如图4-9和图4-10所示。

4.3.4　微放电引起信号相位变化

微放电发生时，被测件内部失谐，信号相位发生变化，如图4-11所示为用示波器的两个通道观测到的微放电前后信号的相位变化。示波器一

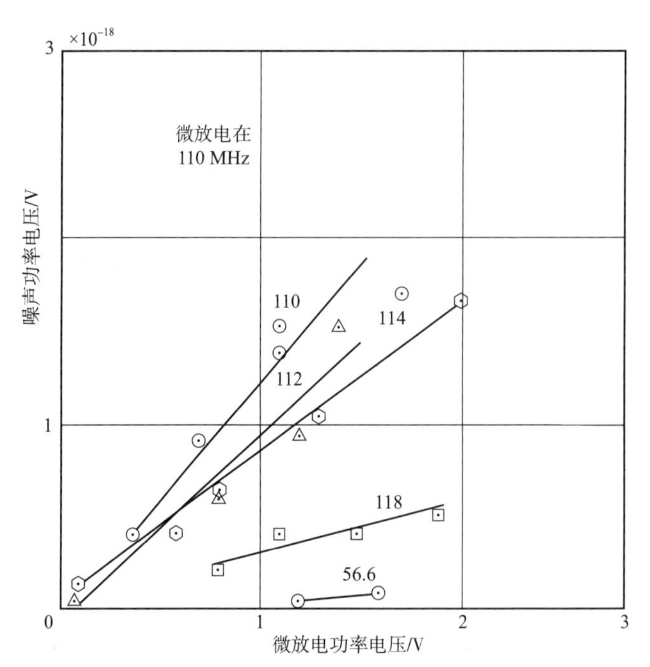

图 4－9 微放电功率电压和噪声功率电压之间的关系

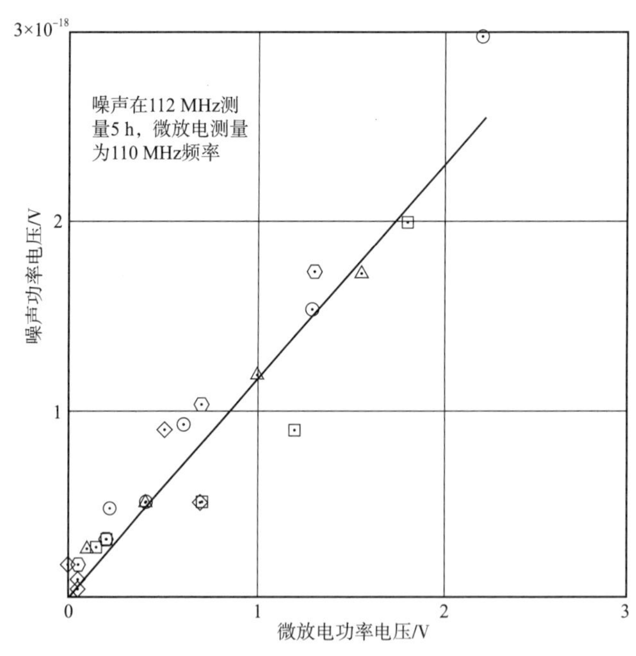

图 4－10 固定极板间尺寸的微放电功率电压和噪声功率电压之间的关系

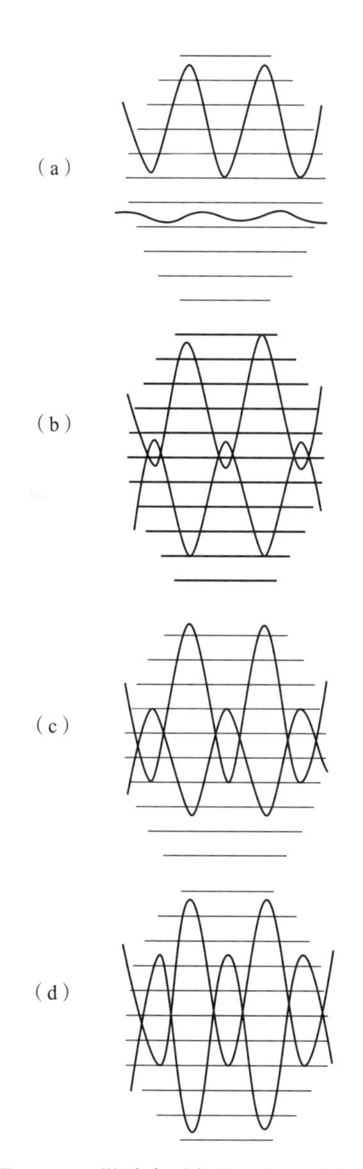

图 4－11　微放电引起信号相位的变化

(a) $E_p=50\ V_{pk}$，微放电发生前 $P_m=0$ W，$I=19.2\ mA_{pk}$；(b) $E_p=60\ V_{pk}$，微放电开始 $P_m=0.24$ W，$I=115.2\ mA_{pk}$；(c) $E_p=70\ V_{pk}$，微放电时 $P_m=0.75$ W，$I=202\ mA_{pk}$；(d) $E_p=78\ V_{pk}$，微放电时 $P_m=0.88$ W，$I=115.2\ mA_{pk}$

个通道是参考信号相位，另一个通道则用于检测微放电时的信号相位。微放电前，微放电信号相位和参考信号相比，相位差值近似为零；微放电时，微放电信号相位和参考信号相位相比发生了剧烈变化。随着极板间功率的增大，微放电剧烈，相位差值增大。

微放电引起以上信号的变化，从信号能量的角度而言，对于无源部件，没有新的能量加入，能量发生迁移会引起射频载波幅度的下降。研究以上微放电过程对信号的影响，对于微放电检测方法的研究具有重要意义。

4.4 微放电检测方法选择

微放电的发生会对被测件的输入输出信号产生一定的影响，如产生输入信号相位和幅度的变化，产生输入信号的谐波变化，或者使被测件反射功率增大等。同时，发生微放电也会引起来自被测件表面的气体或者离子等放电激发，或者产生放电激发的电流等。微放电检测就是基于这两方面特点来判断被测件是否发生了微放电现象。目前国内外已经研究出了多种检测微放电的方法，但是由于微放电现象比较复杂，各种检测方法都在检测灵敏度和判断放电可靠性两方面需要讨论，如检测中可能发生了放电，但因为检测方法的设备系统有一定延迟不能及时地判断放电，或者有其他现象产生类似于放电的影响，从而被误判为放电等。下面介绍一般微放电检测系统的组成及特点。微放电检测系统基本原理如图 4－12 所示（其中 * 为电子探针或光电倍增管）。微放电检测系统主要包括四个部分：功率加载系统、真空罐、大功率吸收系统、检测系统。功率加载系统产生所需的测试信号，这个信号被输入真空系统的被测件，输出的功率一部分被负载吸收。在真空罐两端耦合连接检测系统，检测真空系统中的被测件两端测试信号相位、幅度及底噪的相关变化，由此判断被测器件是否发生了放电；也可以在真空系统中装入电子探针或光电倍增管并连接到显示设备上，检测是否发生了放电。详细的检测方法本节将做详细介绍。

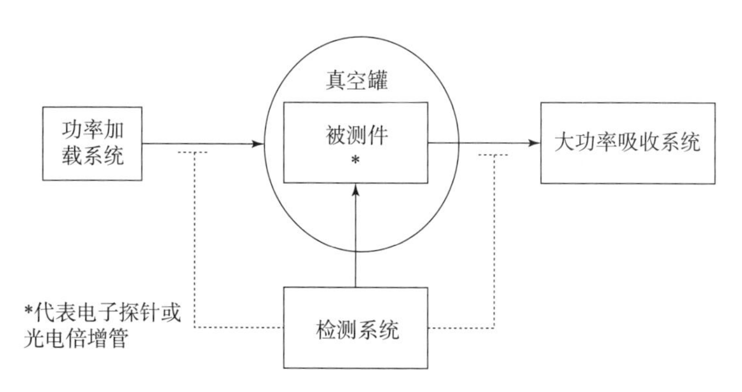

图 4－12　微放电检测系统基本原理框图

微放电的检测方法分为局部检测法和全局检测法。局部检测法有光电倍增检测和电子探针检测；全局检测法有二次谐波检测、残余物质检测、前后向功率检测、调零检测、近载波噪声检测和调幅检测等。微放电局部检测法利用了放电会增大电子浓度或者激发气体放电的特性；全局检测法利用了微放电过程中信号的变化特性，通过观测信号的前后变化来检测微放电。欧洲空间标准化协调组织制定的关于微放电设计和测试方面的标准明确规定，微放电试验中必须包含两种检测方法，其中有一种方法必须是全局检测法。因此对微放电的检测方法的研究不容忽视。

4.4.1　微放电局部检测法

4.4.1.1　光电倍增检测法

光电倍增检测法检测微放电是一种非常有效的检测方法。它是利用电子二次倍增器件曝光的照片来检测放电，这种电子二次倍增是由于材料表面或真空系统中存在的气体分子发生电离所产生。把光纤通过一个小孔放在射频部件的内部，并尽可能地接近放电区域，典型的安装图如图 4－13 所示；把光纤的另一端接到放在真空罐外的光电倍增器上，光电倍增器上的任何输出都有可能在示波器上显示，并且去触发一个电子二次倍增事件检测器。

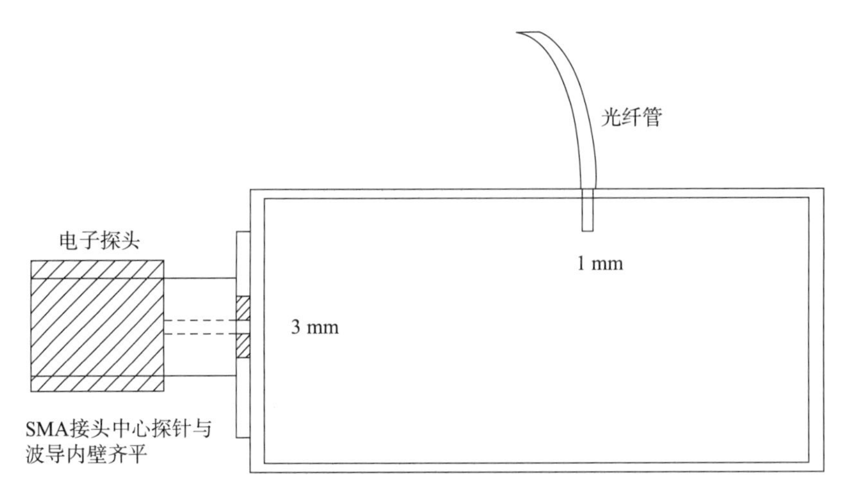

图 4-13 光电倍增检测安装示意图

光学检测器由一个紫外光传输石英丝组成，该石英丝装在波导弯头侧壁的中心。弯头直接接触试样使石英丝的视场沿着试样长度方向，观察减少的高度中心部分。由放电产生的光主要是紫外光，这通过一个安装在盒子外部工作在紫外线区域的光电倍增管检测到。管子和其外壳都放在金属盒内以减少光线落到管子内，并通过减少暗电流来增加敏感度。虽然光纤管自身具有相当快的上升时间，大概 4.5 ns，但它的开始响应时间较慢（延时）；势垒二极管检测器和光学检测器之间在响应时间上相差百个纳秒，光纤管响应时间取决于管子输出端的负载响应。介于这个原因，光电倍增检测一般仅用于辅助判断。

这种检测方法对于微放电检测来说，可以准确判断放电位置，但是需要预先准确地判断放电位置，并且还需要在部件上打孔，这仅对于试验件才可以采用这种检测方法，但是这种方法会影响器件的其他性能，因此不是一种常用的检测微放电的方法。

4.4.1.2 电子探针检测法

电子探针检测法是利用安装在被测件内的探头检测电子浓度的变化来检测微放电现象。微放电现象的发生总是伴随着大量自由电子的产生，微波设备中的电子浓度可以通过在预计微放电发生的区域插入一个带正电的探头来进行测量，带负电的电子探针被探头吸附，从而在探头中产生一个微小但是可以检测的电流，电流的数值可以用来表示电子浓度。该方法在产生二次电子倍增放电中是很有效的。对于包括表面放电机理在内的放电来说，这不是一个合适的检测方法。在微放电开始时，快速上升的充电密度可以用来提高判断信息。为了检测波导内部的电子密度，需要将一个很小的探针加电 60 V 后插入波导窄壁的中心线，然后用一个皮安表检测电流，以表示电子密度。这种形式的检测器响应很慢，其原因是其上升时间跟放电器电路相关。由于其缓慢的响应时间，检测器主要用于判断而不是用于检测。电子探针检测原理如图 4－14 所示。

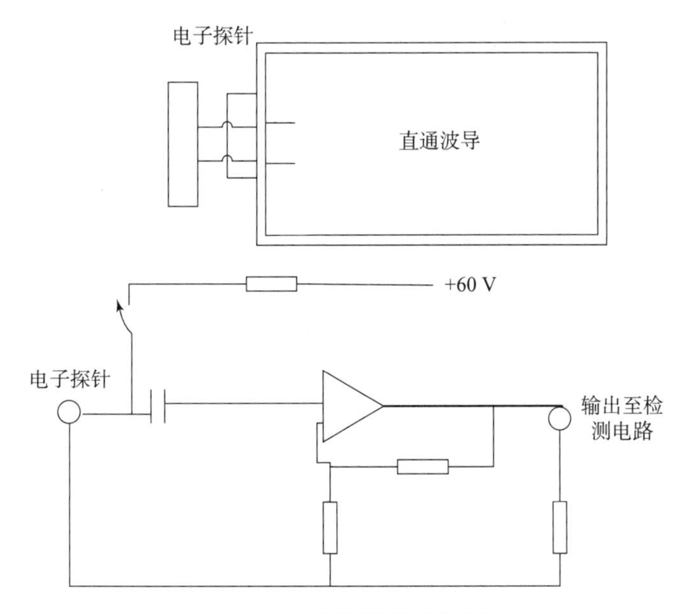

图 4－14　电子探针检测原理图

多数情况下，电子探针检测法都可以使用。最敏感的检测方法就是用一个简单的电流探头，易于实现，且对部件的工作频率与功率范围没有特别要求，直接测量放电电流，原理清晰。但是，这种检测方法也有一些缺点，如需要一个电路来放大微弱电流，使得检测速度较慢，在使用中主要是作为辅助检测；同时，对于包括表面放电机理在内的放电来说，这不是一个合适的检测方法；最后，与光电倍增检测法一样需要在被测件上预先设计好孔，从而造成微放电测试受限。

4.4.1.3 局部检测法对比

两种微放电局部检测法对比如表 4-2 所示。

表 4-2 局部检测法对比

方法	有效性	灵敏度	优点	缺点	适用条件
电子探针检测法	中等	高	非干扰	需要通道有足够的光子碰撞来检测	需要检测放电位置，但不适合光电倍增检测法的部件
光电倍增检测法	高	高	可靠、简单、成本低	需要放置在微放电敏感区域附近	通风或开放结构的部件

4.4.2 微放电全局检测法

4.4.2.1 残余物质检测法

残余物质检测法是采用一个质谱仪，检测在放电过程中器件释放的污染物和出现的水分。由于用铝或带有涂层加工成的元件，在加工过程中，材料表面能吸收水分，发生微放电过程中材料表面吸收的水分被释放，同时包含有胶、环氧树脂和其他非金属化合物的那些合成元件将放出碳氢化合物气体。经过真空罐的接入端把质谱仪作为真空系统一个部分装入，用一个真空阀门来隔离明暗的质谱头，这样阻止在正常操作时和用特别不干净元件时所产生的不必要的污染。这种检测方法检测速度较慢，不能检测快速微放电瞬间，微放电发生和设备的检测有一定的时延。

4.4.2.2 近载波噪声检测法

微放电是一种谐振现象，并且会增加载波附近频率的噪声，如果能采取方法滤除载波，则在载波附近频段内噪声电平的提高可以被频谱分析仪检测到，其系统框图如图 4 – 15 所示，被测件输出信号通过定向耦合器后，耦合信号经过带通滤波器将载波附近的噪声滤出并在频谱分析仪显示，如果配上一个低噪声放大器联合使用，就是一种灵敏度非常高的检测方法。这种方法可以用于单载波或多载波信号，但不适用于脉冲模式下工作，因为脉冲会产生谐波，如果脉冲长度和形式选择不当，则脉冲会在测试频段内产生谐波。这种方法的另一个问题就是，其他导致噪声的现象会被误认为微放电现象的发生，如测试系统中接头松动等也会导致类似微放电的噪声产生。

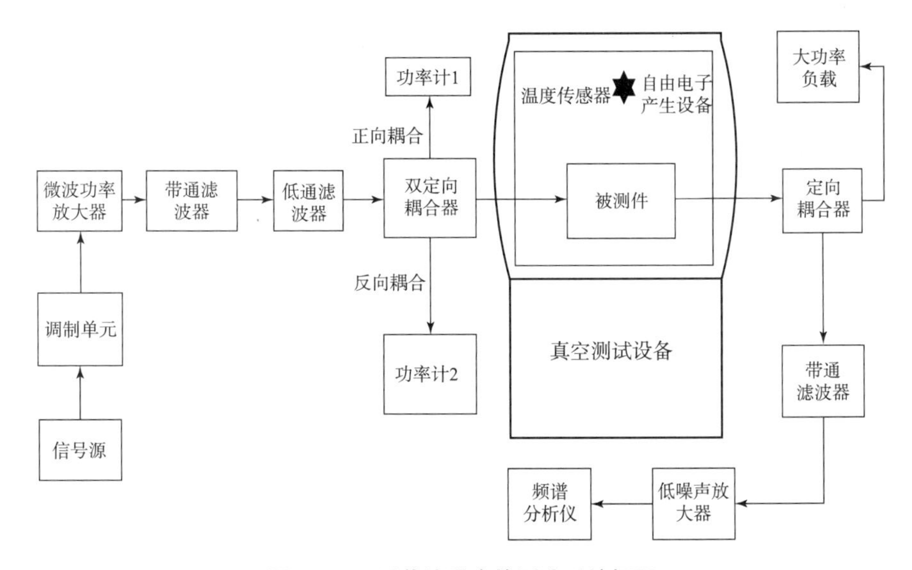

图 4 – 15　近载波噪声检测法系统框图

4. 4. 2. 3　谐波检测法

谐波检测法是最可靠的检测方法之一。它是利用微放电产生输入信号的谐波分量来检测放电现象，其系统框图如图 4 – 16 所示，被测件输出信号通过定向耦合器后，耦合信号经过高通滤波器将谐波信号滤出并在频谱分析仪上显示。使用谐波检测法时，为了优化操作，在输入前端需要滤去高功率放大器和信号源自身非线性所产生的谐波分量，也需要在输出端很好地耦合微放电非线性作用，即信号产生的谐波分量。这种检测方法有多个优点：检测系统易于搭建，检测放电非常快而且可靠，尤其在多载波微放电发生时间非常短的条件下使用谐波检测法就非常有用。但是，这种检测方法与近载波噪声检测类似，可能会出现非微放电产生的谐波分量被误认为放电现象，因此，在使用中要与其他检测方法（不包括近载波噪声检测法）一起来判断放电。在实际应用中，随着使用频率的提高，对于检测设备提出了更苛刻的要求，带来了使用条件的限制。

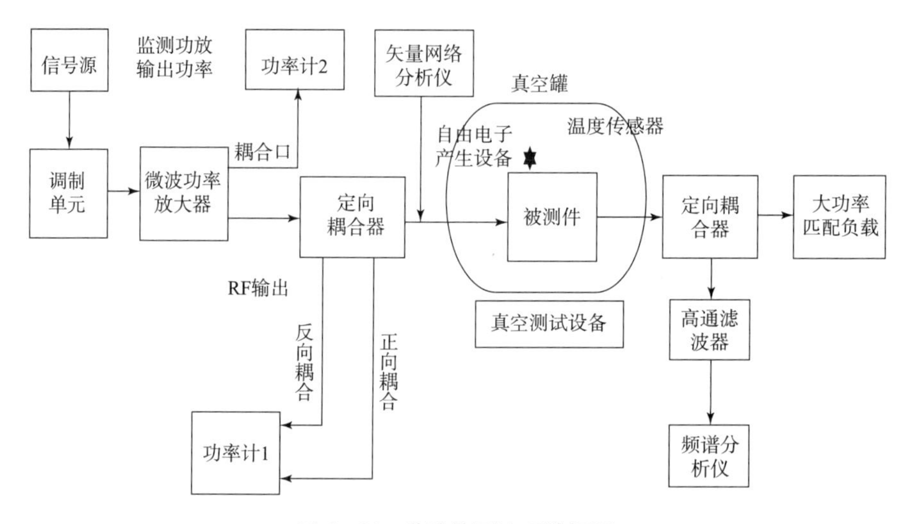

图 4－16 谐波检测法系统框图

4.4.2.4 前后向功率检测法

前后向功率检测法是通过用功率计观测被测件的反射功率和输入功率来检测放电现象，一般在微放电检测中都会监测被测件前后向功率来确定监测系统驻波比，因为只有合适的驻波比才能确保测试中功率放大器安全可靠地工作，具体实现原理框图可参考图 4－17 中对双定向耦合器正反向功率的监测。在不同的微波部件连接中失配会导致反射功率增大，在一个良好设计的系统中，对每一个不同部件间的匹配连接进行了良好设计时反射功率很小，而高 Q 器件只是在一个特定频率（或几个特定频率）上良好匹配，如果发生放电的二次电子谐振现象，则会导致器件的失谐和匹配能力下降，从而导致反射功率增大，进而作为放电判断的依据。这种检测方法在一般情况下检测非常灵敏可靠，因为几乎没有其他情况造成失配，从而被误判为放电；而且在脉冲模式下可以很好地工作，因为不需要观测信号的频谱。但是，对于匹配较差的器件和低 Q 器件，这种检测方法的检测就不够灵敏。

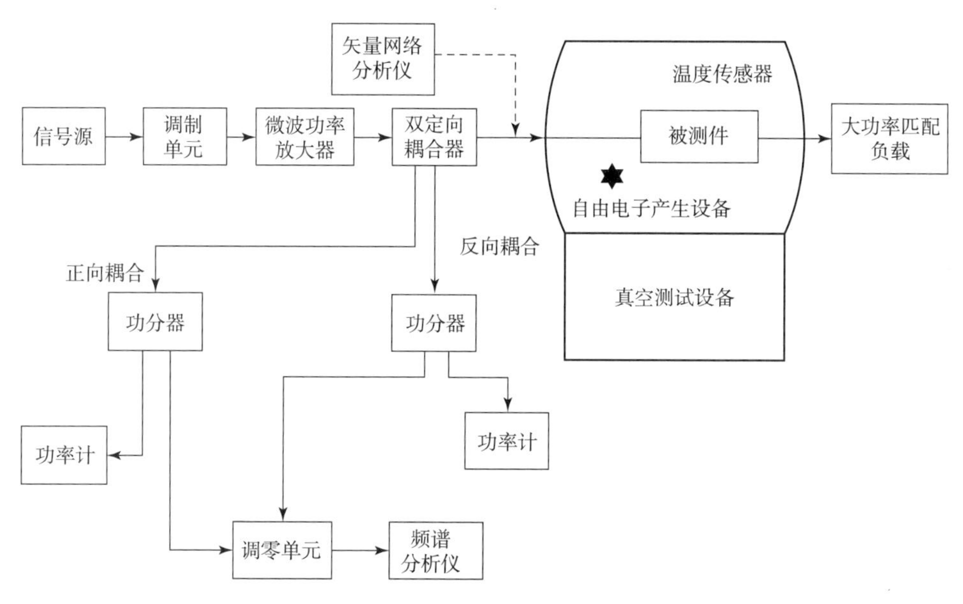

图 4-17 调零检测法系统框图

4.4.2.5 调零检测法

调零检测法，利用了微放电过程中放电对信号幅度和相位的改变的特性，也是目前应用中最灵敏的微放电检测方法。如图 4-17 所示，信号源产生微波信号，经过信号调制单元形成高电平和低电平可调的脉冲信号，通过微波功率放大器放大后，经过双定向耦合器耦合后，再经过密封波导窗（或密封同轴接头）进入真空罐内，通过波导（或同轴电缆）馈入被测件。将双定向耦合器耦合的正向、反向信号同时输入调零单元，通过调零单元的调幅调相使两路信号等幅反相，微放电现象发生时，调零状态破坏，可由频谱分析仪检测到。

图4-18显示了调零单元的工作原理：正向信号由定向耦合器的耦合端输入，经隔离器至可调衰减器、可调移相器，最终经功率分配合成器与反向输入信号合成输出。经过可调衰减器衰减的正向输入信号再经过相位调整，与反向输入信号幅度相同，相位相反，从而实现调零电平。只要前向和反向功率发生变化，就会导致调零状态变化，从而认为是发生了放电。

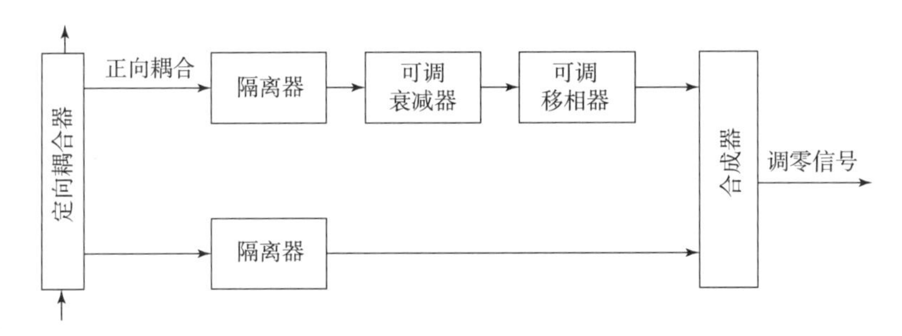

图4-18 调零单元示意图

由检测原理可知该方法通过调整的正向输入信号与反向输入信号经功率分配合成器合成后相互抵消，以达到调零的目的。当正向或反向输入信号的幅度或相位中的任一因素发生变化时，调零状态被破坏，通过示波器或者频谱分析仪可以清楚地分辨出来。用这种方法检测微放电，响应速度快，灵敏度高。随着技术的进步，调零检测法作为微放电检测的工程常用方法已开始逐步采用数字自适应调零设备。

这种检测方法非常灵敏，因为只要前向或反向功率发生一点改变，调零电平就会发生变化，从而可判断是否发生了微放电；并且调零检测法可以在脉冲模式下很好地工作。但是，这种检测方法在一些特定的情况下也会发生误判，如测试系统中接头松动，被测件有杂质，被测件温度变化引起的调零信号变化或者测试中波导系统晃动等都会造成反射功率发生一点变化，从而可能被误判为放电。针对这种情况，需要测试人员在检测中不停地调整调零信号，同时根据经验防止错误判断。

4.4.2.6　近载波相位噪声检测法

二次电子倍增是一种谐振现象，并且会增加接近载波频率的本底相位噪声，相位噪声检测法就是利用了这个原理。受仪器限制，脉冲工作模式下无法测试相位噪声，不宜工作在脉冲调制方式，因为脉冲谱与想要的信号之间互相干扰，不能可靠地检测到电子二次倍增现象。目前使用适当的相位噪声测试设备检测靠近载波的相位噪声可以应用在脉冲调制工作模式。

直接频谱法的测试原理是根据相位噪声的定义，分别测量载波信号功率和距离载波一定频偏处的信号在 1 Hz 分辨率带宽内的功率，这两个信号的功率差就是偏离该载波信号一定频偏处的相位噪声。图 4－19 测试使用的是一个双平衡混频器，以去除信号中幅度调制部分。利用一个混频器作为相位检测以测量噪声由于脉冲调制信号在时间上的不连续性，采用了时间门控的方法，将相位噪声的测量时间控制在门控信号有效的时间范围内，即首先在时域上将相位噪声的测量时间限制在一个稳定（脉宽）的时间内，然后再对其相位噪声进行测试。

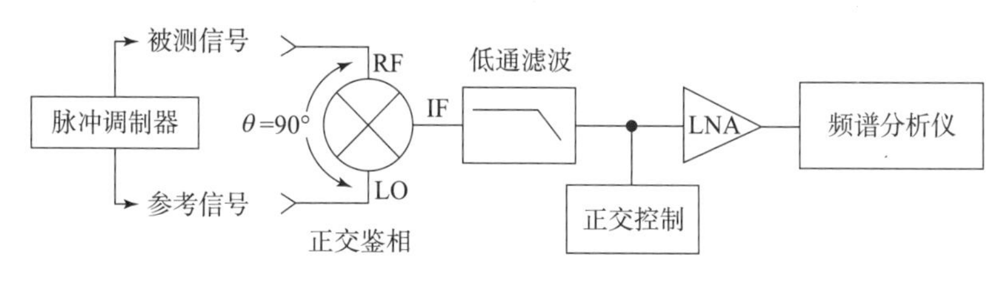

图 4－19　相位噪声测试原理图

相位噪声测试系统如图 4－20 所示，信号源产生射频信号，经过微波信号调制单元形成高电平和低电平可调的脉冲信号，通过微波功率放大器放大后，经过定向耦合器后，根据输出的正向耦合信号和反向耦合信号监测正反向功率的变化。再经过密封波导窗（或密封同轴接头）进入真空罐内，通过波导（或同轴电缆）馈入被测件。经过被测件的大功率信号，通过耦合到相位噪声测试系统中去检测近载波相位噪声信号的变化，从而检测是否发生微放电。

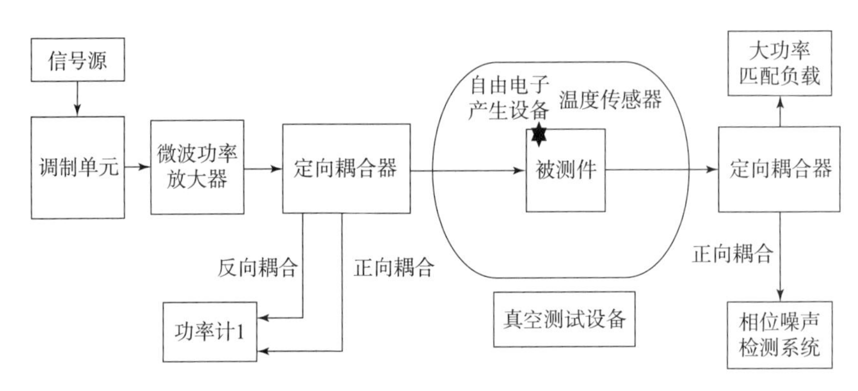

图 4-20 相位噪声测试系统示意图

4.4.2.7 调幅检测法

调幅检测法原理框图如图 4-21 所示，是在输入前端将一个小调制度的低频信号幅度调制到射频信号送入测试链路，由于调幅深度低，在微放电发生之前，频谱只有载波信号和边频信号，其余分量几乎淹没在噪声中。微放电时，信号能量由载波和调幅边频信号向近载波噪声迁移。由于

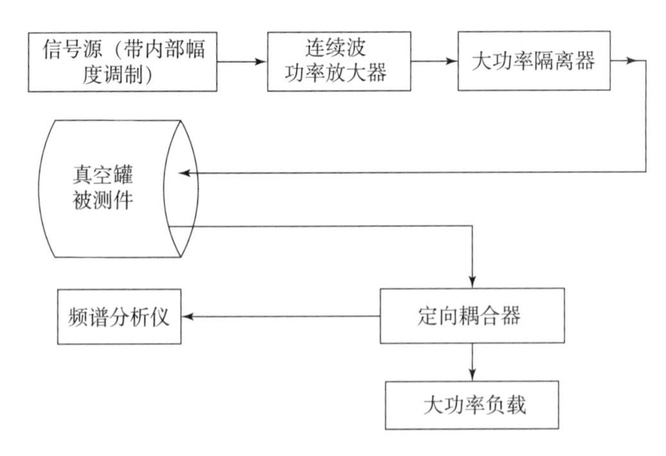

图 4-21 调幅法检测微放电效应原理框图

微放电的非线性作用，会引起近载波噪声增加，调制在其上的边频信号的谐波以更高幅度增大，从变化后的频谱中，可以清晰地观测到边频信号以及它的谐波变化，依据这种前后剧烈变化可检测微放电效应。

图 4-21 中，频综信号源输出的幅度调制信号经连续波功率放大器后通过大功率隔离器送至被测件。通过被测件后的输出信号经过定向耦合器耦合口进入频谱分析仪，直通口接大功率负载。如果信号源带有幅度内调制，则可以直接使用一台信号源；如果没有幅度内调制，可以使用波形发生器和一台频综信号源的组合方式，产生幅度调制信号。连续波功率放大器可以使用固态放大器或行波管放大器，也可以根据使用的频段选用合适的微放电测试系统中的配套放大器。大功率隔离器是用来保护功放的器件，防止反射波较大时损坏功放。信号通过真空罐中的被测件后，输出信号不直接送入频谱分析仪，通过定向耦合器将一部分功率送入大功率负载吸收，主要是考虑到输出信号功率是大功率信号，超出了频谱分析仪的最大功率承受范围，因此在不影响频谱分析仪观测的情况下，必须通过耦合吸收一部分功率。在测试和试验前，必须精确计算链路的功率，防止损坏仪器，确保试验安全。

4.4.2.8　基于互调分量的检测法

工程应用中还有一种微放电检测方法，这种检测方法可以检测微放电现象，利用互调分量检测微放电的思想可以用于单载波、多载波和脉冲三种模式下的微放电检测。与调幅检测法原理相似，利用微放电发生会产生载波能量迁移到附近的信号上这个特性，通过在输入载波信号附近加入功率较小的辅助载波信号，观察放电前后辅助载波信号频谱的变化可以检测微放电现象，其实现原理框图如图 4-22 所示。

基于互调分量的检测法中，辅助载波的加入是关键。这里首先介绍为什么要加入辅助载波，再介绍加入什么样的辅助载波。在测试系统加入辅助载波主要有两个方面的原因。

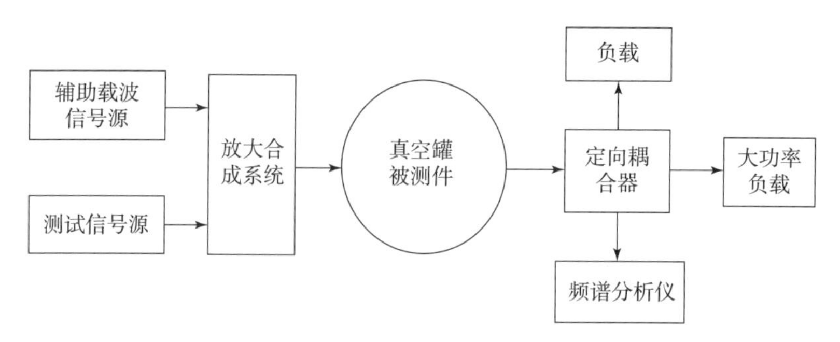

图 4-22　互调检测法的测试原理框图

（1）加入辅助载波的两方面原因。一方面，在脉冲调制下的微放电检测中，脉冲频谱本身复杂，且通过测试系统时会发生变化而具有不确定性，例如脉冲在测试设备连接处因为匹配不好而反射一部分能量，也会在通过系统时被设备和器件吸收一部分而转换成热量，发生放电时也会发生与噪声能量的转移，从而导致脉冲频谱的不确定性，因此，在测试频段内很难通过观测脉冲频谱变化来检测是否发生放电。另一方面，加入辅助载波后会产生辅助载波与测试频率的互调分量，且由于微放电的非线性互调分量是从无到有的变化，通过观测互调分量的变化可以灵敏地检测出是否发生了放电；同时，通过观测放电前后互调分量的变化可以消除系统本身互调分量的干扰，这样可以可靠地检测出是否发生了放电。

（2）辅助载波的加入需要考虑频率与功率两个因素。辅助载波的功率选择至少低于测试频率 10 dB 以上；在互调检测法用于脉冲调制工作条件下，辅助载波频率或者辅助载波与测试频率的间隔频率需要考虑很多因素，如被测件带宽、选择的脉冲脉宽、测试灵敏度等。

4.4.3　微放电检测方法总结

微放电检测方法可分为局部检测法和全局检测法，在工程研究中我们关心更多的是微波部件在要求功率下是否会出现微放电，因此工程中更多考虑全局检测法，这里对微放电全局检测的 8 种方法做出了总结和分析，如表 4-3 所示。

表 4－3　微放电检测方法分析对比

序号	检测方法	关键特征	灵敏度与可靠性	适用条件
1	残余物质检测法	通过一个质谱检测仪，测试微放电中被电子从部件表面轰击而散发出来的气体分子	敏感度有限，且检测速度较慢，有迟延，但检测结果可靠	不能检测快速放电瞬间；不适用于一般部件的微放电检测
2	近载波噪声检测法	谐振电子导致临近载波的噪声电平升高；通过尖锐窄带滤波器，可以检测非常低电平的噪声功率	使用低噪声放大器时检测非常灵敏；但会因其他非放电噪声导致系统误判，从而不可靠	对频率十分依赖；建立系统复杂；适合于单载波测试，不适合短周期的脉冲应用；不能与谐波检测法同时使用
3	谐波检测法	微放电会导致非线性，从而产生低电平的谐波分量	敏感度有限；被测件自身的谐波变化和交调信号很容易对测试造成障碍，从而不可靠	较高的频率对测试部件带来高的要求；检测放电快，则适用于多载波测试；不能与近载波噪声检测法同时使用
4	前后向功率检测法	微放电会导致严重的失配，从而产生较高的反射功率，可通过功率计观测反射功率的变化来检测是否发生放电	检测比较灵敏，但观测不方便，会因为其他非放电导致反射功率增大而误判微放电	适用于高品质因数部件和匹配较好的部件；不适用于非互易部件；不适用于多载波检测
5	调零检测法	微放电会导致严重的失配，产生较高的反射功率，通过前向和后向功率进行幅度相位调零，通过调零电平的变化检测是否发生放电	检测方法相当灵敏，对于低频段测试调制和保持一个好的零点比较困难；会因污染杂质或波导松动等导致类似于放电的调零电平升高，从而不可靠	不适用于非互易部件；如果被测件有损耗则无效；依赖频率；不适用于多载波测试
6	近载波相位噪声检测法	微放电引起载波相位的变化，利用搭桥的方法为微放电检测提供了一种有效的检测方法	对于非常低电平的微放电不敏感；其他原因引起的相位变化也可能被误判为放电	对工作频率不敏感；不适用于非互易部件；不适用于多载波和脉冲测试，不能检测快速微放电瞬间

续表

序号	检测方法	关键特征	灵敏度与可靠性	适用条件
7	调幅检测法	在输入前端加一个小调制度的低频信号，观测边频信号放电前后的变化	检测方法灵敏，可靠性有待验证	只适合单载波测量；不同频段的使用规则还没有充分的研究
8	基于互调分量的检测法	在输入前段加一个与载波频率相近的小信号，观测小信号放电前后的变化	检测方法灵敏，可靠性需进一步验证	适合脉冲与连续波测量，具体的小信号功率加载要求还没充分地研究

总结表 4-3，可以得出以下结论：

（1）各种检测方法都存在灵敏度与可靠性不可兼得的特性，且各种检测方法的检测结果可靠程度还需要进一步研究。

（2）各种检测方法都有各自适用的范围，在具体工程实践中，需要根据被测件的具体特点来选择适合的检测方法。

（3）要确保对被测件的微放电特性判断准确可靠，就需要根据各检测方法使用范围综合选择至少两种检测方法。ESA 标准也规定了实验室对微放电的检测至少有一种是全局检测方法。

（4）对于多载波微放电的检测目前只有两种检测方法，且两种检测方法不能同时使用，即现有的检测方法不能满足可靠的多载波微放电检测。

4.5 小结

本章介绍了微放电检测的基本条件与检测方法选择，详细介绍了常用的微放电检测方法。若想得到细节的放电现象和具体放电位置，需要采用局部检测法；若只是需要测试微波部件微放电阈值，需要选用全局检测法。选择何种方法，要综合评判测试件和测试目标。

第5章 微放电检测试验的电子源

5.1 概述

在宇宙空间环境中，由于磁性圈、太阳耀斑、宇宙射线粒子辐射等原因存在大量的粒子（包括电子），并穿透微波部件的壁，在部件内部形成能够诱发微放电的种子电子。为了在地面有效评估微波部件的微放电风险，在微放电试验中必须在微波部件内部产生种子电子。ESA 的微放电设计与试验标准中明确规定，在微放电试验中必须加载足够多的种子电子，并验证种子电子加载的有效性。

在地面开展的真空微放电验证试验中，如果加载种子电子不合理，即使满足发生微放电的条件，也可能导致测试阈值较真实阈值偏高，使得产品存在潜在放电风险。因此，种子电子的合理加载对于微放电试验验证有效性至关重要。

本章首先介绍了航天器的空间环境，接着介绍了目前工程实践中通常采用的三种种子电子的加载方法，并比较了其优缺点，介绍了每种方法的适用情况。

5.2 航天器空间环境

在宇宙空间里充满着形态各异的物质，有多种粒子，它们既可以是天然的，也可以是人为产生的。粒子包括中性气体、电离气体、等离子体、各种能量的带电粒子，以及各种尺寸的流星体和空间碎片；场包括引力场、电场、磁场和各种波长的电磁辐射；深空中还有小行星、行星以及彗星等大尺度粒子，这些形态各异的物质构成了空间环境。根据空间存在的物质、辐射和力场的时空分布特性，太阳系空间环境大致可分为地球空间环境、行星（其他）空间环境和行星际空间环境。

太阳作为整个太阳系的中心天体，是太阳系空间环境的主要支配者和控制者，其具体作用如图5－1所示。太阳以其巨大的引力、电磁辐射和粒子辐射三种形式的能量，支配着太阳系内行星系统的演化和行星的运动，为各行星及星际空间的生命和自然现象提供能源和施加影响，通过以光和热辐射为主的辐射，为每颗行星建立自己特定的辐射环境，控制行星表面和行星大气的温度及分布。太阳辐射，特别是太阳活动所产生的扰动能量辐射，经过日地空间各层次向地球传输，其中包括各种物理、化学和能量、质量及动量的耦合过程，经常引起各种显著的空间地球物理相关效应。太阳粒子发射太阳风和高能粒子及其伴随的磁场，主要影响磁层及其以外目的空间，而电磁辐射的显著作用则发生在电离层及其以下的大气区域。太阳对地球环境作用最突出的表现，就是地球磁层和电离层以及生物圈生命发展条件的形成。因此，太阳活动必然对地球空间环境产生重大影响，并可能产生严重扰动。

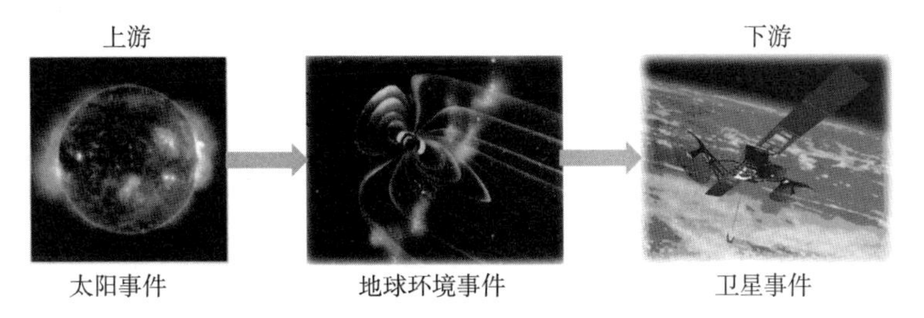

图 5-1　太阳事件引发卫星事件过程示意图

5.3　微放电试验种子电子源

航天器在太空中工作，来自太阳宇宙射线粒子、太阳风、高能粒子等照射使得卫星舱内舱外微波部件中积累自由电子，在大功率工作状态下的微波部件由于二次电子倍增产生微放电效应。在地面进行微放电测试试验时，需要提供自由电子，自由电子加载方式的不同对检测结果有较大的影响。另外，一般航天器正样在投入实际应用之前都需要进行微放电检测，以确保在轨运行时不发生放电。这些都要求微放电检测试验具有很好的精度和效率。

ESA 的有关研究表明，微放电测试中种子电子源加载需要不断研究。在进行空间大功率微波部件放电敏感性检测中，自由电子源的主要作用是：①改善测量精度；②使测量阈值变化较小；③缩短测试时间。特别对于某些窄间隙部件，如果没有自由电子，将会使测量数据发生很大的弥散。目前，我国在大功率航天器微波部件微放电检测中，自由电子源主要使用的是辐射源，它对测试人员的身体健康有害。参考 ESA 标准，也开始对紫外激光源在微放电检测中的作用进行研究，后续将开展电子枪在微放电检测中的作用研究。本节将详细介绍这三种种子电子源。

5.3.1 辐射源

辐射源（又称放射源）通常由一定质量的辐射材料组成，并密封在由惰性物质构成的容器中。辐射源放置在待测件外部，工程上有一类辐射材料通过 β 衰变释放电子，该类辐射源在微波部件内部产生电子的方式有两种：β 衰变释放的电子具有足够的能量，可以直接穿过微波部件的金属壁到达微波部件内部充当种子电子，或者 β 衰变释放的电子穿过金属壁时损失能量，同时在内表面产生前向二次电子，形成进入微波部件内部的种子电子。另一类辐射材料在发生 β 衰变的同时进行 γ 跃迁，释放 γ 射线。Γ 射线具有比 X 射线还要强的穿透能力，即使对于较厚的材料，γ 射线一般也仍然能够穿透微波部件壁。γ 射线在穿过金属壁时与原子相互作用，发生光电效应、康普顿效应和正负电子对效应，在微波部件内表面产生二次电子，辐射源在微波部件内部产生种子电子的示意图如图 5－2 所示。

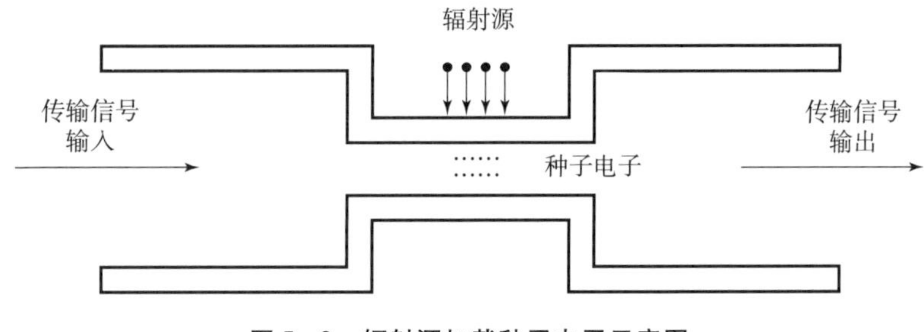

图 5－2　辐射源加载种子电子示意图

辐射源通常放在微波部件外侧靠近可能发生微放电的敏感区域，因此该方法的优势是非侵入式注入，不会影响微波部件的传输性能，加载方便。只要衰变产生的电子具有足够高的能量就可以穿过微波部件壁，就可以在敏感区域直接产生种子电子。

5.3.1.1 锶－90 辐射源

具有单纯 β 衰变的辐射源有锶－90（Sr－90），能够各向同性地辐射高能电子。锶 - 90 辐射源产生电子是锶 - 90 和钇 - 90 两个 β 衰变的复合过程。因此其能谱等效为活度分别为锶 - 90 和钇 - 90 能谱的叠加。锶 - 90 的半衰期为 28.79 年，释放最大能量为 0.546 MeV 的电子，变为钇 - 90，同时钇 - 90 再次发生 β 衰变，半衰期为 64 h，释放最大能量为 2.28 MeV 的电子，最终变为稳定的锆 - 90，锶 - 90 几乎是纯的 β 粒子源，是理想的种子电子加载源，其变化过程如图 5 - 3 所示。

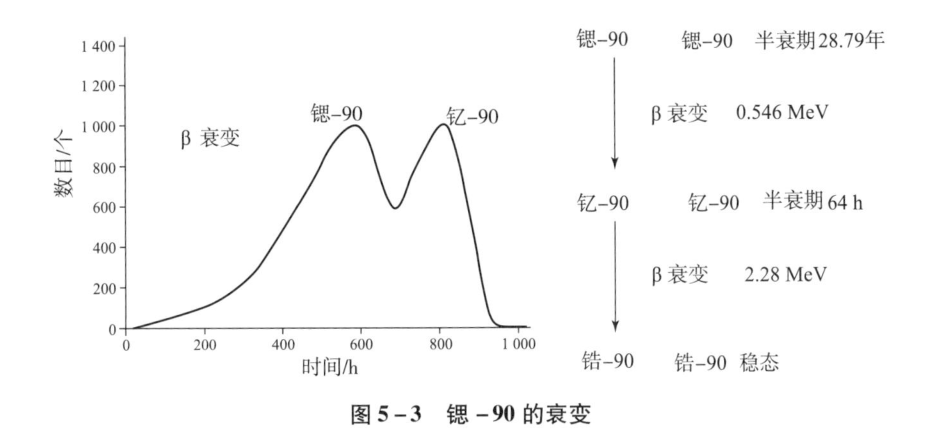

图 5 - 3　锶 - 90 的衰变

活度为 75 MBq 的锶 - 90 辐射源在 100 μs 内产生的电子的能谱如图 5 - 4 所示。值得注意的是该能谱的低能和高能两部分分别由锶 - 90 和钇 - 90 的 β 衰变贡献。这里未考虑辐射源与待测微波部件的位置关系，读者可根据所测量微波部件的结构及与辐射源的相对位置加入空间方位修正因子。

在开放结构的微放电试验中，β 衰变产生的电子可直接到达敏感区域，形成足够多的种子电子。而对于封闭结构，辐射源通常置于微波部件外侧，辐射源和敏感区域之间通常存在阻挡层——微波部件的壁，因此为了进入敏感区域，β 衰变产生的电子必须穿过部件壁，因此能够进入微波部件内部的电子流量受部件壁的阻挡会显著减少，甚至完全被挡在外侧。为了使进入待测件微放电敏感区域的电子足够多，辐射源离放电敏感区域距离须尽量近。

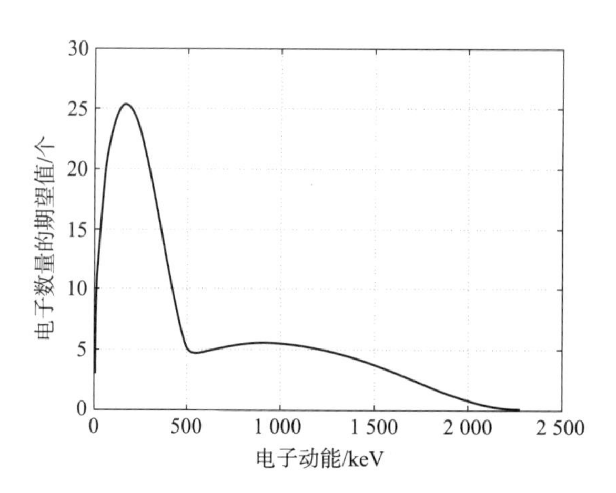

图 5-4 活度为 75 MBq 的锶-90 辐射源在 100 μs 内产生的电子能谱

β 衰变辐射源在微波部件内部产生电子的方式有两种，一种是初始电子具有足够高的能量穿过微波部件壁进入微波部件内部构成种子电子；另一种是初始电子在穿过微波部件壁时能量消耗，产生前向二次电子，并进入微波部件内部。对于典型的毫米级厚度的微波部件壁，能产生前向二次电子发射系数大于 1 的能量范围很小，因此相对于初始电子，前向二次电子可以忽略不计，因此 β 衰变所产生的能够穿过微波部件壁进入微波部件内部的电子可以认为是种子电子的唯一来源。

当电子穿过一定厚度的金属时，其电子能量会减小。能量为 E_0 的电子在完全停止之前在材料中穿过的最大直线距离定义为 $R(E_0)$，不同的材料 $R(E_0)$ 曲线不同。铝的穿过距离随电子碰撞能量的变化曲线如图 5-5 所示。

当辐射源加载到厚度为 W 的金属表面时，只有当电子的能量 $E>E_{min}$，初始电子才能穿过微波部件的壁，其中 E_{min}满足 $R(E_{min})=W$。所以能量大于 E_{min}的电子可以进入微波部件内部，同时电子的能量损失 E_{min}，能量小于 E_{min}的电子无法进入微波部件内部。

由图 5-5 可知，对于厚度为 2 mm 的铝板，E_{min} 为 1 MeV，活度为

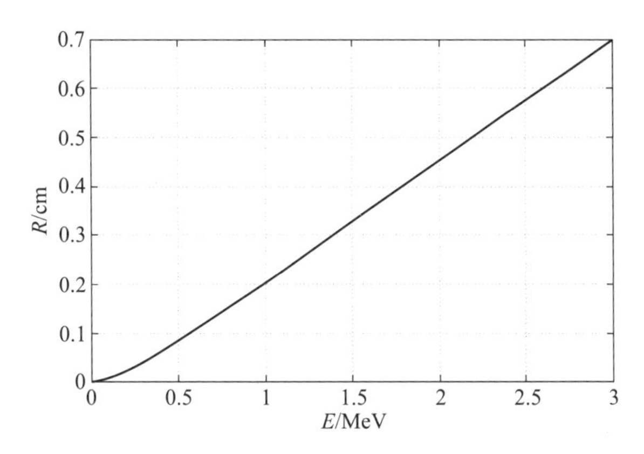

图5-5　电子在铝材料中穿过的最大直线距离与能量之间的关系

75 MBq 的锶-90 辐射源在 100 μs 内进入微波部件内部的电子共 3 591 个，能谱如图 5-6 所示。可以看出锶-90 具有较好的种子电子加载效果。

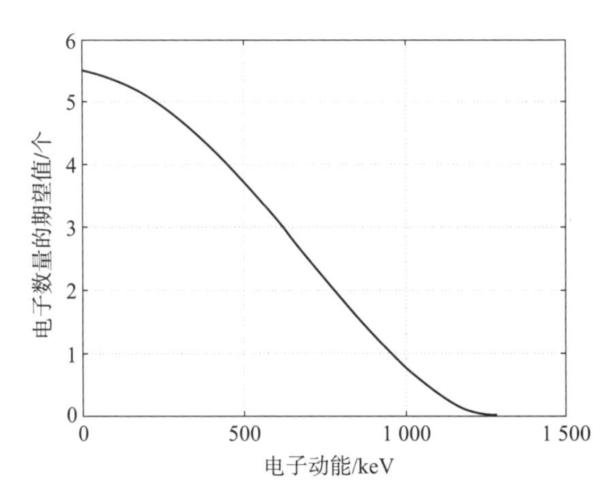

图5-6　活度为 75 MBq 的锶-90 辐射源在 100 μs 内进入 2 mm 铝质微波部件的电子能谱

5.3.1.2　铯-137 辐射源

铯-137（Cs-137）是β衰变核素，发射两种β粒子。一种β粒子的最大能量为0.511 63 MeV，该种衰变占总衰变量的94.0%；另一种β粒子的最大能量为1.176 MeV，该种衰变占总衰变量的6.0%。铯-137 的半衰期为 30. 17 年。铯 - 137 发射 0. 511 63 MeV 的 β 射线后，转变为钡 - 137，钡 - 137 作同质异能跃迁衰变，释放 γ 射线，其 γ 能量为 0. 662 MeV，半衰期为 2. 55 min。铯 - 137 到钡 - 137 能迅速达到放射性平衡，所以铯 - 137 既可作 β 辐射源又可作 γ 辐射源。

活度为 75 MBq 的铯 - 137 辐射源在 100 μs 内 β 衰变产生的电子的能谱如图 5 - 7（a）所示，该能谱由两种衰变共同贡献，进入厚度为 2 mm 的铝质微波部件内部的电子共 6 个，能谱如图 5 - 7（b）所示。

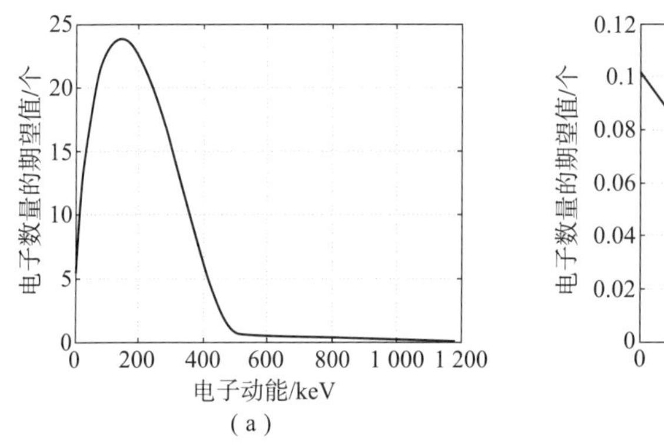

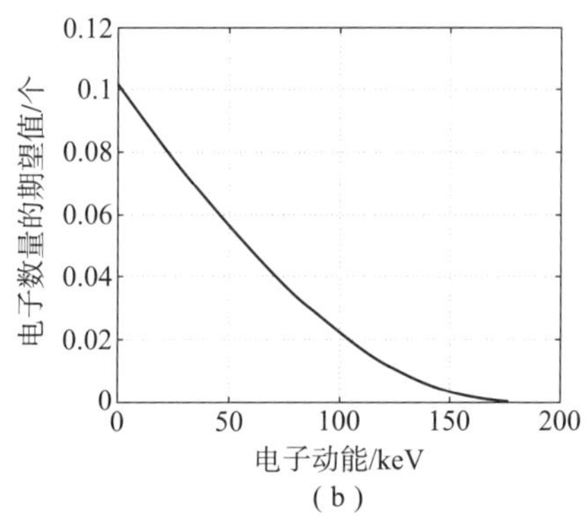

图 5 - 7 活度为 75 MBq 的铯 - 137 辐射源在 100 μs 内 β 衰变产生的电子能谱

（a）产生的总电子；（b）进入 2 mm 铝质微波部件内部的电子

单纯考虑 β 衰变释放的电子，锶 - 90 比铯 - 137 具有显著优势，但是锶 - 90 释放的最大电子能量为 2. 28 MeV，对于常用的铝板而言，最大能够穿过 5. 2 mm 厚的铝板，因此当实际铝质微波部件的壁厚度大于 5. 2 mm 时，采用锶 - 90 无法实现种子电子有效加载。同时铯 - 137 除了进行 β 衰变外，还进行 γ 跃迁，放射 γ 射线，由于其强穿透性能够轻松地穿过铝质微波部件，在内部激发种子电子。

与锶 - 90 单纯发生 β 衰变不同的是，铯 - 137 在发生 β 衰变的同时还释放能量为 0. 662 MeV 的 γ 射线，穿过铝质微波部件的壁时主要考虑康普顿效应和光电效应。铯 - 137 辐射源产生的 γ 射线在铝、铁、铜、铅中的半吸收厚度分别约为 3. 2 cm、2. 6 cm、1. 4 cm 和 0. 6 cm，因此铯 - 137 产

生的 γ 射线能够轻松地穿过由铝基材制备的微波部件，相比锶 -90 具有更强的普适性。

本章采用 MCNP（Monte Carlo N Particle Transport Code）计算 γ 射线入射到 2 mm 铝板时右侧表面电子的能谱分布，铝板尺寸为 2 mm × 100 mm × 100 mm，铯 -137 辐射源置于铝板左侧中心，与铝板的距离为 5 mm。MCNP 是由美国洛斯阿拉莫斯国家实验室（Los Alamos National Laboratory）开发的基于蒙特卡罗方法的用于计算三维复杂几何结构中的中子、光子、电子或者耦合中子/光子/电子输运问题的通用软件包。

铯 -137 采用点源辐射（忽略源的尺寸），其 γ 辐射源发射角分布为各向同性的 4π 空间均匀分布。活度为 75 MBq 的铯 -137 辐射源在 100 μs 内在右侧产生的电子能谱如图 5 - 8 所示。在微波部件内部产生的电子约 19 个，能够为微放电试验提供较多的种子电子。

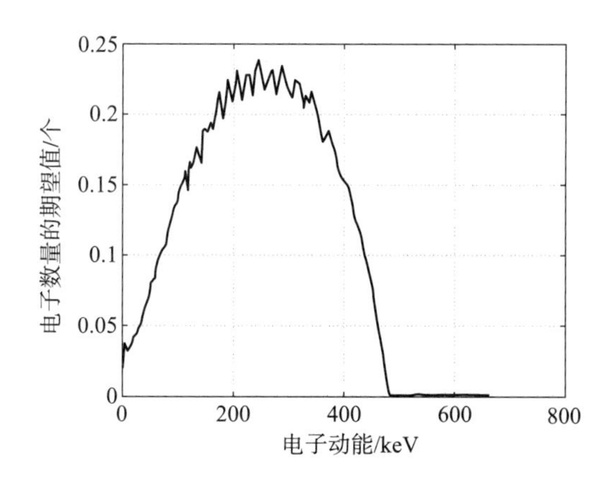

图 5 - 8　γ 射线从左侧入射到 2 mm 铝板，铝板右侧出射电子的能谱分布

5.3.1.3　两种辐射源对比分析

通过 5.3.1.1 和 5.3.1.2 小节的分析可看出，两种常用的辐射源铯 -137（Cs - 137）和锶 -90（Sr - 90）均可用于微放电试验的种子电子加载，二者的对比如表 5 - 1 所示。锶 -90 只发生了 β 衰变，而铯 -137 除了 β 衰变还进行 γ 跃迁，穿过 2 mm 厚的铝板后，锶 -90 产生的种子电子的最大能量为1.28 MeV，在100 μs内产生3 591个电子；而铯－137产生的种子电子的最大能量为0.662 MeV，在100 ms内产生25个电子。受最大能量的限制，锶－90最大能穿过5.2 mm的铝板，而铯－137具有很强的穿透能力，能轻松穿过6 mm以上的铝板。

表5－1 活度为75 MBq的锶－90和铯－137辐射源在100 μs内穿过2 mm铝板后产生种子电子特性比较

辐射源	衰变类型	最大能量/MeV	种子电子数量
锶－90	β衰变	1.28	3 591
铯－137	β衰变和γ跃迁	0.662	25

综上可以看出，基于β衰变的锶－90能够很好地产生种子电子，能够穿过最大5.2 mm厚的铝板；铯－137能够同时进行β衰变和γ跃迁，产生的γ射线可以穿过微波部件壁，从而在微波部件内部产生足够的种子电子具有更强的普适性。

5.3.2 紫外光源

5.3.2.1 紫外光源产生电子机理

光照射到金属上，会引起物质的电性质发生变化，这类光变致电的现象被人们统称为光电效应。光电效应分为光电子发射、光电导效应和阻挡层光电效应（又称光生伏特效应）。前一种现象发生在物体表面，又称为外光电效应；后两种现象发生在物体内部，称为内光电效应。赫兹于1887年发现光电效应，爱因斯坦第一个成功地解释了光电效应（金属表面在光辐照作用下发射电子的效应，发射出来的电子叫作光电子）。光波长小于某一临界值时方能发射电子，即极限波长，对应的光的频率叫作极限频率。临界值取决于金属材料，而发射电子的能量取决于光的波长且与光强度无关，这一点无法用光的波动性解释。还有一点与光的波动性相矛盾，即光电效应的瞬时性，按波动性理论，如果入射光较弱，照射的时间要长一些，金属中的电子才能积累足够的能量，飞出金属表面。可事实是，只要光的频率高于金属的极限频率，光的亮度无论强弱，光子的产生都几乎是瞬时的，不超过 10^{-9} s。

光电效应里电子的射出方向不是完全定向的，只是大部分都垂直于金属表面射出，与光照方向无关。光是电磁波，但是光是高频振荡的正交电磁场，振幅很小，不会对电子射出方向产生影响。

只要光的频率超过某一极限频率，受光照射的金属表面立即就会逸出光电子，发生光电效应。当在金属外面加一个闭合电路，加上正向电源，这些逸出的光电子会全部到达阳极，便形成所谓的光电流。在入射光一定时，增大光电管两极的正向电压，提高光电子的动能，光电流会随之增大。但光电流不会无限增大，要受到光电子数量的约束，有一个最大值，这个值就是饱和电流。当入射光强度增大时，根据光子假设，入射光的强度（即单位时间内通过单位垂直面积的光能）取决于单位时间里通过单位垂直面积的光子数，单位时间里通过金属表面的光子数也就增多，于是光子与金属中的电子碰撞次数也增多，因而单位时间里从金属表面逸出的光电子也增多，饱和电流也随之增大。

通过控制紫外光源的波长和能量分布，利用石英光纤将紫外光源照射到被测件关键区域，可以产生微放电所需电子。

真空罐外的紫外光源通过光纤将紫外光传导进入待测微波部件内部，对于封闭的微波部件，通常通过透气孔将光纤插入待测件内部，紫外光照射到微波部件的内表面局部区域，并通过光电效应产生种子电子，如图 5－9 所示。紫外光加载种子电子的方法可以在不打开真空罐的情况下通过调节紫外光束的强度实现种子电子加载数目的调节，也可以通过调节开关来实现加载种子电子和不加载种子电子两种测试工况，这对微放电测试方法研究至关重要。但紫外光加载种子电子的方法也有其自身的缺点，它是一种侵入式电子加载方法，光纤需要插入微波部件内部，只有在不影响微波部件内部电磁场分布的情况下才可以使用，而且通常采用微波部件预留的透气孔插入光纤，但是一般情况下透气孔距离放电的敏感区域较远，因此种子电子的加载有效性受电子扩散到放电敏感区域的概率的限制。

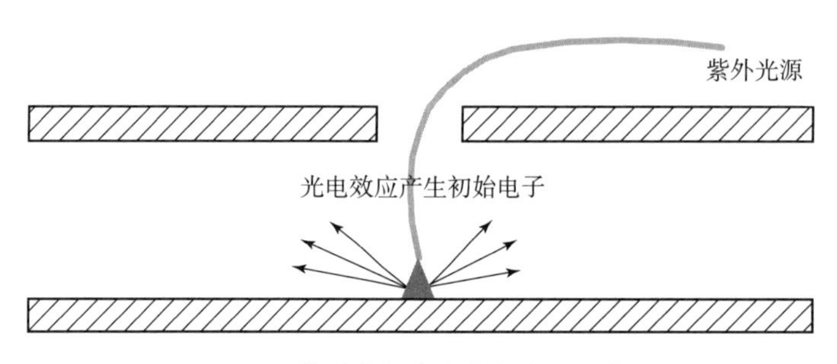

图 5-9　紫外光源产生自由电子示意图

紫外光源是以一种侵入式的方式产生微放电种子电子，通过探入待测件的光纤产生紫外光，基于光电效应（见图 5-9）高速率产生大量低能电子，在电磁场的作用下传送到微放电敏感区域，如图 5-10 所示。置于真空罐外的紫外光源通过光纤将紫外光传导进入待测微波部件内部，对于封闭的微波部件，通常通过透气孔将光纤插入待测件内部，紫外光照射到微波部件的内表面局部区域产生种子电子。

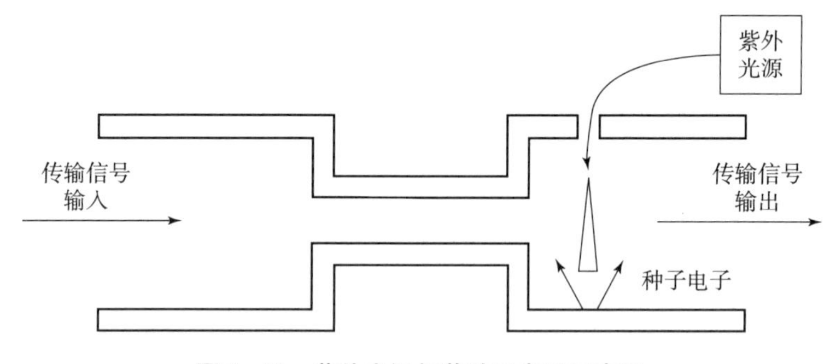

图 5-10　紫外光源加载种子电子示意图

5.3.2.2　微放电试验用紫外光源

紫外光源产生的电子数要满足微放电测试要求，需要严格计算和测试光源产生的电子数，同时需要开展试验研究产生的电子数对敏感区域的有效性。

以紫外光源为例，设计如下技术指标的激光源系统需要分析计算三个方面的内容。

紫外光源系统技术指标如下：

紫外光源波长：以 254 nm 为中心；

紫外光源能量分布：254 nm 处大于 40 μW；

紫外光纤直径：0.5 ~ 3 mm。

1. 紫外光波长论证

根据光电效应方程：

$$E_e = \frac{h \cdot v}{e} - \Psi \tag{5-1}$$

$$\lambda = \frac{c}{v} \tag{5-2}$$

式中，E_e 为激发的自由电子能量；Ψ 为物质逸出功；λ 为入射光波长；v 为入射光频率；$c = 3.0 \times 10^8$ m/s（光在真空中的传播速度）；$h = 6.63 \times 10^{-34}$ J（普朗克常量，单位为焦耳）；$e = 1.6 \times 10^{-19}$ C（一个电子所带电量，单位为库仑）。

在产生光电效应的临界情况下，$E_e = 0$，此时有：

$$\frac{h \cdot v}{e} = \Psi \tag{5-3}$$

因此，在已知金属的逸出功率情况下，很容易得出其极限波长 λ 与极限频率 v，已知各常见金属逸出功与极限波长如表 5 - 2 所示。

表 5 - 2　几种金属逸出功与极限波长

金属	金	银	钨	铜	铬	铝	钙	锂	钠	钾	铷	铯
极限波长 λ/nm	258	268	274	276	284	296	388	461	542	551	583	640
逸出功 Ψ/eV	4.80	4.63	4.54	4.50	4.37	4.20	3.20	2.69	2.29	2.25	2.13	1.94

根据光电效应理论可知，光波长小于某一临界值（即极限波长）时方能发射电子，对于所使用的材料如金、银、铜、铝等，其极限波长最小为258 nm（金）。很明显选用波长为254 nm的紫外光源能够满足要求。

2. 自由电子数论证

在真空环境中，紫外光照射到金属表面时，在光电效应的作用下，自由电子会从表面激发出来，激发的自由电子能量 E_e 大约为0.4 eV（铜的电子逸出功 Ψ 为4.5 eV），准确的能量值的计算参考下列公式：

$$E_e = \frac{h \cdot v}{e} - \Psi$$

根据已知光子能量 E_p 及相应光源功率 P，可以计算每秒所产生的光子数 n：

$$n = \frac{P}{E_p} \text{（个/秒）} \tag{5-4}$$

对于所选频率 v（1.18×10^{15} Hz，即波长为254 nm）的光源，可知一个具备4.9 eV能量的光子可以产生的自由电子数为 8.5×10^5 个。

实际情况下，测得电流大小为 3×10^{-11} A时，即自由电子产生率约为 1.8×10^8/s；此时使用Photodyne的光功率计测得功率为37 μW，而在此功率情况下，在金属表面1 s时间内可以产生的自由电子数理论值为：$[(37 \times 10^{-6}\ \text{W} \cdot 1\text{s})/(4.9 \times 1.6 \times 10^{-19}\ \text{J})] \times (8.5 \times 10^{-5}) = 4 \times 10^9$ 个。两者相差大约20倍。

首先计算对于254 nm波长光源，一个光子能量为4.9 eV，换算成焦耳则为 $4.9 \times 1.6 \times 10^{-19}$ J；对于37 μW的紫外光，其在1 s内的能量为 $37 \times 10^{-6}\text{W} \cdot 1\text{s} = 37 \times 10^{-6}$ J；故此功率的紫外光1 s内释放的光子数为 $(37 \times 10^{-6}\ \text{W} \cdot 1\text{s})/(4.9 \times 1.6 \times 10^{-19}\ \text{J}) = 4.72 \times 10^{13}$；由于一个具备4.9 eV能量的光子可以产生的自由电子数为 8.5×10^{-5} 个，故 4.72×10^{13} 个光子可以产生的自由电子数为：$4.72 \times 10^{13} \times (8.5 \times 10^{-5}) = 4 \times 10^9$ 个。

在100 μs脉冲持续时间内，产生的自由电子数理论值为：（4×10^9 个/

s) × 100 × 10^{-6} s = 4 × 10^5 个，满足要求。若采用实际值推算，也可产生 1.8 × 10^4 个。同时，考虑到自由电子在金属外表面呈余弦分布趋势，并在待测件行腔内紫外光源附近出现峰值；脉冲持续时间可能更短至 10 μs，如此情况下，试验证明微放电发生的自由电子条件仍能满足要求。

通过上述计算，选用紫外光源能量分布为 254 nm 处大于 40 μW 的紫外光源完全满足自由电子数要求。

3. 紫外光源系统及配套的电子浓度检测系统搭建

紫外光源主要由紫外弧光灯、灯座、紫外弧光灯电源、石英光纤等组成。系统框图如图 5－11 所示。

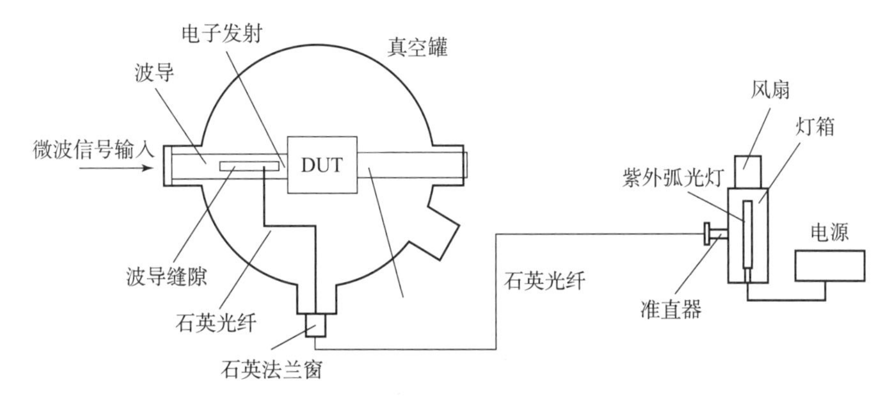

图 5－11　紫外光源自由电子源产生系统组成图

（1）紫外弧光灯电源。

如图 5－12 所示为紫外弧光灯电源。电源提供稳定电流，可以支持最高 1 600 W 的弧光灯，数字显示弧光灯功率、电流、电压、使用时间等，具备 RS232 及 GPIB 接口用于 PC 远程控制。

（2）紫外弧光灯灯箱。

如图 5－13 所示为紫外弧光灯灯箱。弧光灯灯箱提供对紫外光源的会聚，提供准直和聚焦输出，提供内置制冷风扇，带有后向反射板，以增加激光输出能量。

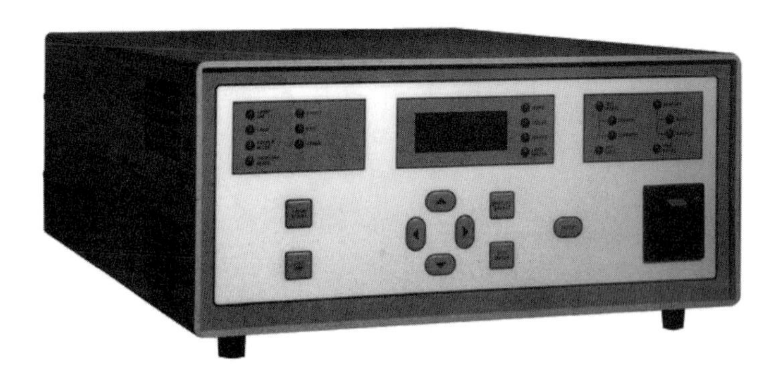

图 5－12　紫外弧光灯电源

图 5－13　紫外弧光灯灯箱图

（3）抗负感单芯光缆。

ESA 所用光纤采用抗负感单芯光缆，其标准实物如图 5－14 所示，纤芯外径为 600 μm，覆层外径为 660 μm，长度为 1 m，SMA 接口。在 ESA 的微放电紫外光源电子源系统中，其外层护套定制为不锈钢材质，且整根光纤在罐内一端做截断处理。

图 5-14　抗负感单芯光缆标准实物图

通过光纤将紫外光引入临界间隙附近。若部件是封闭的，则需要有通风孔或其他通道。然后将设备的内壁照亮，激发目标区域生成光电子，其安装如图 5-15 所示。

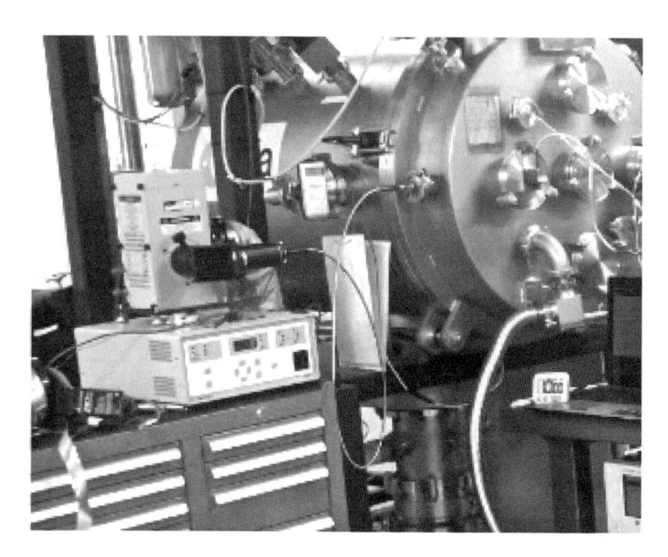

图 5-15　紫外线灯与试验台（见彩插）

5.3.2.3　紫外光源用于微放电试验的加载方法

紫外光加载种子电子的方法可以在不打开真空罐的情况下通过调节紫

外光束的强度实现种子电子加载数目的调节，也可以通过调节开关来实现加载种子电子和不加载种子电子两种测试工况，这对微放电测试方法研究至关重要。但紫外光加载种子电子的方法也有其自身的缺点，该方法是一种侵入式电子加载方法，光纤需要插入微波部件内部，只有在不影响微波部件内部电磁场分布的情况下才可以使用，而且通常采用微波部件预留的透气孔插入光纤，但是一般情况下透气孔距离放电的敏感区域较远，因此种子电子的加载有效性受电子扩算到放电敏感区域的概率的限制。

目前 ESA 常用的排气孔尺寸为0.8 mm 或1 mm，原则上使用业界最新的光纤产品，确保能够满足更小的排气孔尺寸。当部件的排气孔尺寸较大时，需要使用外部固定手段将光纤进行固定，确保光纤能够指向内部部件表面即可，并不要求严格垂直于部件内部表面，因此对于较大的排气孔一般都适用。光纤的操作方法目前还没有定义标准的光纤放置操作程序，对于光纤放置的深度和方向，ESA 认为没有严格的要求。使用时尽量将光纤放入接近关键区域的排气孔，确保光纤的光能够照射到部件内部微波行腔表面即可，因为只要紫外光源持续照射，部件表面会持续产生自由电子，很容易就能达到足够数量和浓度的自由电子。即使排气孔的位置并不紧靠关键区域，也不会有明显影响，又因为持续产生的自由电子会随着微波信号的传播而跟随运动到关键区域，由于自由电子数量巨大，完全满足作为诱发电子源的要求。但是，ESA 也在研究使用外部特别设计辅助装置，将紫外光源产生的自由电子跟随微波信号的传播而进入关键区域，再与电缆连接。

对于光纤直径大于排气孔尺寸或者没有排气孔的待测部件，光纤无法直接进入待测部件内部，但是 ESA 已经实现了利用外部特殊设计的辅助部件（如带有排气孔的波导）通过紫外光源产生自由电子，然后将自由电子跟随大功率微波信号一起进入待测部件内部关键区域的案例，如图 5 – 16 所示。

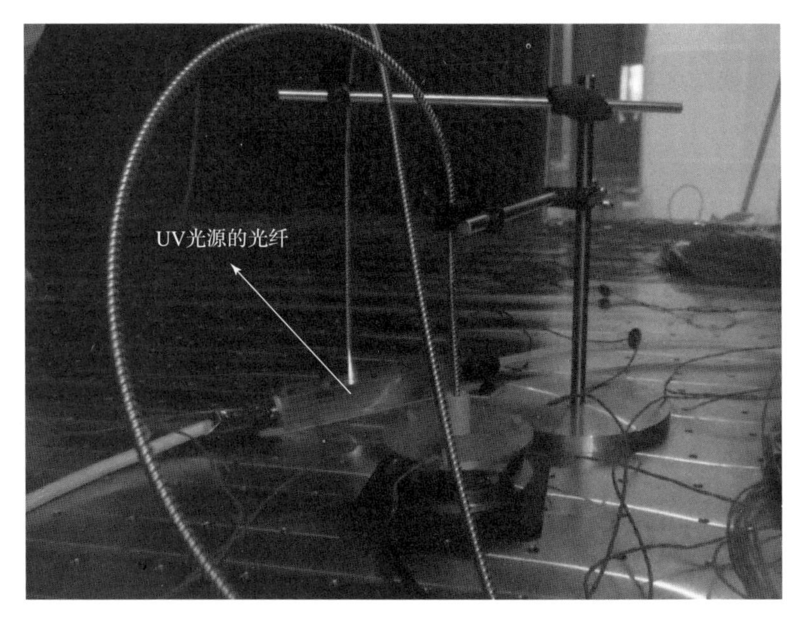

图 5－16　紫外光作为微放电初始电子源

5.3.3　电子枪

电子枪利用热发射和场致发射产生自由电子，金属探针上满足电子逸出的条件而生成大量高能自由电子，这些电子运动到行腔内部与被测部件内壁产生碰撞形成更多低能电子，从而作为微放电起始电子源参与微放电效应。典型电子枪加载种子电子示意图如图 5－17 所示。电子枪对于测试开放结构部件的介质放电非常适合，典型的例子是对喇叭天线的馈源进行介质放电测试，可以使用电子枪生成的自由电子进入喇叭内壁并且产生更多低能电子。电子枪采用金属探针生成电子，对于有排气孔的封闭被测部件，金属探针不能放置于被测部件靠近的位置如排气孔内部，因为这种极易发生金属探针与被测部件之间的放电打火现象。这时需将电子枪出射的电子束对准排气孔，且电子束直径应小于排气孔的尺寸。

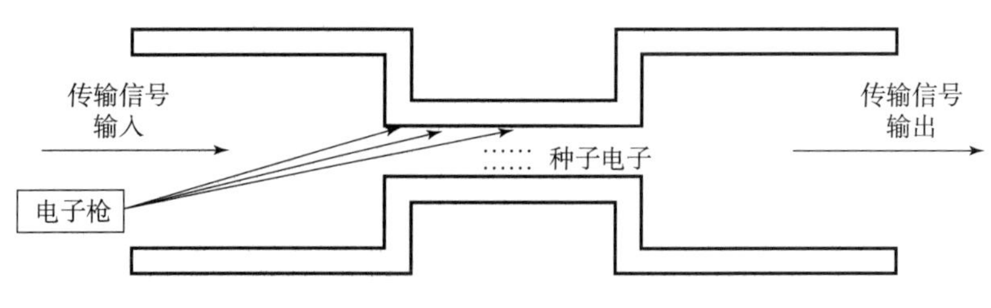

图 5-17 电子枪加载种子电子示意图

电子枪能量一般在 20 eV ~ 1 keV，对于固定电子枪能量 P，可以控制入射电子电流来确定电子枪出射电子数量，即 $P=EI$，$I=P/E$。例如，电子枪入射电子能量 $E=1$ keV，能量 $P=20$ mW，那么电子枪单位时间出射的电子数量，即电流 I 为 $I=P/E=1.25\times10^{14}$ 个/秒。

电子枪也是用来提供种子电子的可选方式之一。电子枪由钨丝、控制电极、静电透镜、膜片和阳极组成。当电流流过钨丝时，金属导线开始退火同时发射电子。在控制电极上加一定的电压，发射电子形成电子云，从而形成稳定的电子束。借助控制电极，可以选择出射特定能量段的电子。对于波导类微波部件，可以通过补偿波导弯头将电子束耦合进输入端口，如图 5-18 所示。

但是，电子枪必须进行合理安装和调节，电子枪和敏感区域之间不能有阻挡，并直线贯通，才能确保种子电子的有效加载。在实际操作中可以借助激光束来校正电子枪的位置，安装在试验台上的电子枪如图 5-19 所示。

采用电子枪进行种子电子的加载可以方便地控制电子的数量和能量，相比辐射源和紫外光源两种方法，电子枪可加载的电子数量显著提高，但由于电子枪只能通过端口来加载种子电子，因此只能适用于敏感区域可直接从端口观测到的波导类微波部件，同时电子枪位置的调节必须在真空条件下进行，因此电子枪位置的校正，特别是敏感区域间隙较窄时，需要多次抽真空操作，调节的复杂度较大，在实际的微放电试验中少有电子枪使用的工程案例。

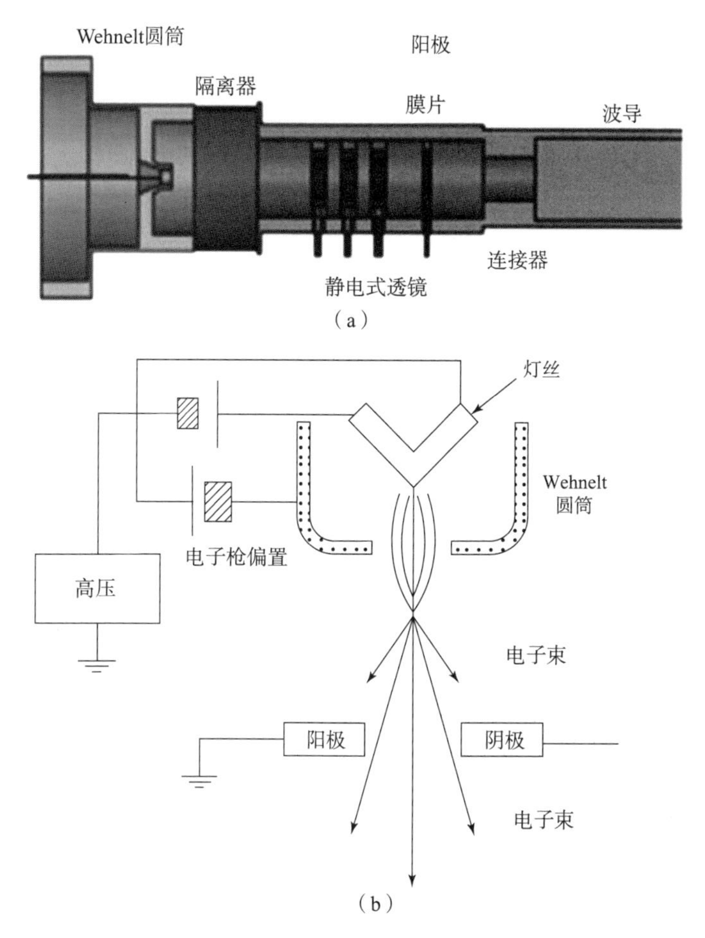

图 5-18 电子枪

(a) 电子枪结构示意图；(b) 电子枪功能示意图

图 5-19 安装在试验台上的电子枪（见彩插）

5.4 微放电种子电子源对比

5.4.1 理论分析

微放电阈值是部件设计及制造确定后的自身固有属性，但是微放电现象的发生与外部诱发微放电的自由电子的状态息息相关，外部自由电子相对于部件表面的位置关系、电子运动方向、电子的运动速度等因素会引起不同阶数的微放电现象，因此无论使用辐射源还是紫外光源作为诱发电子源进行测试时，都存在着测试阈值与部件本身的理论属性值有差异的问题，这是因为理论上理想的诱发微放电的自由电子为低能的自由电子且运动方向垂直于部件关键区域表面，但是试验过程中无法严格模拟，所以无论辐射源还是紫外光源作为电子源，测量结果都是一个接近理论值的结果。不同类型的部件可能有其最适合的自由电子源模拟方式，有可能是辐射源，也有可能是紫外光源。

大功率微波部件微放电试验的核心目的是确保部件在一个预先定义的功率余量（根据部件复杂程度与考核等级，通常为 3 dB 或者 6 dB）水平下不会发生微放电现象，这个余量的设计综合考虑了部件在空间环境中各种复杂工作场景，包括了不同类型的辐射产生的不同程度、不同类型的自由电子可能诱发不同类型不同阶数的微放电，因此在地面试验中无论是采用辐射源还是紫外光源电子源，只要确保了放电阈值超过了设定余量功率水平，就可以同样程度地保障部件在空间工作时的可靠性。

ESA 的微放电试验标准中，对于使用连续波测量的情形，甚至不要求使用任何电子源；对于使用脉冲测量的情形，最常见和通用的是辐射源，但是新的标准中已经包含使用紫外光源电子源，ESA 并没有因为这两种电子源对微放电测量结果的不同而产生不同认定结论。

5.4.2 试验分析

对三种不同电子源，ESA开展了相关对比试验。早期做了有无辐射源或自由电子源时的微放电阈值对比分析，针对不同金属镀层与不同间隙宽度的平行板结构开展了微放电阈值分析；近年来，针对辐射源与紫外光源加载两种方式与不加自由电子源的方式做了对比试验。本节将详细介绍两次对比试验。

5.4.2.1 辐射源与自由电子源的对比试验

对于不同金属镀层和具有不同间隙宽度的样品测试其微放电阈值试验，对阈值测量是在使用和不使用辐射源或自由电子源（该自由电子源由放置在真空系统中的高压冷阴极产生）两种情况下测出的。为防止其他干扰因素，需逐一进行5项不同的测量，下面详细介绍测试过程与结果，具体测试数据见汇总表5－3。

表5－3 有无辐射源或自由电子源时测量的微放电阈值

测试号	材料	间距/mm	阈值功率/kW			阈值差	
			无 FES－Sr90	有Sr90	有FES	开/关/dB	Sr90/FES/dB
1（a）	铝	0.28	0.3（1）	—	0.25（2）	0.8	—
1（b）	铝	0.7	1.7（1）	—	1.7（2）	0	—
1（c）	Alodine	1.5	7.9（1）	—	6.3（2）	1	—
1（d）	金	1.5	16（1）	—	7.6（2）	3.2	—
1（e）	银	2.0	16（1）	7.0（3）	7.7（2）	3.6	－0.4
2（a）	金	0.2	>12.7（1）	0.44（2）	0.44（3#）	>14.6	0
2（b）	金	0.28	3.0（1）	1.0（2）	0.98（3#）	4.8	0.1
2（c）	铜	0.2	9.0（1）	0.44（2）	0.47（3#）	13.1	－0.3
2（d）	铜	0.28	>20（1）	0.95（2）	0.97（3#）	>13.2	－0.1
3（a）	铝	0.28	0.27（2）	—	0.25（1）	0.3	—

续表

测试号	材料	间距/mm	阈值功率/kW			阈值差	
			无 FES－Sr90	有 Sr90	有 FES	开/关/dB	Sr90/FES/dB
3（b）	银	0.2	0.4（2）	—	0.32（1）	0.97	—
4（a）	银	1.5	0.8（2）	5.0（1）	6.2（3）	2.04	－0.9
5（a）	Alodine	0.2	—	8.2（1）	4.3（2#）	—	2.8
5（b）	Alodine	0.2	—	5.9（1）	1.5（2）	—	5.9
5（c）	Alodine	1.0	—	5.9（1）	5.6（2）	—	0.23
5（d）	铜	2.0	—	8.5（1）	8.4（2#）	—	0.05
5（e）	铝	0.2	—	0.4（1）	0.4（2#）	—	0

备注：FES 代表自由电子源，Sr90 代表 3.7×10^{6} Bq 的锶－90 辐射源，（）括号中的数字表示测试顺序，#代表辐射源和自由电子源同时加。

1. 先用自由电子源，再用辐射源

为确定用自由电子源或用辐射源提供自由电子时微放电阈值的变化，测量过程中先用自由电子源，后用辐射源。

（1）测量没有自由电子或者辐射源时的微放电阈值；

（2）测量仅有自由电子源时的微放电阈值；

（3）测量仅有辐射源时的微放电阈值。

测试结果为：

对所有 5 个测试样品，再加上自由电子源后其微放电阈值出现下降，对金和银测试样品，降低 3 dB 多，对铝和 Alodine 所观察到的阈值下降要小得多。

2. 先用放射源，再用电子源

为确定用自由电子源或用放射源提供自由电子对微放电阈值的影响，这个试验先用放射源，再用电子源。

（1）在没有自由电子或放射源的情况下测量微放电阈值；

（2）在仅有放射源的情况下测量微放电阈值；

（3）同时加上放射源和自由电子源情况下测量微放电阈值。

测试结果为：

在所有4个试验测试中，当加上放射源时，观察到阈值下降很多。在测试2（a）中，不可能达到没有辐射源时的实际微放电阈值，所观察到的辐射源和自由电子源之间的差别在试验精度范围内。

3. 先加自由电子源，再去掉

为确定自由电子源对微放电阈值的影响，本测试把测试1和测试2次序倒过来，在本测试中把无自由电子时的阈值作为参考阈值，即完成无自由电子时的阈值测试后再进行其他测试。

（1）测量仅有自由电子源时的微放电阈值；

（2）测量不加自由电子源或辐射源时的微放电阈值。

测试结果为：

去掉自由电子时微放电阈值稍有提高。对于银样品，其差值为1 dB，与1中测试结果有差别。

4. 先用辐射源，再用自由电子源

为确定无额定自由电子或有辐射源对微放电阈值的影响，试验先用辐射源，再用自由电子源。

（1）只有辐射源的情况下测量微放电阈值；

（2）没有辐射源或自由电子源的情况下，测量微放电阈值；

（3）测量有自由电子源时的微放电阈值。

测试结果为：

在移除辐射源时微放电阈值增加2 dB。有辐射源和有自由电子源时微放电阈值有差别，可能是由于状态变化引起的。

5. 辐射源与自由电子源的对比

（1）测量仅有辐射源时的微放电阈值；

（2）测量仅有自由电子源时的微放电阈值。

测试结果为：

对 Alodine 样品，发现用自由电子源比用辐射源的阈值下降 3 ~ 4 dB，而用铜样品时，两种源的差距不大，推测可能是 Alodine 测试试验中状态不对。

观察以上 5 组试验结果，可以得出以下结论：

（1）对于银、金、铜和 Alodine 样品，测出了存在自由电子源时微放电阈值下降，金和铜的阈值下降最多，而铝的变化最小。

（2）对于小间隙样品，有无自由电子源的阈值差别最大。

5.4.2.2 辐射源与紫外光源的对比试验

对平行板结构同时采用辐射源（锶 – 90）和紫外光源时出现了不同的放电阈值。三组测量的测试结果如表 5 – 4 所示，最大差距为 1 100 W、1 500 W，即差距为 1.35 dB。

表 5 – 4 采用辐射源与紫外光源对三种不同样品测试对比

样品	锶 – 90	紫外光源	不加种子电子
A	700 W	800 W	1 300 W
B	1 100 W	1 500 W	1 800 W
C*	5 300 W*	5 300 W*	5 300 W*
* 表示该样品测试到相应功率时没有出现微放电现象。			

测试三种不同的样品时（见图 5 – 20），样品需要三次放置，辐射源与紫外光源还需要分别单独放置，有可能放置有区别导致测试阈值有区别。两种阈值有差距：样品 A 差距为 800/700 = 1.143（0.58 dB），样品 B 差距为 1 500/1 100 = 1.36（1.35 dB），C 样品功率加到 5 300 W 时仍然没有微放电发生，不确定放置是否有影响。

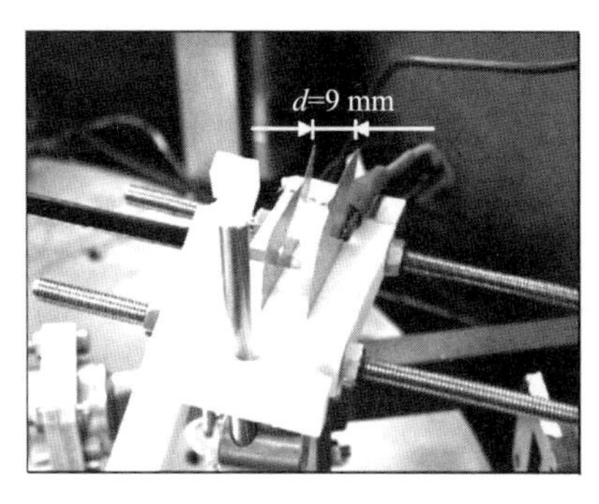

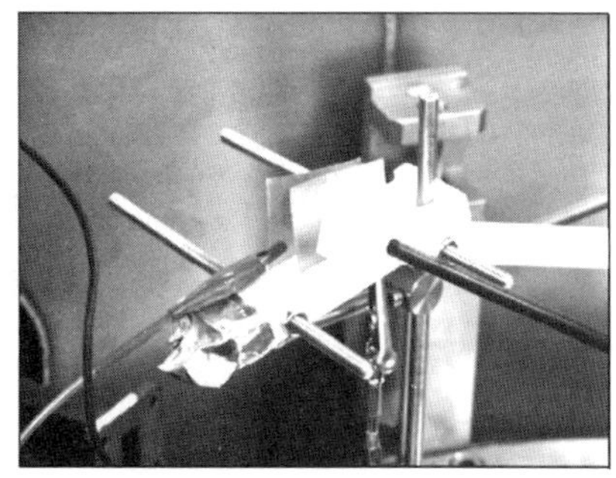

图 5－20　辐射源与紫外光源测量微放电阈值

（它们有差别，这种差别可能与两种电子源的能谱有关系，

前者有高达 2 500 MeV 的持续能谱，后者能谱主要在 0.63 eV）

5.5　小结

为改进微放电检测试验的有效性，本章前 3 节针对微放电试验中种子电子的加载方法进行了分析，介绍了辐射源、紫外光源、电子枪三种加载方法，并说明和比较了上述方法的优缺点和适用范围，为大功率微波部件微放电检测试验提供参考；5.4 节通过理论与试验分析，阐述了种子电子对微放电阈值测试的影响，随着理论与技术的发展进步，绿色环保的紫外光源逐渐成为微放电检测试验的发展趋势之一。

第6章 微放电检测研究进展

6.1 概述

微放电检测是航天器大功率微波部件必需的环节，一直或者很长时间将是大功率微波部件发展必须研究的课题。这里介绍目前国内外最新开展的研究方向，一个是微放电检测的难点（多载波微放电检测），一个是微放电检测发展的新问题（毫米波微放电检测）。

6.2 多载波微放电检测

通信卫星、导航卫星由于远距离的特点，电磁波路径衰减大，卫星必须采用大功率发射信号，为了在相当宽的频带内实现极大输出功率的放大，往往需要对信号进行分路处理再分别进行功率放大，然后再采用频率合成器进行各路的合成。实际卫星通信系统采用输出多工器（Output Multiplex，OMUX）将多个通道的不同频率窄带信号合成为一个多载波宽带信号，同时实现功率合成，形成大功率多载波宽带合成信号；接着采用宽带的低通滤波器实现对谐波的有效抑制，将大功率多载波合成信号传送至馈源并通过天线向地面辐射。输出多工器、谐波滤波器、天线馈源等空间大功率微波部件传输着多载波宽带合成信号、承受着整星最大射频功率，需要进行多载波微放电验证。

6.2.1　多载波微放电检测的研究现状

在多载波微放电检测方面，欧洲 ANT 公司、TESAT 公司及加拿大 COM DEV 公司开展了工程试验验证方面的研究工作，它们均采用多个功率放大器连接到输出多工器实现大功率多载波合成信号，用于多载波微放电试验验证。D. Wolk 在 ESA 的支持下开发的 Ku 频段 10 载波微放电验证系统，进行了多载波微放电试验研究，认为多载波微放电与单载波情形显著不同，得出了多载波微波部件微放电测试的流程无法简单地通过单载波测试来推演获得的结论，必须考虑信号相位的精确控制和种子电子有效加载两个关键因素。在 D. Wolk 研制的系统中，各路信号源只能进行手动相位调整，能够在一定程度上验证多载波大功率特性，但由于无法对相位进行精确调节和补偿，无法有效遍历所有相位，同时由于当时对多载波微放电“最坏状态”缺乏分析手段，使得试验验证的波形极有可能会漏掉“最坏状态”，使得验证不充分。尽管如此，在 ESA 于 2003 年制定的微放电标准中，附件部分仍详细介绍了 Astrium 公司基于手动相位调整的多载波微放电试验方案。标准中介绍了两种测量模式：当峰值功率小于 4 kW 时，将经过移相器的小功率信号采用合路器进行合成，将合成后的信号馈入单台功率放大器，并进行微放电试验，如图 6－1（a）所示；当峰值功率大于 4 kW 时，受限于功率放大器的动态范围，必须将经过移相器的单路信号分别馈入多个功率放大器，并采用多工器进行不同频率大功率信号的合成，如图 6－1（b）所示。

为了进一步促进多载波微放电试验研究，在 ESA 的支持下，西班牙瓦伦西亚理工大学空间射频大功率实验室研制了一套 Ku 频段 10 路相位可调

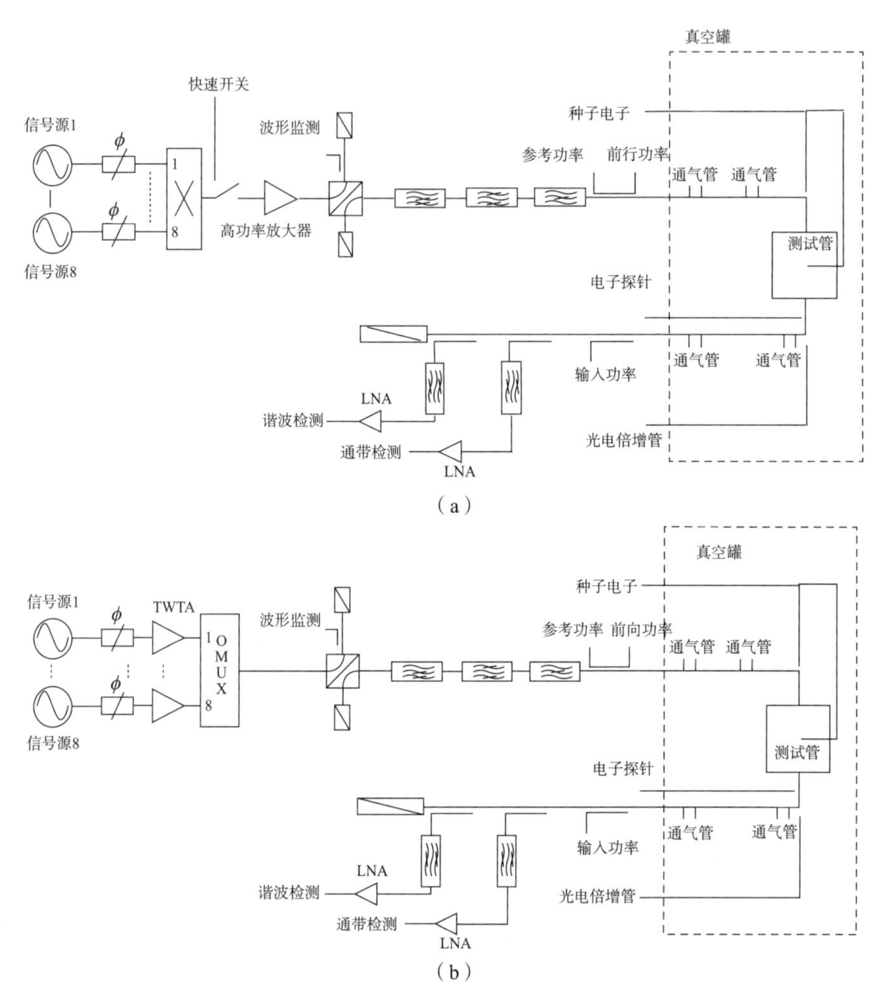

图 6-1 ESA 制定的微放电设计与试验标准中推荐的多载波微放电试验验证方案

(a) 峰值功率小于 4 kW 时测试框图；(b) 峰值功率大于 4 kW 时测试框图

整的多载波微放电试验系统，旨在研究不同相位对多载波微放电的影响，从而为多载波微放电试验验证提供指导。不同于传统的单路采用手动移相器的方法，该系统的 10 路信号源采用同一 10 MHz 参考信号，通过对馈入待测件的多载波合成信号的相位进行分析，并采用数字手段对整个射频链路的相位误差进行计算，在信号源中进行相对相位误差的修正，实现相位检测与控制，从而确保试验中采用指定相位的多载波信号进行测试，其原理框图如图 6-2 所示，但是该系统是欧洲航天局（ESA）投入大量资金研制的，包含 10 路矢量信号源、功率放大器及相位检测与调整单元，而这对大部分射频实验室而言是负担不起的，大大制约了多载波微放电试验研究的深入、广泛开展，试验研究的缺乏严重制约了对多载波微放电演化规律及“最坏状态”分析方法的研究，其中最为关键的就是多路异频相位可控制的信号源。

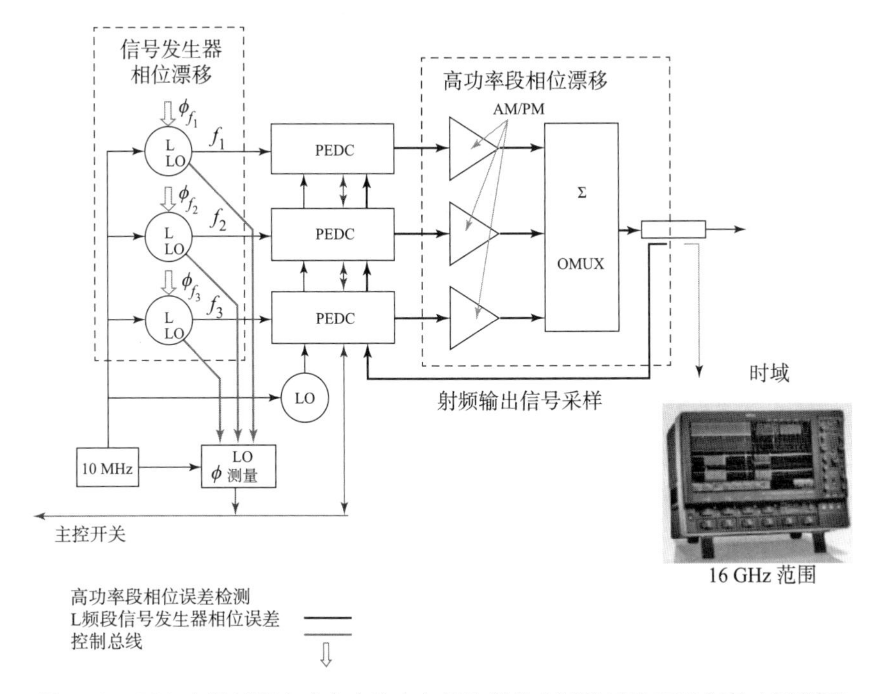

图 6-2　ESA 空间射频大功率实验室多载波微放电试验系统实现方案（见彩插）

国内中国空间技术研究院西安分院开展了 UHF 频段 6 载波微放电系统研究，采用商业 PLL 芯片，实现 6 路相干载波的输出，并通过对合成信号的反傅里叶变换实现对相位的检测，从而实现了对多载波信号波形的有效控制，在国内首次开展了多载波微放电试验，其实现方案如图 6-3 所示。

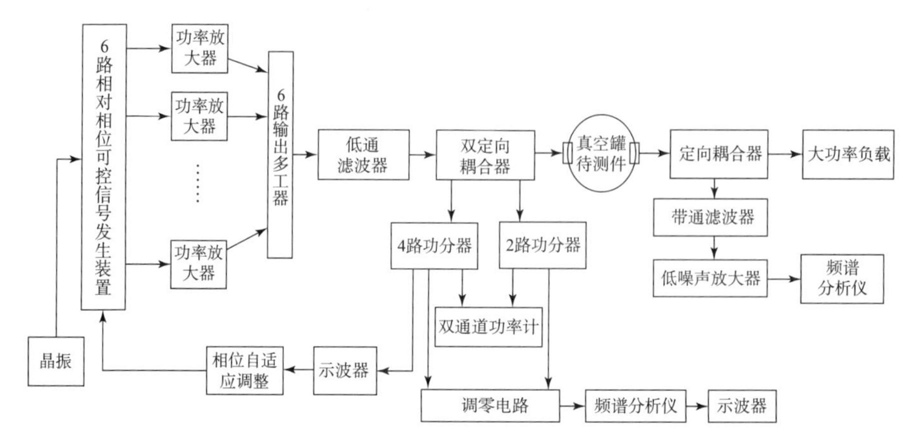

图 6-3 UHF 频段 6 载波微放电试验平台实现框图

6.2.2 多载波微放电的等效单载波验证方法

由于多载波直接验证试验复杂且成本高，通常采用等效单载波的方法进行多载波微放电验证。在验证多载波条件下微放电性能时，需要根据不同的情况采取不同的考核余量。ESA 微放电标准中给出多载波微放电考核余量的目的是在保证微放电设计可靠的情况下，防止微放电设计余量过大。标准只给出了第一类型微波部件的考核余量值。在进行多载波微放电阈值余量考核时，首先计算微波部件的单载波微放电阈值，若单载波微放电阈值高于多载波波形的最大可能峰值功率，则以最大可能峰值功率的连续波作为设计参考，记为情形 1；若单载波微放电阈值低于多载波波形的最大可能峰值功率，则应进一步计算多载波 P_{20} 等效功率，并以该功率作为设计参考，记为情形 2。两种情形分别在分析、鉴定级试验、抽检试验、单件产品试验四个阶段的微放电考核余量如表 6-1 所示。

表 6-1 第一类微波部件不同阶段多载波微放电考核余量

项目	分析余量	鉴定级试验余量	抽检试验余量	单件产品试验余量
情形 1	6	3	0	0
情形 2	6	6	5	4

对于情形1，在微放电分析余量大于6 dB时，如果还满足三个条件，则可以不进行微放电试验，认为多载波微放电考核通过；如果微放电阈值分析余量不满足6 dB时，可以只进行鉴定级微放电试验，测试阈值如果大于3 dB余量，则微放电考核通过；如果鉴定级微放电试验不满足3 dB余量，则需要针对飞行件进行微放电试验。如果是多件飞行件产品同批次投产，只进行微放电抽检，如果所抽样品的微放电阈值余量大于0 dB，则该批次飞行件微放电考核通过；如果抽检余量不满足0 dB或者为单件飞行件，则必须对每件飞行件进行微放电试验，要求微放电阈值余量大于0 dB方可通过微放电考核。

对于情形2，在微放电分析余量大于6 dB时，如果还满足三个条件，则可以不进行微放电试验，认为多载波微放电考核通过；如果微放电阈值分析余量不满足6 dB时，可以只进行鉴定级微放电试验，测试阈值如果大于6 dB余量，则微放电考核通过；如果鉴定级微放电试验不满足6 dB余量，则需要针对飞行件进行微放电试验。如果是多件飞行件产品同批次投产，只进行微放电抽检，如果所抽样品的微放电阈值余量大于5 dB，则该批次飞行件微放电考核通过；如果抽检余量不满足5 dB或者为单件飞行件，则必须对每件飞行件进行微放电试验，要求微放电阈值余量大于4 dB方可通过微放电考核。针对第一类微波部件的多载波微放电考核流程如图6-4所示。ESA微放电标准中未对第二类和第三类微波部件在不同阶段的微放电考核余量给出具体规定。

6.2.3　多载波微放电的直接验证方法

多载波微放电的直接验证方法是采用仪器设备结合软件控制模拟多载波实际工作状态检测微放电的方法。这里介绍中国空间技术研究院西安分院研制的Ku频段多载波微放电研究平台，该平台能够实现对6路相位可控的多载波信号进行功率放大和合成，并在真空罐中进行微放电试验与现

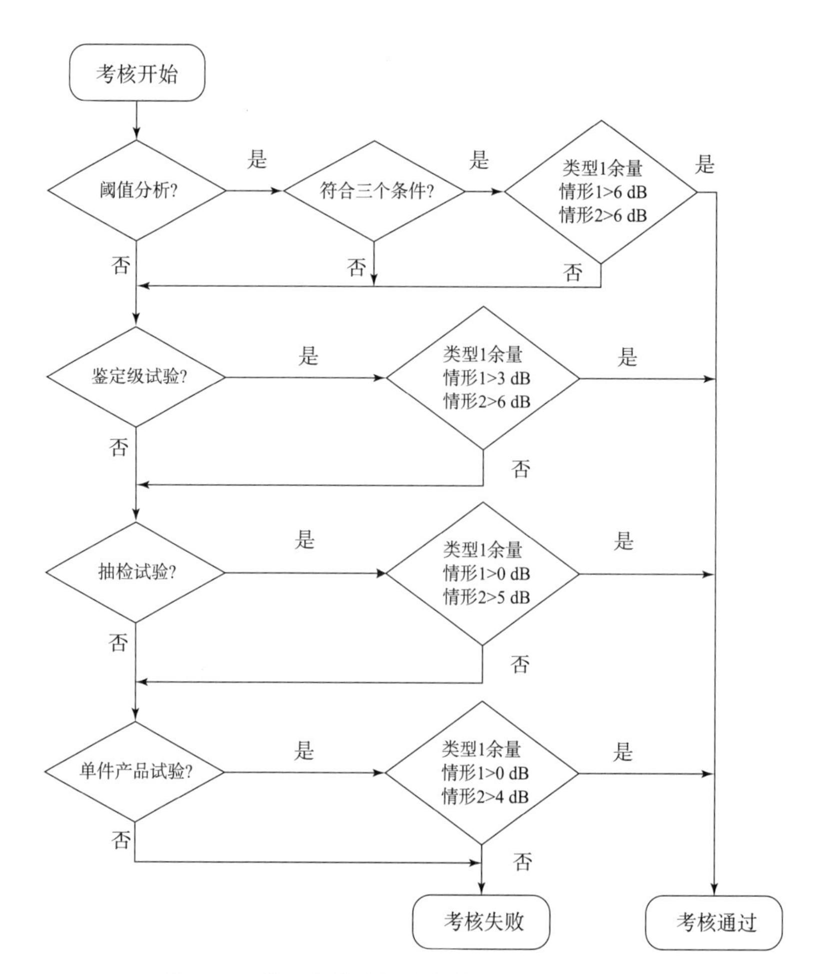

图 6-4　第一类微波部件多载波微放电考核流程

象检测的功能。

系统可按照功能模块实现划分为九个部分：自动控相的信号产生子系统、信号放大子系统、功率测量与校准子系统、多工器合成子系统、电子产生子系统、微放电检测子系统、真空模拟子系统、系统主控软件和系统集成。大功率微波部件多载波微放电效应研究平台组成框图如图 6-5 所示。

1. 自动控相的信号产生子系统

自动控相的信号产生子系统包括两个子部分，即信号产生和相控。信

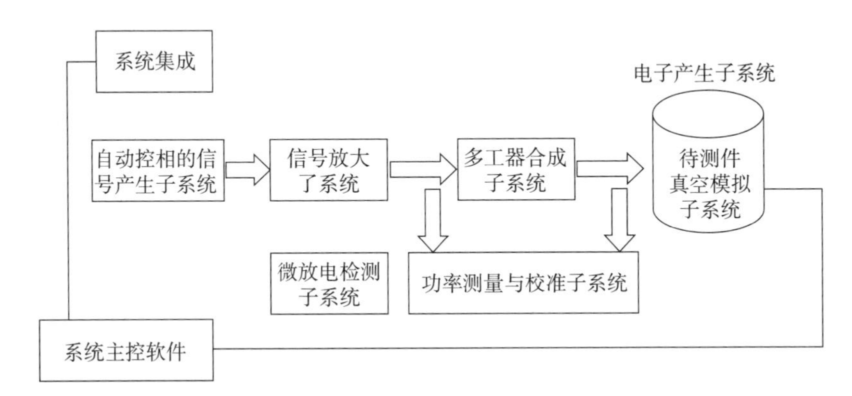

图6-5 大功率微波部件多载波微放电效应研究平台组成框图

号产生指产生用于6路且频率各不相同的Ku频段小功率信号，并支持相对初相调整功能。同时信号样式支持连续波和调制信号（包括但不限于BPSK、QPSK和16QAM等），同时还支持任意波形文件导入。

多载波微放电区别于单载波微放电检测系统最主要的特征是需要对多路输入载波信号进行相位控制，这里介绍多载波微放电检测系统自动控相的信号产生子系统，其原理框图如图6-6所示。自动控相的信号产生子系

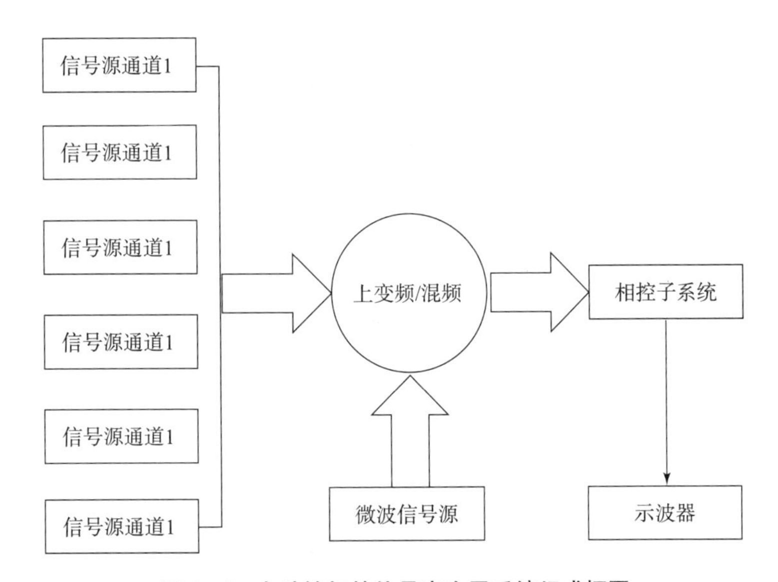

图6-6 自动控相的信号产生子系统组成框图

统主要产生用于微放电效应试验所需的多通道微波信号，并支持载波间相对相位自动控制。本部分要求支持连续波与调制信号生成，调制方式包括BPSK、QPSK和16QAM等典型通信调制方式；支持对6路载波信号进行相位检测、自适应调整并实时进行相位跟踪；支持理论与实测的多载波相位合成包络采集与对比。

多通道信号生成子系统由标准的任意波形发生器Keysight M8190A构成，共包括3块Keysight M8190A板卡与相应的机箱等，如图6-7所示。

图6-7　多通道信号生成子系统实物图

相控部分主要指通过引入相位控制手段确保6路异频信号经功率放大器放大并合成后，能够得到试验预期的包络相位形式，即可精确地调整与控制6路异频载波相控，同时可通过示波器直观地观察信号包络，这是多载波微放电试验的关键部分，我们采用信号源（作为本振源），通过相位控制系统结合控制信号发生器产生信号的相位，与示波器采集的信号比对调整，现场实物如图6-8所示。

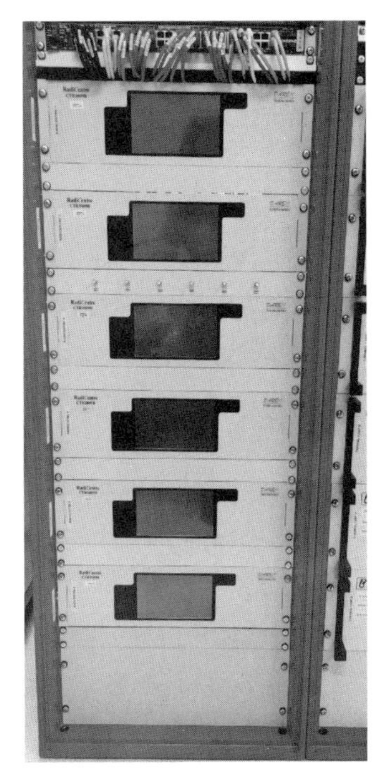
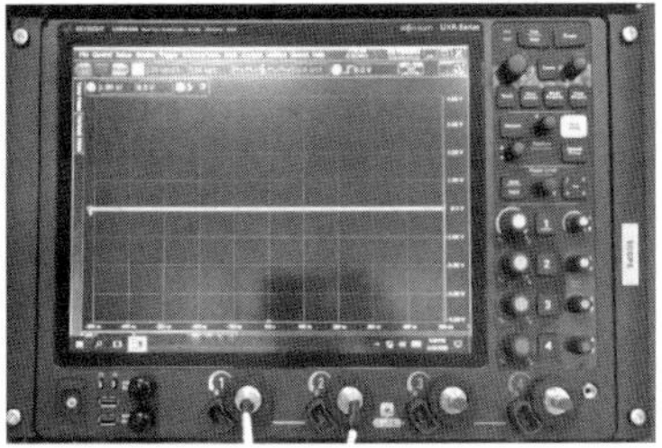

图6-8 相位控制子系统的现场实物

2. 信号放大子系统

信号放大子系统包括6路功率放大子系统（见图6-9），每套功率放大子系统由2台行波管放大器组成，2台行波管放大器合路输出到一个独立的通道，功率放大器后端采用魔T设计，可将两路功率放大器输出的功率合成输出更高的功率。信号放大子系统将6路异频Ku波段小功率信号进行放大，以满足对微放电试验要求的功率等级。由于系统通道数较多、功率较大，因此功率放大系统均采用水冷散热方式，确保系统运行过程中的噪声水平保持在较低水平。

3. 功率测量与校准子系统

（1）功率测量：旨在对功率放大器输出端进行正反向功率监测，主要涉及仪表为6台双通道平均功率计和12支平均功率计探头，如图6-10所示。

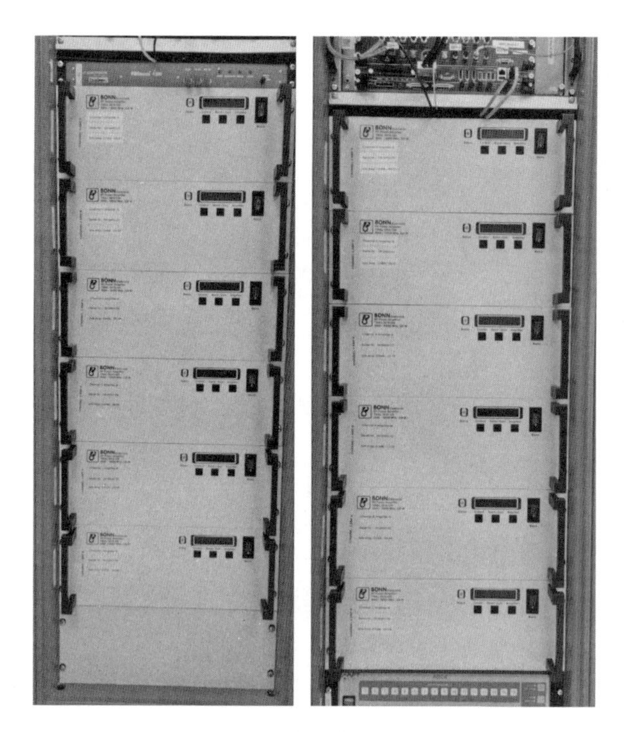

图 6-9　功率放大子系统

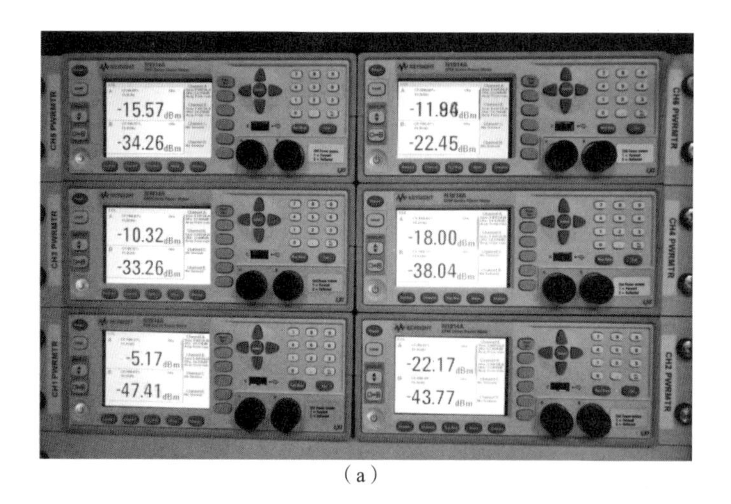

（a）

图 6-10　功率测量与校准子系统实物图

（a）6 台双通道平均功率计

（b）

图 6－10　功率测量与校准子系统实物图（续）

（b）12 支均值率计探头

（2）校准子系统：包括对整体测试系统的关键链路损耗校准测量，确保系统功率测量精度满足要求，主要涉及仪表设备为微波信号源、频谱分析仪和必要的无源模块等。

4. 多工器合成子系统

此子系统特指输出多工合成器，OMUX 用于将指定频率分布的 6 路异频大功率信号进行合成，输出 6 路异频信号合成包络信号，合成的信号最终通过真空罐馈入待测件。

5. 电子产生子系统

微放电测试用种子电子常用的有三种，根据第 5 章的分析结果，这里我们采用紫外光源方案，通过紫外光照射在器件关键区域，利用光电效应原理在器件内壁上激发自由电子，作为微放电效应发生的初始电子，加速微放电现象的产生。

我们采用国产的紫外激光源作为微放电试验初始电子加载方式，相较于辐射源与电子枪更为方便与安全，使用的紫外激光源设备如图 6－11 所示。

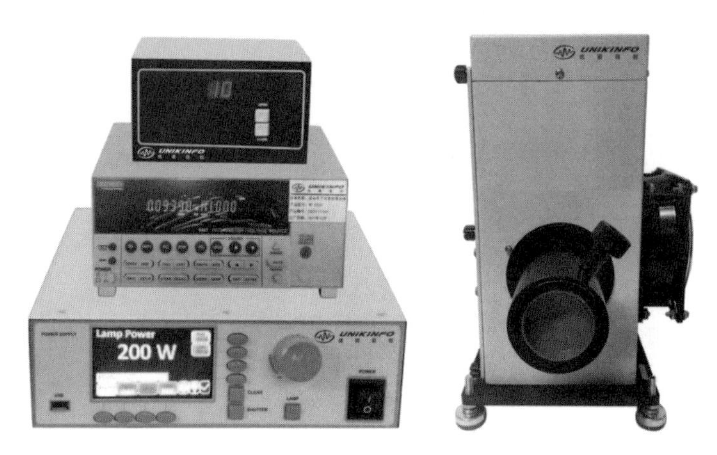

图 6－11 紫外激光源设备（见彩插）

根据光电效应原理，光纤深入被测件内部产生光电效应，光强与产生的自由电子数量和能量的关系采用法拉第杯测量，使用的电子数量测量装置如图 6－12 所示。通过调整紫外光源产生能量选择数量合适的光电子，最终提供适用于微放电试验的种子电子源。

图 6－12 紫外激光源产生种子电子的测量（见彩插）

6. 微放电检测子系统

微放电效应研究平台通常采用调零检测法和谐波检测法监测微放电效

应是否发生。本系统同样支持此两种方法——调零检测法和三次谐波检测法，同时支持正/反向功率检测法。图6-13所示为调零检测分析仪原理图。

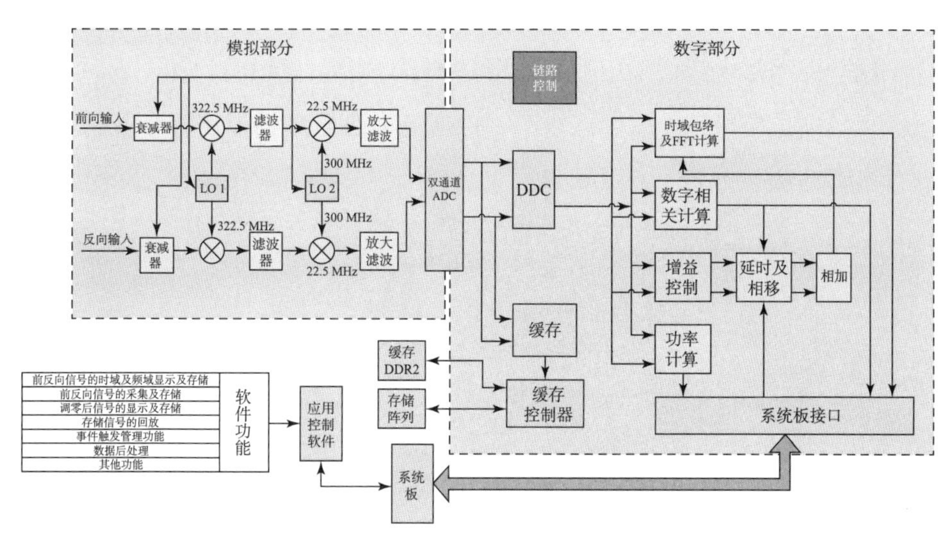

图6-13 调零检测分析仪原理图（见彩插）

采用该技术原理设计实现的调零检测分析仪实物图如图6-14所示。调零电路正常情况下，调零深度优于-70 dBm；支持数字调零与时频域同时显示。

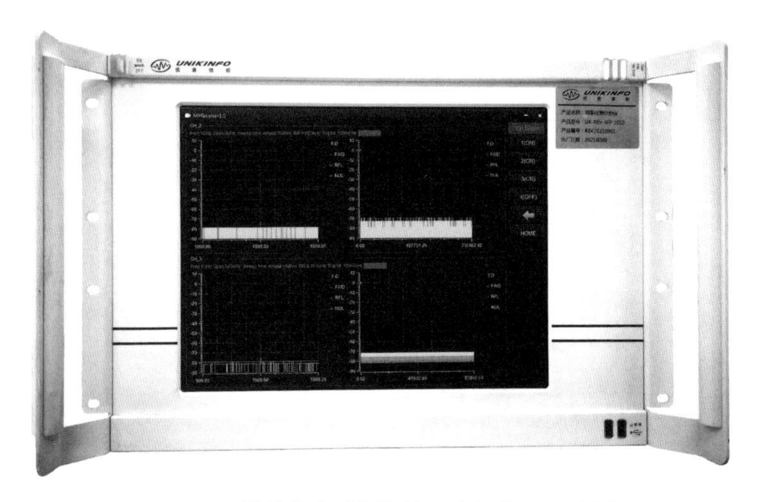

图6-14 微放电自动调零检测分析仪（见彩插）

7. 真空模拟子系统

真空模拟子系统是模拟微放电效应发生必要的真空环境条件。真空模拟子系统主要包含：供电系统、泵、控温系统、真空罐体、软件控制等部分，结合使用需求我们采用上开盖形式的真空罐，现场实物如图6-15所示。微放电试验过程中真空罐内待测件所处的真空度和温度等参数都采用软件自动监测并存储。

图6-15　真空罐实物图

8. 系统主控软件

研究平台运行使用主控系统，通过系统主控软件能够完成对试验系统中包括信号源、频谱分析仪、功率放大器、功率计、示波器、调零检测分析仪和真空模拟子系统等所有可程控设备或仪表的控制与监测，具备自动进行系统关键点功率标定和自动校准能力，同时可对系统所有试验参数等数据进行记录和存储。

图6-16所示为系统软件主控界面。

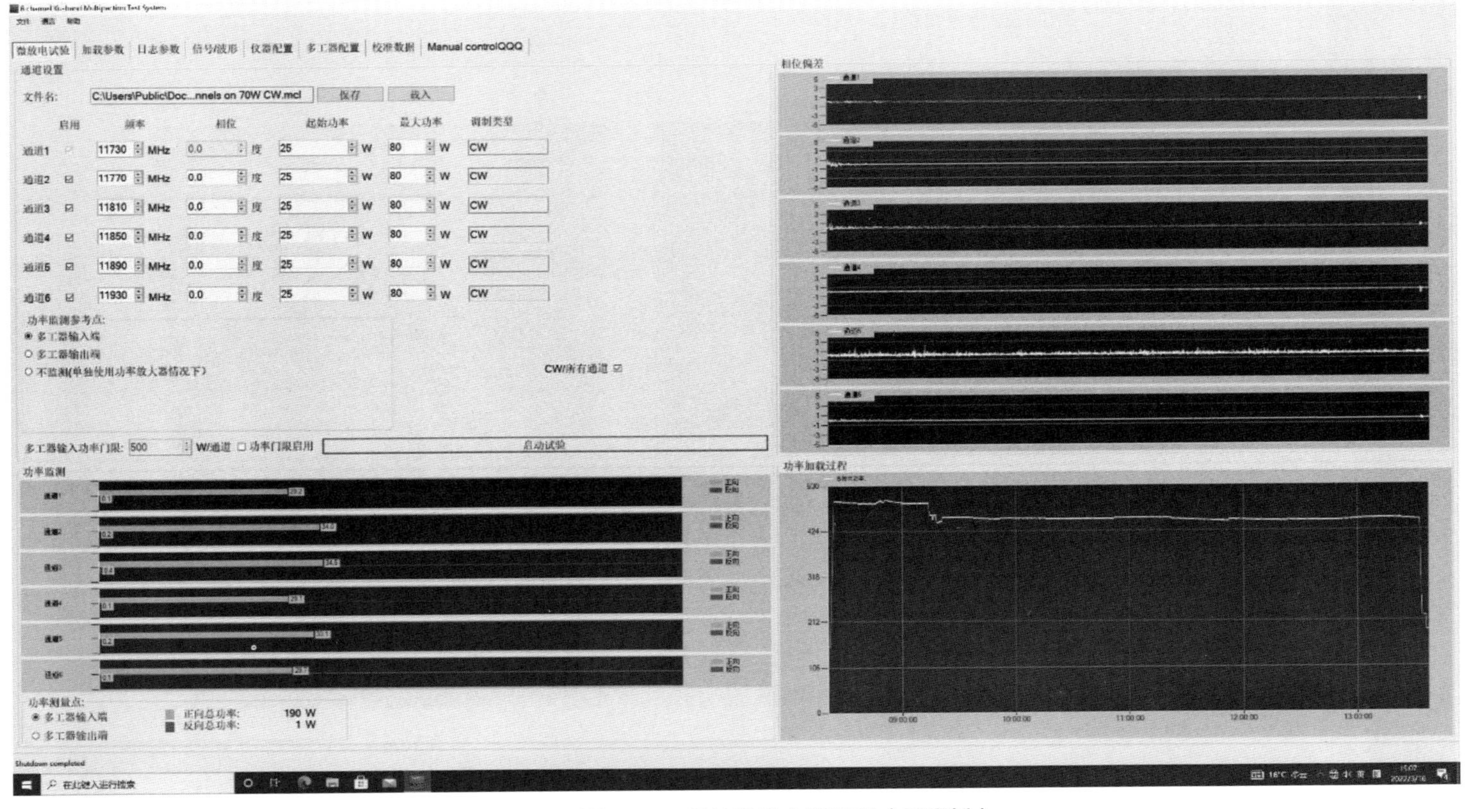

图6-16　系统软件主控界面（见彩插）

9. 系统集成

整个测试系统进行了科学和人性化的集成设计，提供结构紧凑的标准化机箱安装设计，同时考虑了系统的可移动性以及易用性，尽量减少人工接线作业，实现方便、快捷测试。

采用上述技术方案，目前整套测试系统已经建设完成，如图 6－17 所示，该系统建设将为大功率多载波微放电效应研究提供有力支撑。

（a）

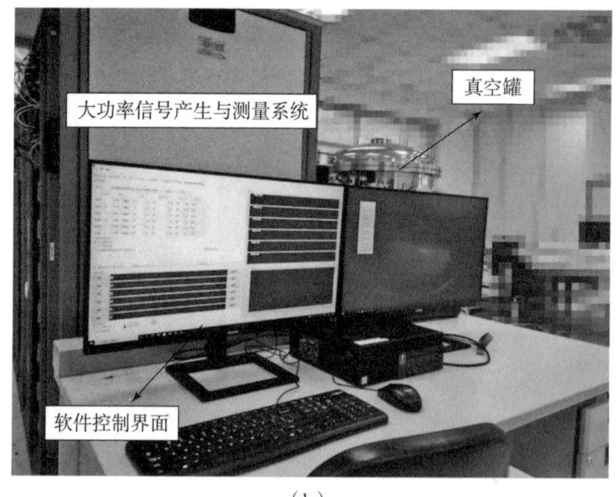

（b）

图 6－17　Ku 频段大功率多载波微放电效应（见彩插）

（a）研究平台正面；（b）研究平台整体

6.3　毫米波微放电检测

随着宽带多媒体卫星通信的蓬勃发展，C、Ku、Ka等低频段卫星通信系统频率资源日益紧张，相比Ka频段，Q频段（36－46 GHz）、V频段（46～56 GHz）具有工作频带宽、波束小、链路性能好等特点；为了满足卫星系统对通信容量和传输速率日益增长的需求，W频段已经成了卫星通信应用的研究前沿，国际电信联盟（International Telecommunication Union，ITU）为W频段卫星通信分配的频段是：上行81～86 GHz，下行71～76 GHz。该频段不仅可用带宽大，而且波束窄、干扰少、系统尺寸小，安全性能好；随着技术发展，更高频段也将不断用于航天器载荷系统。我们将Q/V频段到太赫兹频段低端范围的频段统称为毫米波频段。随着毫米波频段的大功率微波部件技术发展迅速，微放电等可靠性问题是它们步入实用阶段必须要解决的卡脖子难题，这里我们就统称为毫米波微放电效应问题，下面我们将介绍相关研究的工作方案。

6.3.1　毫米波微放电发生机制和理论建模研究

基于传统的大功率微波部件微放电理论分析方法，微放电建立的过程主要取决于三个关键因素：①部件结构设计；②部件工作频率；③敏感区表面二次电子发射特性。毫米波太赫兹通信系统的发射机馈入前端主要包括传输线、滤波器、隔离器和功分器等大功率无源部件，是微放电、低气压放电和无源互调可靠性问题敏感部件。虽然毫米波部件相比更低频段部件其整体结构尺寸显著缩小，但是由于受到加工技术制约，最窄间隙结构尺度并不会显著变化，根据微放电发生机制对频率间距积（$f \times d$）的基本依赖规律，毫米波太赫兹频段的窄间隙微放电阈值随频率增加而增加。

对大功率毫米波太赫兹部件直接进行微放电测试试验，将面临大功率射频连接真空穿舱技术的限制，目前关于该频段的可靠性问题研究，国内外报道仍然寥寥无几。2019 年美国麻省理工学院在《Physical Review Letter》发表了关于介质 110 GHz 微放电测量研究结果，明确地证实了微放电阈值大于目前常用微波频段部件，该报道中采用了微波光学灌入信号到真空腔的试验方法，避免了射频信号真空馈入难题，提供了一种测试研究方法，并利用准光腔谐振结构对蓝宝石、熔融石英介质窗的毫米波频段微放电效应进行了原理性验证，发现了电场垂直和平行于介质窗的微放电效应具有显著差别，该研究揭示了电磁波模式不同将导致场分布及介质能量吸收的显著差别，从而严重影响微放电建立过程。但是，这种针对介质窗的工作场景与通信卫星典型大功率微波部件有较大差别，毫米波部件随着频率增加不可避免的高损耗问题如何影响微放电发生机制还是不清楚，毫米波周期小于 10 ps 量级条件下介质加载部件的空间电荷效应需要深入探讨，因此针对毫米波太赫兹部件典型结构开展微放电效应机理研究是非常必要的。

大功率毫米波及太赫兹频段低端无源部件的典型结构主要采用波导结构、精密机械加工腔体滤波器、介质加载谐振腔滤波器等，研究中将主要关注典型的波导、腔体滤波器以及介质加载谐振腔滤波器三种典型工作模式下的微放电效应问题，将基于传统微放电理论建立考虑波导传输线损耗、谐振腔能量沉积、介质表面带电以及材料表面性质的毫米波无源部件微放电发生机制和阈值预测理论。由于毫米波无源部件空间尺寸小及其所面临的精细加工技术制约，电磁波工作模式、材料表面性质、加工偏差对其微放电发生的影响将比传统微波无源部件更为显著，基于传统的二次电子谐振倍增理论的微放电阈值计算方法遇到了挑战。

在微放电效应建立机制和阈值预测方法研究中，关键的研究思路将聚焦为三个方面。首先，基于二次电子运动时间维度，基于蒙特卡洛方法追踪腔体结构中双边放电建立过程中的多代二次电子轨迹，获得二次电子能量分布对频率和相位的统计分布规律，重新考证传统的麦克斯韦分布假设。其次，基于毫米波太赫兹频段严重的表面损耗，将电磁波场分布、能量沉积与二次电子谐振倍增效应进行多物理场耦合数值求解，建立微放电发生动力学机制。最后，针对介质加载微波部件，考虑 10 ps 周期电磁场作用下电荷沉积过程及其与二次电子发射的耦合效应，建立考虑介质损耗条件下的毫米波无源部件微放电建立过程。在此基础上，我们将重新梳理毫米波大功率微波部件微放电效应发生机制，推导简单波导结构和谐振腔结构的微放电发生对频率、功率和表面性质的理论方程，并应用蒙特卡洛方法进行微放电动力学仿真验证研究，最终确立腔体毫米波部件的微放电理论模型，针对结合试验分析对毫米波太赫兹频段微放电发生的关键影响因素进行系统研究。该方面研究对于拓展微放电基础理论，具有重要的学术价值，对于探索新结构毫米波太赫兹无源部件的功率容量设计方法，具有明确的指导意义。

6.3.2　基于准光腔结构的毫米波微放电效应关键因素试验诊断研究

准光谐振系统是目前最主要的毫米波及太赫兹空间传输特性测试系统。准光腔是一种品质因数极高的谐振腔，它的特点在于，它的腔体尺寸可以远远大于腔内谐振波长，将它运用于毫米波及太赫兹波段时，它的尺寸可以做到厘米甚至分米量级，因此准光腔具有便于加工的优点。此外，和封闭金属谐振腔不同，准光腔不需要金属侧壁来约束腔内的电磁场，因此其导体损耗很小，在毫米波及太赫兹频段，品质因数可以达到较高量级。同时，准光腔还具有谐振频率稀疏、束腰半径小等优点，因而准光腔在毫米波及太赫兹频段的测量领域表现出非常优越的性能。

6.3.2.1　准光谐振结构

根据准光学谐振腔结构特征，可将其分为两种类型：第一种结构是由两个球面镜组成的共焦型开放式谐振腔（Confocal – Type Open Resonator,

CTOR）；第二种结构是由平面镜和球面镜组成的反射型开放式谐振腔（Reflection - Type Hemispherical Open Resonator，RTHOR），如图 6 - 18 所示。

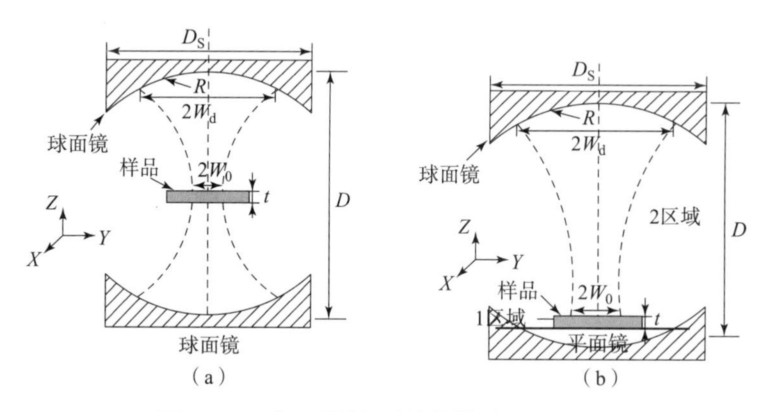

图 6 - 18　准光学谐振腔结构模型（见彩插）

（a）CTOR 谐振腔；（b）RTHOR 谐振腔

在上述两种结构中，电磁波通过磁耦合环或者电探针进行耦合馈电，并通过球面镜对谐振电磁波进行聚焦，以减小腔体内电磁波的束腰半径。由束波理论可知，准光学谐振腔内的电磁场是以高斯波束形式进行传播与谐振的，并且谐振腔内的横向开放式边界条件并不会对腔内电磁场分布产生影响。

典型的 RTHOR 谐振腔型准光腔测量系统如图 6 - 19 所示，分为 5 个部分：准光腔凹面镜、支撑架、准光腔平面镜、测试模块支架与测试显示装置。

6.3.2.2　准光腔微放电测试

精确检测典型介质材料的微放电现象对评估和理解微波部件的微放电效应十分有益，对工程实践也更有借鉴意义。光路传输具有频带宽、组网灵活等优点，因此，采用光路传导微波可使微放电检测系统具有更高的灵活性。

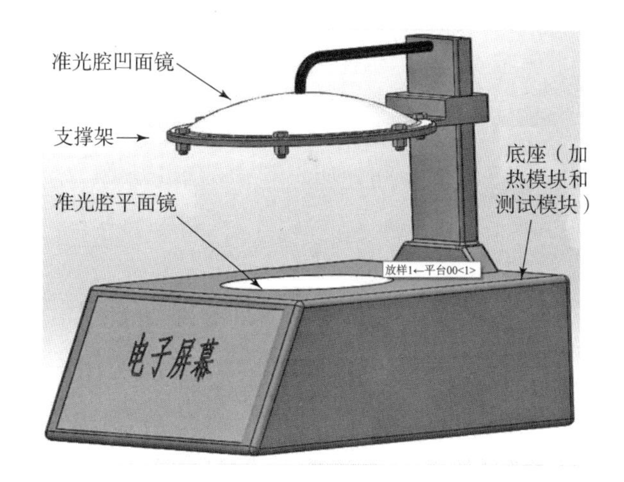

图6-19 典型的准光腔测量系统（见彩插）

对毫米波部件微放电阈值进行类似于传统微波频段大功率微放电测试，是检测微放电最直接的手段。但是，毫米波频段微放电试验是具有技术和高成本挑战性的。为了对影响毫米波微放电的关键因素进行深入系统研究，主要包括电磁场模式、表面损耗、介质加载等，从而对大功率容量的毫米波部件设计给出明确的指导建议，接下来的研究中将参考麻省理工学院报道的试验方法，设计并实现基于准光腔结构的毫米波微放电诊断系统。

由于准光腔结构可以覆盖20 GHz到大于200 GHz毫米波测量，能够在不改变被测件的条件下诊断毫米波微放电效应对频率的依赖规律，相比传统的微波部件微放电效应测试系统具有得天独厚的技术优势。同时，准光腔结构是开放式的组装结构，能够方便地设计并更换待测的试验件，应用该测试系统能够实现对试验件微放电效应的单因素影响试验研究。

基于上述分析，本试验拟基于光学传输技术设计一种传输微波的准光路系统，将微波引入半开放式的微波谐振腔，通过谐振增强微波功率实现材料的微放电。采用半开放式的谐振结构，能极大地方便放电过程中的光学诊断和电子收集诊断，提高了放电阈值检测的可靠性。本试验拟依据的测试系统原理框图如图 6－20 所示，该测试系统包括大功率微波源、微波光路系统、准光腔测试待测件、微放电发生信号诊断以及系统控制电路，基于该系统完成 Q/V 频段的空间介质材料微放电检测，为后续进行试验验证提供支撑。

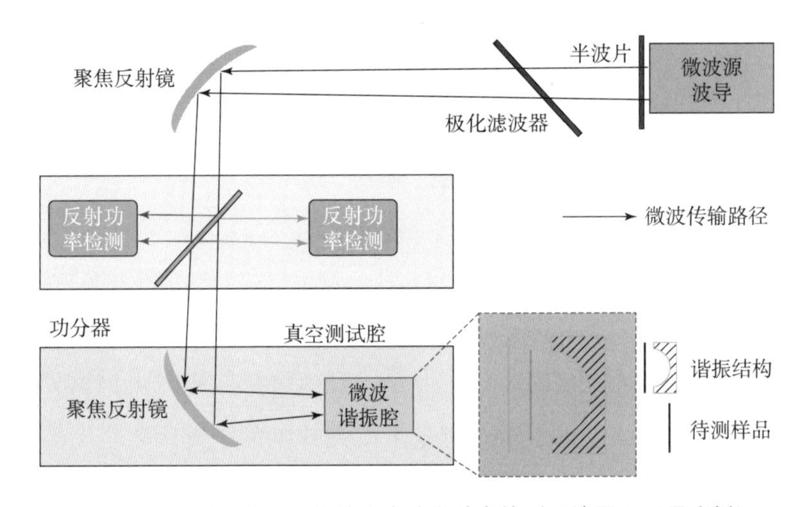

图 6－20　基于准光腔结构的毫米波微放电检测系统原理（见彩插）

基于对反射功率变化量的监测判断待测件是否发生微放电现象，进行反射功率异常变化的高灵敏度监测对诊断微放电是否发生十分重要，也是系统搭建中的关键模块，本节将详细介绍微波光路、准光腔结构和检测结构的设计与优化分析方法。

1. Q/V 频段微波光路

（1）可调微波衰减器的设计与优化。

本部分研究内容为反射系数满足 Q/V 频段激励要求的微波衰减器设计。在波导输出端口设置由半波片和极化滤波器构成的连续可调的衰减器，一方面实现准光路中微波功率的调节，另一方面将入射微波调制为极化波，减小从样品反射回来的微波对微波源的影响。通过设计与优化实现准光路中入射微波功率的可调性。

（2）聚焦反射镜1的设计与优化。

微波源产生Q/V频段的微波，经波导管传输后经由极化滤波器极化后入射到聚焦反射镜1，聚焦反射镜1将入射的微波束经适当聚焦后反射入真空测试腔。真空腔内的聚焦反射镜2将辐射进入的电磁能量收集、会聚后转射至准光腔平面镜，实现对准光腔的激励。对聚焦反射镜1的技术要求主要是收集波导管发射的经衰减器衰减极化后的微波并将其转射入真空测试腔，并根据需要对射入真空测试腔的电磁波束斑大小进行控制。本部分拟通过理论设计与仿真优化，研究聚焦反射镜1的几何形状及尺寸对微波收集与转射的影响规律。

2. 准光腔结构

（1）毫米波准光腔设计与优化。

毫米波准光腔设计主要包括两方面内容：谐振频率满足Q/V频段工作要求的准光腔设计；透射/反射系数满足Q/V频段准光腔激励要求的平面镜设计。图6－21所示为加载了介质样品的准光腔示意图。

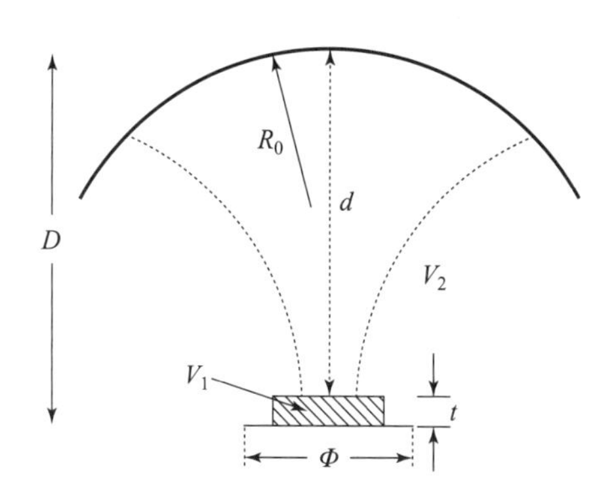

图6－21　加载了介质样品的准光腔示意图

这里采用准光腔的特定模式，其谐振频率由球面镜曲率半径和腔长决定，如式（6－1）计算得到：

$$f_{00q}=\frac{c}{2D}\left[q+1+\frac{1}{\pi}\arctan\left(\sqrt{\frac{D}{R_0-D}}\right)\right] \tag{6-1}$$

式中，c 为真空中光速，D 为腔长，q 为模式数，R_0 为球面镜曲率半径。

由此可见，可以通过选择合适的模式数、腔长以及曲率半径来获得谐振频率。所以，设计准光腔的工作频率时，可以采取比较灵活的方式。例如，在不改变准光腔几何尺寸（球面镜曲率半径、腔长、平面镜口径）的条件下，也可通过选择不同模式数获得不同的谐振频率。除了考虑谐振频率之外，准光腔的设计还需考虑平面镜束斑大小、菲涅尔因子等因素。图 6－22 给出了 Q 频段准光腔的电磁场分布的典型模拟结果。

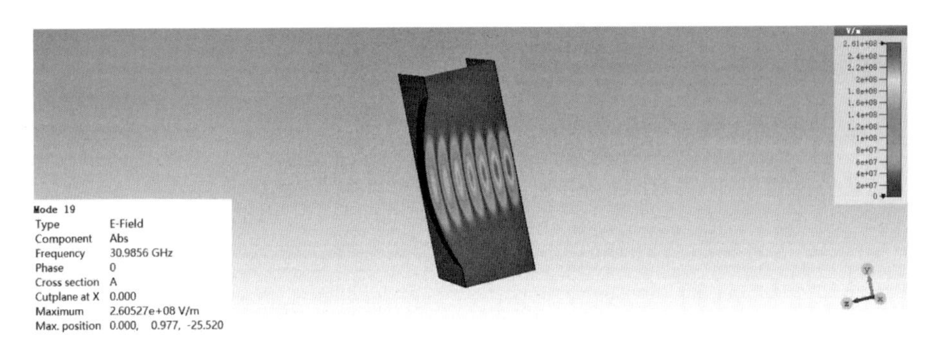

图 6－22　准光腔电磁场分布模拟结果（见彩插）

在准光腔研究中，依据准光腔高斯波束理论和工作频段指标要求，对球面镜曲率半径及口径、准光腔 TEM 工作模式的模式数、准光腔腔长等参数进行设计和仿真优化。

在平面镜研究中，主要考虑准光腔的激励问题。当准光腔技术用于材料参数检测时，准光腔的激励可以采用小孔耦合等方式。但是在图 6－21 所示的示意图中，激励源从平面镜背面照射，利用平面镜在谐振频点的反射/透射特性，实现准光腔的激励。因此，需要依据平面波传播理论，研究硅片掺杂浓度及厚度、真空间隙尺寸对毫米波在“硅/真空/硅”多层媒质中的透射/反射特性的影响规律，进而获得满足准光腔激励要求的平面镜结构。

（2）聚焦反射镜2的设计与优化。

真空腔内的聚焦反射镜起到波束导向的作用——将从真空腔外辐照进真空腔室的电磁能量收集、会聚后转射至准光腔平面镜，实现对准光腔的激励。对聚焦反射镜的技术要求主要有两个方面：一方面，要求从真空腔外射入真空腔内的电磁能量应高效率地被反射镜所收集并转射；另一方面，则需要依据试验需要对反射镜转射至平面镜背面的电磁波束斑大小进行控制（通过反射镜自身参数设计以及反射镜与平面镜距离设计来实现）。本试验拟通过理论设计与仿真优化，研究聚焦反射镜几何形状及尺寸对聚焦束斑尺寸等因素的影响规律。

（3）微放电阈值检测系统真空腔内关键部件的设计优化。

在完成了前述准光腔、聚焦反射镜的设计和优化后，为了进一步检验设计效果，本项目通过电磁仿真，结合上述准光腔、聚焦反射镜的优化设计结果，对微放电阈值检测系统真空腔内关键部件进行联合仿真验证和优化，亦即在电磁仿真软件中将聚焦反射镜、准光腔均进行建模，以喇叭天线或平面波波导端口作为馈源，通过仿真得到馈源功率与准光腔内电磁场分布之间的关系，并结合微放电阈值理论评估所得设计是否满足微放电检测需求。依据已有的微放电理论，发生微放电时对应的阈值电场强度可表示为式（6-2）：

$$E_{MT} = (2\omega/e)\sqrt{m_e V_1} \tag{6-2}$$

式中，ω 为工作频率，e 为电子电荷，m_e 为电子质量，V_1 为介质材料SEY曲线的第一能量交叉点。因此，依据这一理论，可以在获得待测介质材料的SEY特性之后，预测出发生微放电所需的电场强度，之后即可将仿真得到的准光腔内的电场强度与该阈值电场强度进行对比，最终评估所设计的准光腔和聚焦反射镜是否满足要求。为了更真实地仿真实际试验场景，在仿真建模过程中，还可将真空腔、腔内夹具等因素予以考虑，进而为开展检测系统的试验验证提供更充分的支撑。

3. 检测结构

（1）微波功率监测。

本部分主要对射入微波谐振腔的微波功率进行检测和计算，在光路中设置两个微波功率检测电路和一个功分器（半反半透镜）。功分器设置于微波传输光路中聚焦反射镜 1 和真空测试腔之间，当微波入射到功分器处，一半功率反射至微波入射功率检测电路，另一半功率透射进入真空测试腔，经聚焦反射镜 2 聚焦转射进入谐振腔，诱导样品产生微放电现象。经聚焦反射镜 2 入射到谐振腔平面镜的一部分微波被平面镜反射后沿光路返回至功分器，其中一半功率被反射至微波反射功率检测电路，剩余一半功率透射过功分器后被极化滤波器阻挡而不会影响微波发射源。比较输入功率与反射功率之差即可计算出射入微波谐振腔中的微波功率。

（2）微放电检测。

在真空测试腔外靠近微波谐振结构处设置科学级的增强型 CCD 相机，实时监测由微放电现象引起的可见光发射，结合式（6－2）中计算出的微波入射功率从而确定微放电的发生阈值。

6.4 小结

随着空间科学与技术的发展，大功率微波部件遇到微放电导致的可靠性问题更加严峻，微放电检测作为验证大功率微波部件的最后手段，需要持续不断地研究。本章介绍了我们在多载波微放电检测与毫米波频段微放电检测的研究进展，为航天器大功率微波部件微放电检测技术研究提供参考与支撑。

参考文献

[1] ESA – ESTEC. Multipaction design and test [S]. ESA Standard ECSS – E – 20 – 01 A, ESA, Noordwijk, The Netherlands, 2003.

[2] ESA – ESTEC. Multipaction design and test (revised) [S]. ESA Standard ECSS – E – 20 – 01A Rev. 1, ESA, Noordwijk, The Netherlands, 2013.

[3] ESA – ESTEC. Multipaction design and test [S]. ECSS – E – HB – 20 – 01A and ECSS – E – ST – 20 – 01C, ESA, Noordwijk, The Netherlands, 2020.

[4] QJ 2630. 3—2020，航天器组件空间环境试验方法—第3部分：低气压放电和微放电试验 [S]. 北京：北京卫星环境工程研究所和中国航天标准化研究所，2020.

[5] QJ 20325. 2—2014，航天器射频部件与设备测试方法—第2部分：微放电 [S]. 北京：中国空间技术研究院西安分院，2014.

[6] 魏焕，马伊民，崔万照. 一种利用互调分量检测微波部件微放电的方法 [P]. 陕西：CN104062565A，2014 – 09 – 24.

[7] 魏焕. 基于互调分量的微放电检测方法研究 [D]. 西安：中国航天科技集团公司第五研究院西安分院，2014.

[8] GRAVES T P. Standard/handbook for radio frequency (RF) breakdown prevention in spacecraft components [R]. Aerospace report, 2014.
[9] 崔万照，李韵，张洪太，等．航天器微波部件微放电分析及其应用[M]. 北京：北京理工大学出版社，2019.
[10] 王新波，崔万照，张洪太，等．空间微波部件多载波微放电分析[M]. 北京：北京理工大学出版社，2020.
[11] CUI W Z, LI Y, ZHANG H. Simulation Method of Multipactor and Its Application in Satellite Microwave Components [M]. Boca Raton: CRC Press, 2021.
[12] 陈道明．通信卫星有效载荷技术 [M]. 北京：宇航出版社，2001.
[13] 优诺信创 [CP/OL]. 北京，中国：优诺信创，2021，http://www.unikinfo.com.
[14] 孙勤奋．星载大功率器件微放电问题及测试方案 [C]. 西安：航天五零四所学术会议，1998：108-111.
[15] 孙勤奋，崔骏业，吴春邦，等．S 波段无源部件微放电测试研究[C]. 西安：航天五零四所学术会议，1999：454-457.
[16] 田伟，张国锋，雷卫平．宇航级高功率微波载荷微放电效应检测[J]. 电子质量，2021（4）：100-102.
[17] 曲冬梅，韩晓川．宇航用毫米波高功率波导同轴转换器设计 [J]. 磁性材料及器件，2017，48（5）：4.
[18] 张国锋，王锡昌，张延涛．微放电效应检测中的信号调零技术研究[J]. 电子质量，2021（5）：115-118.
[19] 魏焕，王新波，胡天存，等．航天器大功率微波部件微放电测试研究进展 [J]. 空间电子技术，2021，18（1）：41-46.
[20] 雷卫平，郭荣斌，杨志兴，段志强．微波部件的微放电效应检测系统 [J]. 国外电子测量技术，2017，36（12）：52-56.
[21] 魏焕，马伊民．一种对大功率器件微放电检测新方法的研究 [J].

空间电子技术，2014，11（4）：7－10，82.

[22] 魏焕，马伊民．微放电检测方法分析［J］．现代电子技术，2014，37（7）：143－146.

[23] SERGIO A H. Multipactor in multicarrier systems theory and prediction［D］．Valencia：University of Valencia，2014.

[24] 李砚平，马伊民．一种多载波情况下的微放电检测新方法［J］．空间电子技术，2009，6（3）：103－107.

[25] HE Y，SHEN T，QANG Q，et al. Effect of atmospheric exposure on secondary electron yield of inert metal and its potential impact on the threshold of multipactor effect［J］. Applied Surface Science，2020，520：146320－146326.

[26] 崔阳，宋佰鹏，杨勇，等．航天器表面材料二次电子发射特性研究［J］．真空科学与技术学报，2021，41（8）：770－774.

[27] 苗光辉，崔万照，杨晶．基于 ZnO 纳米棒薄膜对二次电子发射特性的抑制研究［C］. 2021 年全国微波毫米波会议论文集（上册），2021：348－350.

[28] 杨晶，崔万照，苗光辉．高功率微波材料表面二次电子发射系数模型与测量分析［C］. 2021 年全国微波毫米波会议论文集（上册），2021：360－363.

[29] KREBS K AND MEERBACH H. Plasma Studies in a Low Pressure High Frequency Discharge［C］. Annals of Physics，1955：15－18.

[30] GRUDIEV A V，MYAKISHEV D G，YAKOVLEV V P . Simulation of multipacting in RF cavities and periodical structures［C］. Particle Accelerator Conference，IEEE，1998.

[31] WOO R. Final Report on RF Breakdown in Coax Transmission Lines［R］. NASA Report，1970.

[32] AUGUEST G. Multipactor Breakdown－lessons unleaned［C］. AIAA 10th

Conference, Florida, Mar 1984: 19 – 22.

[33] RODNEY J, VAUGHAN M. Multipactor [J]. IEEE Transaction Electron Devices, 1988, 35 (7): 1172 – 1180.

[34] TANG W C. Multipactor breakdown and passive intermodulation in microwave equipment for satellite applications [J]. Canada, IEEE, 1990: 181 – 187.

[35] RONDEY J. A New Formula for Secondary emission Yield [C]. IEEE Conference Record, 1989.

[36] KISHEK R A, LAU Y Y. Interactions of Multipactor and RF Circuit [C]. IEEE conference Record, 1996: 160 – 165.

[37] ESA – ESTEC. 电子二次倍增效应的诊断性研究、敏感区的测量和影响放电的参数 [G]. 郭文嘉, 等译. 西安: 中国空间技术研究院, 1992.

[38] LAU Y Y, KISHEK R A. Multipactor Discharge on a Dieletric [C]. IEEE Plasma Science, 1996: 135 – 141.

[39] GOUDKET P. Multipactor Studies in Rectangular Waveguides [C]. PAC, 1999: 983 – 985.

[40] GENG R L. Multipacting in a Rectangular Waveguide [C]. Particle Accelerator Conference, 2001: 101 – 108.

[41] 曹桂明, 王积勤. 矩形波导内的微放电效应 [J]. 航空计算技术, 2002, 32 (4): 3.

[42] SHEMELIN V D. Multipactor Discharge in a Rectangular Waveguide with Regard to Normal and Tangential Velocity Components of Secondary Electrons [C]. IEEE Conference Record, 2003: 1 – 12.

[43] GENG R L. Multipacting Simulations for Superconducting Cavities and RF Coupler Waveguides [C]. Portland, 2003: 12 – 16.

[44] COOKE S J, LEVUSH B. Eigenmodes Solution of 2 – D and 3 – D

Electromagnetic Cavities Containing Absorbing Materials Using the Jacobi 2 Davidson Algorithm [C]. Comp. Physical, 2000: 350 - 370.

[45] 曹桂明，王积勤．微放电效应部件设计研究 [J]．宇航计测技术，2004，24 (6): 5.

[46] Dykes. Dynamical Aspects of Multipacting Induced Discharge in a Rectangular Waveguide [C]. Nuclear Instruments and Methods in Physics Research, 2005: 189 - 205.

[47] 邵建设，严萍，袁伟群．大气压空气中同轴介质阻挡放电微放电特性 [J]．高电压技术，2006，32 (10): 4.

[48] 李雪辰．大气压介质阻挡放电中微放电特性研究 [D]．保定：河北大学硕士论文，2002.

[49] 曹桂明，聂莹，王积勤．微波部件微放电效应综述 [J]．宇航计测技术，2005，25 (4): 5.

[50] 曹桂明，王积勤．空间微波系统中微放电现象 [J]．宇航计测技术，2002，22 (5): 6.

[51] 张世全，葛德彪，殷世民，张辉．基于傅里叶级数法的稳态二次电子倍增放电求解 [J]．微波学报，2004，20 (4): 5.

[52] 张世全，殷世民，葛德彪．星载微波器件无源互调和二次电子倍增放电的产生与抑制 [J]．安全与电磁兼容，2003 (1): 12 - 14.

[53] 魏焕，王新波，胡天存，等．航天器大功率微波部件微放电测试研究进展 [J]．空间电子技术，2021，18 (1): 41 - 46.

[54] 王翰林，蒋东．通信系统中的无源非线性综述 [C]．全国电磁兼容学术会议暨微波电磁兼容全国学术会议，中国电子学会，2004.

[55] 童靖宇，阎德葵，贾瑞金．航天器天线二次电子倍增微放电试验与测试技术 [C]．中国宇航学会结构强度与环境工程专委会航天空间环境工程信息网学术讨论会，中国宇航学会，2005.

[56] 张世全．微波与射频无源互调干扰研究 [D]．西安：西安电子科技

大学博士论文，2004.

[57] 柳荣．空间微波部件微放电特性分析 [D]. 西安：西安电子科技大学硕士论文，2009.

[58] ECSS. Multipactor Tool [CP/OL]. Noordwijk, Netherlands: ESA, 2003. http://www.aurorasat.es/multipactortool.php.

[59] FUKUNAGA K, OKAMOTOK M T. Space charge observation in aramid/epoxy insulations under DC electric field [J]. IEEE Transaction on Components and Packing Technologies, 2006, 29 (3): 502-507.

[60] 王新波，白鹤，孙勤奋，等．真空罐穿舱法兰介质微放电的试验研究 [J]. 物理学报，2021，70 (12)：363-371.

[61] 林舒，翟永贵，张磊，等．粒子模拟在空间大功率微波器件微放电效应研究中的应用 [J]. 真空电子技术，2019 (6)：55-61.

[62] 王新波，白鹤，李韵，等．星载微波部件介质微放电理论研究现状及发展趋势 [J]. 空间电子技术，2019，16 (6)：1-9.

[63] 王新波，张小宁，李韵，等．多载波微放电阈值的粒子模拟及分析 [J]. 物理学报，2017，66 (15)：268-276.

[64] 翟永贵，王瑞，王洪广，等．铁氧体环形器微放电阈值快速粒子模拟 [J]. 真空电子技术，2017 (2)：11-13，28.

[65] 张剑锋，游检卫，王洪广，等．基于时域有限差分的微放电仿真算法 [J]. 中国空间科学技术，2017，37 (2)：89-95.

[66] 张娜，崔万照，胡天存，等．微放电效应研究进展 [J]. 空间电子技术，2011，8 (1)：38-43.

[67] 李盛涛，李国倡，闵道敏，等．入射电子能量对低密度聚乙烯深层充电特性的影响 [J]. 物理学报，2013，62：059401.

[68] TORREGROSA G, COVES A, VICENTE C, et al. Time evolution of an electron discharge in a parallel-plate dielectric-loaded waveguide [J]. IEEE Electron Device Letters, 2006, 27 (7): 619-621.

[69] LI Y, WANG D, YU M, et al. Experimental verification of multipactor discharge dynamics between ferrite dielectric and metal [J]. IEEE Transactions on Electron Devices, 2018, 65 (10): 4592 – 4599.

[70] Torregrosa – Penalva G, COVES Á, MARTINEZ B, et al. Multipactor susceptibility charts of a parallel – plate dielectric – loaded waveguide [J]. IEEE Transaction on Electron Devices, 2010, 57 (5): 1160 – 1166.

[71] COVES Á, Torregrosa – Penalva G, VICENTE C, et al. Multipactor discharges in parallel – plate dielectric – loaded waveguides including space – charge effects [J]. IEEE Transaction on Electron Devices, 2008, 55 (9): 2505 – 2511.

[72] KATE I, MANDELL M, JONGEWARD G, et a1. The importance of accurate secondary electron yields in modeling spacecraft charging [J]. Journal of Geophysical Research, 1986, 91 (12): 13739 – 13744.

[73] 董烨，董志伟，杨温渊. 介质单边二次电子倍增的理论分析与数值模拟 [J]. 强激光与粒子束，2011，23 (7): 8.

[74] SONG B P, SHEN W W, MU H B, et al. Measurements of secondary electron emission from dielectric window materials [J]. IEEE Transaction on Plasma Science, 2013, 41 (8): 2117 – 2122.

[75] 王芳，黎东杰，翁明，等. 电子辐照介质材料二次电子发射系数与能谱测量数据库 [J]. 真空科学与技术学报，2021 (12): 41.

[76] 崔阳，宋佰鹏，杨勇，等. 航天器表面材料二次电子发射特性研究 [J]. 真空科学与技术学报，2021，41 (8): 770 – 774.

[77] 翁明，谢少毅，殷明，曹猛. 介质材料二次电子发射特性对微波击穿的影响 [J]. 物理学报，2020，69 (8): 306 – 312.

[78] 何鋆，杨晶，苗光辉，等. 高性能多功能介质二次电子发射特性研究平台 [J]. 强激光与粒子束，2020，32 (3): 73 – 77.

[79] HIGASHI A, HASHIMOTO Y, OHSAWA D, et al. Secondary electron

emission measurement from Cr and Cu bombarded by an Ne10 + beam at 6 MeV/n [J]. Progress of Theoretical and Experimental Physics, 2020 (3): 1136 - 1141.

[80] 李杨威，任成燕，孔飞，等. 绝缘材料二次电子发射系数的测量及其影响因素研究进展 [J]. 高压电器，2019，55 (5): 1 - 9.

[81] 王思展. 材料二次电子发射特性及测量方法研究 [J]. 科技与创新，2019 (8): 35 - 39.

[82] 苗光辉，崔万照，杨晶，张恒. 二次电子发射特性测量装置的研究与进展 [J]. 空间电子技术，2018，15 (1): 25 - 32，41.

[83] 封国宝，崔万照，胡天存，等. 基于表面构型的二次电子发射及微放电特性研究 [J]. 机械工程学报，2018，54 (9): 121 - 127.

[84] 张恒. 二次电子发射能谱及其对微放电阈值的影响研究 [D]. 西安：中国航天科技集团公司第五研究院西安分院，2017.

[85] 李红林. 二次电子发射系数测控系统软硬件设计 [D]. 成都：电子科技大学，2017.

[86] 张恒，崔万照. 二次电子发射能谱研究进展 [J]. 空间电子技术，2016，13 (3): 7 - 15.

[87] 吴群. 二次电子发射系数测量装置研究 [D]. 成都：电子科技大学，2016.

[88] 虞阳烨，曹猛，张海波. 金属二次电子发射能谱的表面吸附势垒模型 [J]. 西安交通大学学报，2015，49 (10): 97 - 102.

[89] WOLK D, ROSOWSKY D. Design and high power test of a 12 GHz/12 channel contiguous output multiplexer [C]. International Communication Satellite Systems Conference, Washington DC, USA: AIAA, 1992: 943 - 950.

[90] GEISSLER K H, WOLK D. Multipactor testing of multiplexer and waveguide components exposed to multiple carrier loading [C]. European Microwave

Conference, Bologna, Italy: IEEE, 1995: 194 - 198.

[91] MEIJER O, MILATZ A, RABOSO D, et al. Development of a 10 channel Ku - band multi - carrier test system for RF breakdown investigations and testing [C]. Workshop on Multipactor, Corona and Passive Intermodulation in Space RF Hardware, Valencia, Spain: ESA, 2011.

[92] 孙勤奋, 崔骏业. S 波段无源部件微放电测试研究 [J]. 空间电子技术, 1999, 6 (3): 29 - 32.

[93] 孙勤奋. 星载大功率器件微放电问题及测试方案 [D]. 西安: 航天总公司五零四研究所, 1998.

[94] 柳荣. 空间微波器件微放电特性分析 [D]. 西安: 西安电子科技大学, 2009.

[95] ANDERSON R D, INGVARSON P, JOSTELL U. New method for detection of multipaction [J]. IEEE Transations on Plasma Science, 2003, 31 (3): 96 - 404.

[96] 李砚平. 一种检测微放电的新方法——调幅法 [D]. 西安: 中国空间技术研究院, 2008.

[97] LI Y P, MA Y M. New method of amplitude modulation for detection of multipaction [C]. ISTP, Hangzhou, 2008: 328 - 333.

[98] TANG W C, KUDSIA C. Multipactor breakdown andpassive intermodulation in microwave equipment for satellite applications [C]. IEEE Millitary Communication Conference, Monterey, CA: IEEE, 1990: 181 - 187.

[99] 魏焕, 马伊民. 微放电检测方法分析 [J]. 现代电子技术, 2014, 37 (7): 4.

[100] 张国锋, 王锡昌, 张延涛. 微放电效应检测中的信号调零技术研究 [J]. 电子质量, 2021 (5): 115 - 118.

[101] 田伟, 张国锋, 雷卫平. 宇航级高功率微波载荷微放电效应检测 [J]. 电子质量, 2021 (4): 100 - 102.

[102] 付琳清. 基于扫描探针显微镜的微放电研究 [D]. 哈尔滨：哈尔滨理工大学，2018.

[103] 雷卫平，郭荣斌，杨志兴，段志强. 微波部件的微放电效应检测系统 [J]. 国外电子测量技术，2017，36 (12)：52 - 56.

[104] 魏焕，马伊民. 一种对大功率器件微放电检测新方法的研究 [J]. 空间电子技术，2014，11 (4)：7 - 10，82.

[105] 李砚平，马伊民. 一种多载波情况下的微放电检测新方法 [J]. 空间电子技术，2009，6 (3)：103 - 107.

[106] 张晓平，雷冀. 卫星天线及微波器件大功率微放电试验技术 [J]. 航天器环境工程，2008，25 (6)：516 - 518，497.

[107] 赵晶. 空间环境对航天器影响的统计分析 [J]. 航天器环境工程，1998 (4)：41 - 53.

[108] 朱光武，李保权. 空间环境对航天器的影响及其对策研究 [J]. 上海航天，2002，19 (4)：1 - 7.

[109] Alamos National Laboratory [CP/OL]. America：New Mexico，2018，https://mcnp. lanl. gov/.

[110] GILL E W B AND ENGEL A V. Starting potentials of high - frequency gas discharges at low pressure [C]. Proc. R. Soc. Lond. A，Math. Phys. Sci.，1948，192 (1030)：446 - 463.

[111] HATCH A J and WILLIAMS H B. The secondary electron resonance mechanism of low - pressure high - frequency gas breakdown [J]. J. Appl. Phys.，1954，25 (4)：417 - 423.

[112] WOODE A and PETIT J. Diagnostic investigations into the multipactor effect，susceptibility zone measurements and parameters affecting a discharge，ESTEC working paper No. 1556 [R]. Noordwijk：ESTEC，1989.

[113] 唐隆煌. 高性能太赫兹波参量辐射源及其应用的研究 [D]. 天津：

天津大学，2020.

[114] 王新波，崔万照，魏焕，等．微放电试验中种子电子加载方法比较 [J]. 强激光与粒子束，2018，30（6）：102－107.

[115] 刘雷，李永东，王瑞，等．微波阶梯阻抗变换器低气压电晕放电粒子模拟 [J]. 物理学报，2013，62（2）：430－436.

[116] WANG X B，SHEN J H，WANG J Y，et al. Monte Carlo analysis of occurrence thresholds of multicarrier multipactors [J]. IEEE Transactions on Microwave Theory & Techniques，2017，65（8）：2734－2748.

[117] 王新波．空间大功率微波部件多载波微放电阈值研究 [D]. 西安：西安交通大学，2018.

[118] ANZA S，VICENTE C，GIL J，et al. Prediction of multipactor breakdown for multicarrier applications：The quasi－stationary method [J]. IEEE Transactions on Microwave Theory & Techniques，2012，60（7）：2093－2105.

[119] 陈建荣．多路合成载波的包络特性与微放电关系分析 [J]. 空间电子技术，2000，1（4）：1－5.

[120] 辛宇，崔骏业．多载波情况下抗微放电性能分析 [J]. 空间电子技术，2002，1（4）：42－47.

[121] ANZA S. Multipactor in multicarrier systems：Theory and prediction [D]. Valencia：Universitat Politècnica de València，2014.

[122] ANZA S，VICENTE C，GIMENO B，et al. Long－term multipactor discharge in multicarrier systems [J]. Physics of Plasmas，2007，14（8）：082112.

[123] ANZA S，VICENTE C，RABOSO D，et al. Enhanced prediction of multpaction breakdown in passive waveguide components including space charge effects [C]. Proceding of MTT－S International Microwave Symposium Digest，Atlanta，GA，USA，2008：1095－1098.

[124] ANGEVAIN J C, DRIOLI L S, DELGADO P S, et al. A boundary function for multiearrier multipaction analysis [C]. Proceeding of 3rd European Conference orAntennas and Propagation, Berlin, Germany, 2009: 2158 - 2161.

[125] SCHAUB S C, SHAPIRO M A, TEMKIN R J. Multipactor breakdown thresholds at 110 GHz [J]. Physical Review Letters, 2019, 123 (17): 175001 - 175006.

[126] SASAKI K, WAKE K, WATANABE S. Measurement of the dielectric properties of the epidermis and dermis at frequencies from 0.5 GHz to 110 GHz [J]. Physics in Medicine and Biology, 2014, 59 (16): 4739 - 4747.

[127] 田伟，张国锋，雷卫平. 宇航级高功率微波载荷微放电效应检测 [J]. 电子质量，2021 (4): 100 - 102.

[128] 王新波，张小宁，李永东，等. 基于修正差分进化算法确定周期内多载波微放电等效功率 [J]. 中国空间科学技术，2017，37 (2): 66 - 72.

[129] 王新波，李永东，崔万照，等. 基于临界电子密度的多载波微放电全局阈值分析 [J]. 物理学报，2016，65 (4): 301 - 310.

[130] 宋庆庆，王新波，崔万照，等. 多载波微放电中二次电子横向扩散的概率分析 [J]. 物理学报，2014，63 (22): 35 - 41.

[131] 宋庆庆. 多载波微放电过程的概率分析 [D]. 杭州：浙江大学，2014.

[132] 杨晓帆，林先其. 适用于毫米波及太赫兹频段大气传播测试的准光腔设计与试验 [C]. 2019 年全国天线年会，2019.

[133] 邹翘. 准光腔法介电性能高精度测试技术研究 [D]. 成都：电子科技大学，2018.

[134] 李宏彦，张其劭，郭高凤. 用准光腔自动测试大面积介质复介电常

数的平面分布［J］. 宇航材料工艺，2006（S1）：96－99.

［135］倪鑫荣. 大功率微波部件微放电效应的研究［D］. 湘潭：湘潭大学，2021.

［136］王新波，魏焕，张洪太，等. 初始种子电子数目对单包络周期多载波微放电阈值的影响［C］. 2021年全国微波毫米波会议论文集（上册），2021：128－130.

［137］邬家旺，汤辉，冉黎林. 有源相控阵天线远场测试系统设计［J/OL］. 测控技术，2022：1－7.

［138］田波. 某星载雷达天线微放电特性的仿真分析与测试［J］. 电子机械工程，2018，34（4）：27－30.

［139］王丹，贺永宁，崔万照. 氮化钛薄膜二次电子发射特性研究［J］. 表面技术，2018，47（5）：9－14.

［140］王新波. 空间大功率微波部件多载波微放电阈值研究［D］. 西安：西安交通大学，2018.

［141］CHANG C，SHAO H，CHEN C H，et al. Single and repetitive short－pulse high－power microwave window breakdown［J］. Physics of Plasmas，2010，17（5）：296－105.

索　引

0～9（数字）

A～Z，γ

A ~ B

C

D

E

F

G

H

J

K ~ M

O ~ Q

S

X

Y～Z

（王彦祥、张若舒　编制）

彩　　插

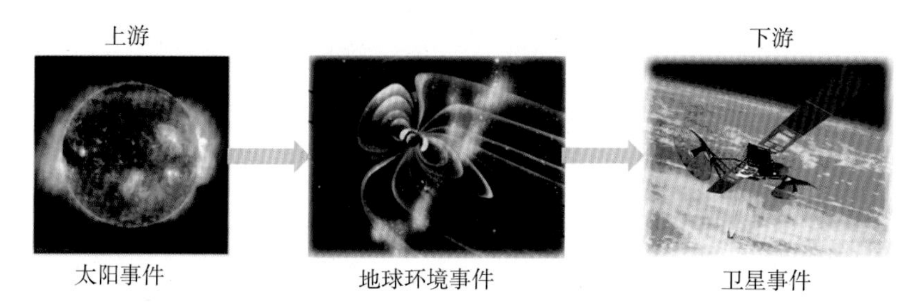

图 1-3　太阳事件引发卫星事件过程示意图

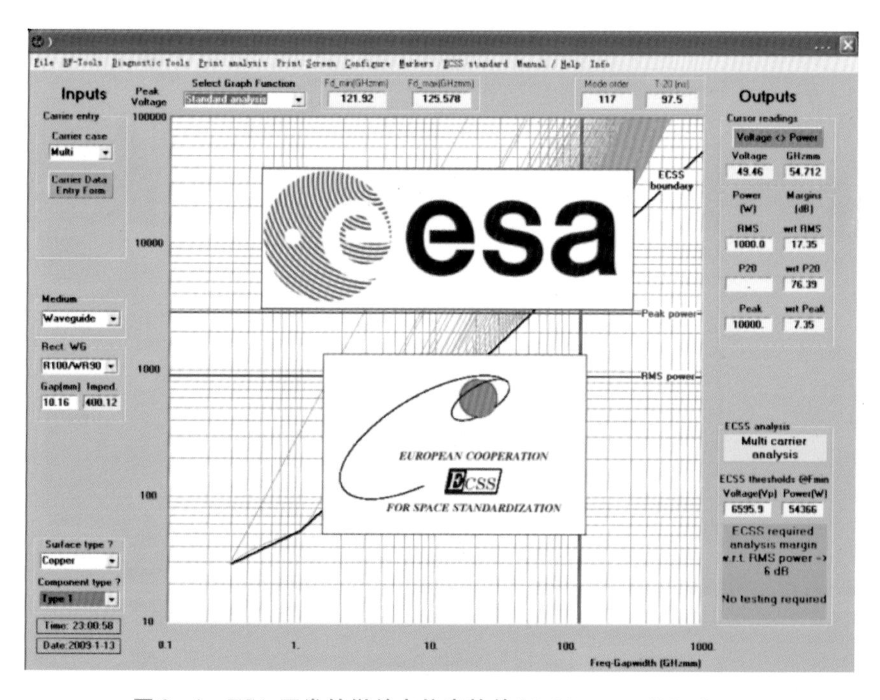

图 2-1　ESA 开发的微放电仿真软件 Multipactor Calculator

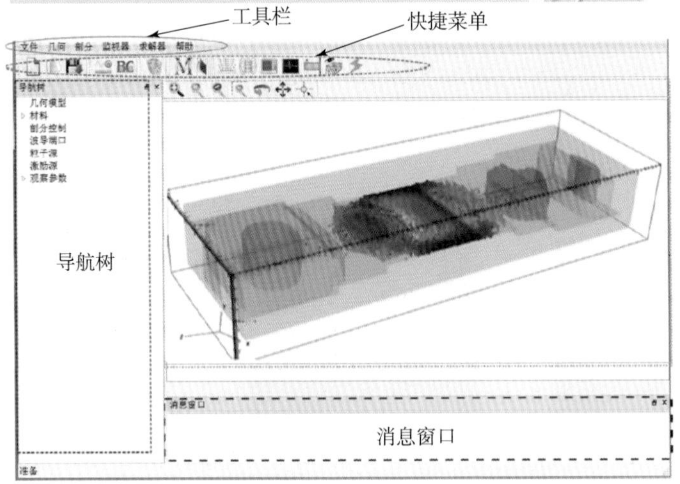

图 2-2 微放电仿真与分析平台 MSAT 软件界面

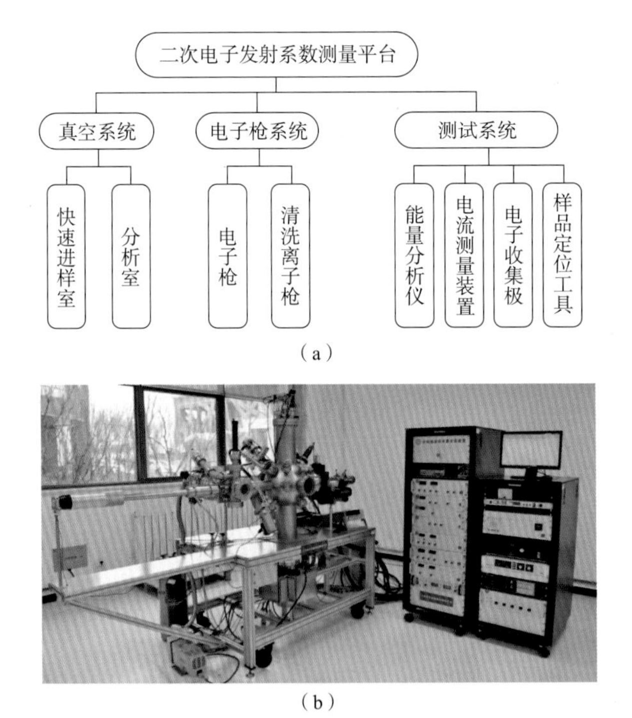

图 2-10 金属二次电子发射系数测量设备

(a) 系统组成图；(b) 现场设备图

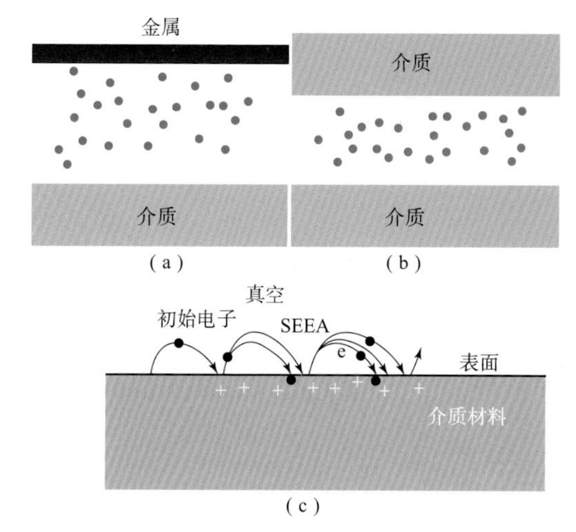

图 2-26　介质表面微放电

(a) 介质 - 金属微放电；(b) 介质 - 介质微放电；(c) 单介质表面微放电

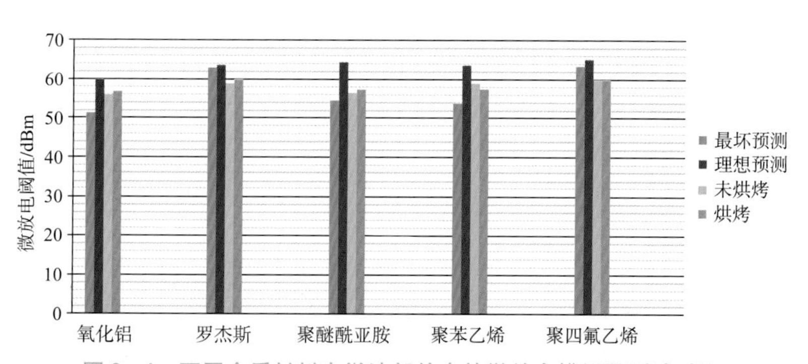

图 3-4　不同介质材料在微波部件内的微放电模拟及测试对比

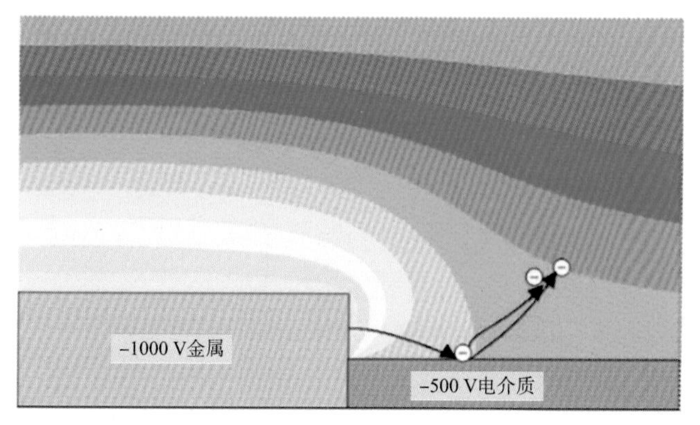

图 3-5　反向电压梯度配置中三点放电示意图

(电位轮廓用色标表示，金属出射的电子会被吸引到邻近的电介质区域，若二次电子的发射系数大于 1，两者的电位差会更大)

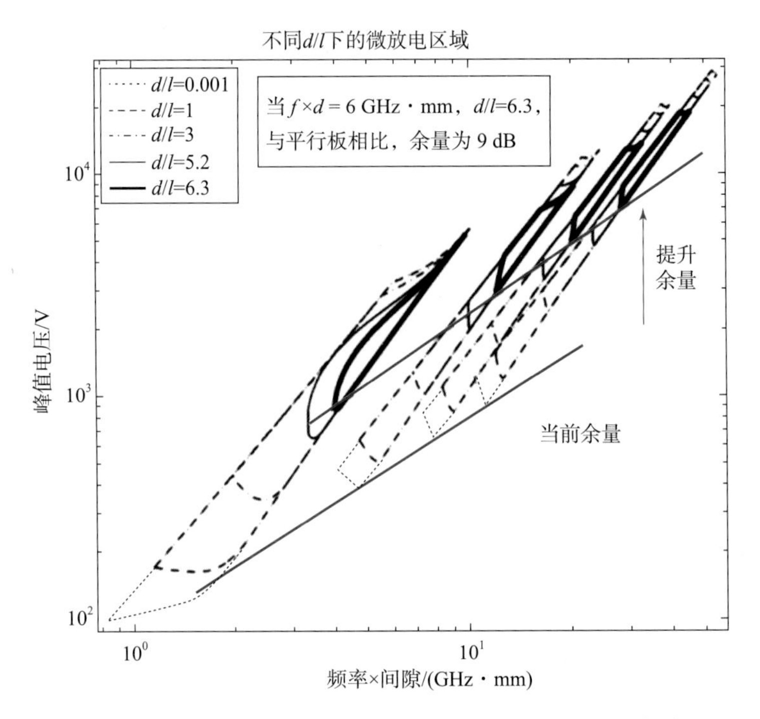

图 3-6 典型二维 Sombrin 图（不同 d/l 比率的边缘场效应对比）

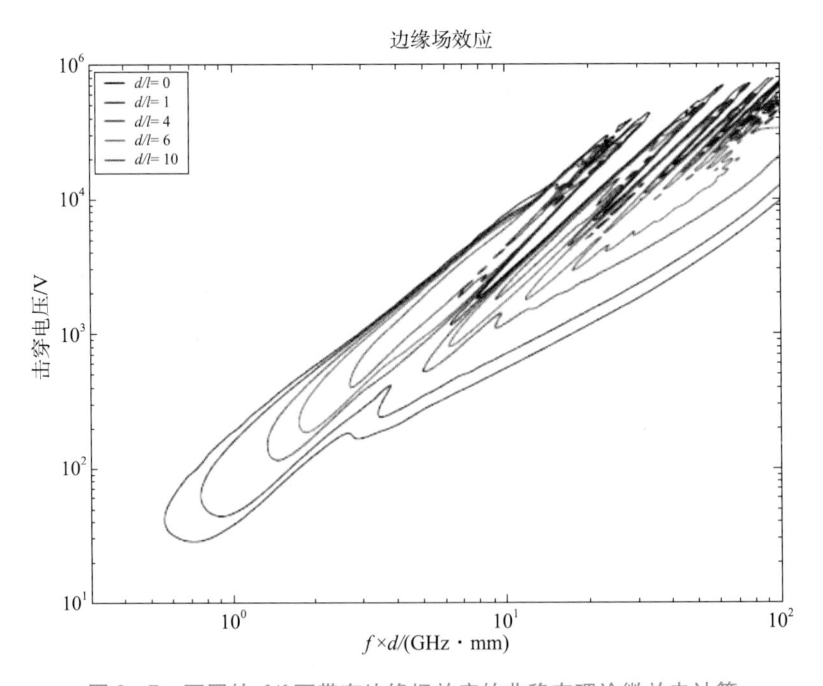

图 3-7 不同的 d/l 下带有边缘场效应的非稳态理论微放电计算

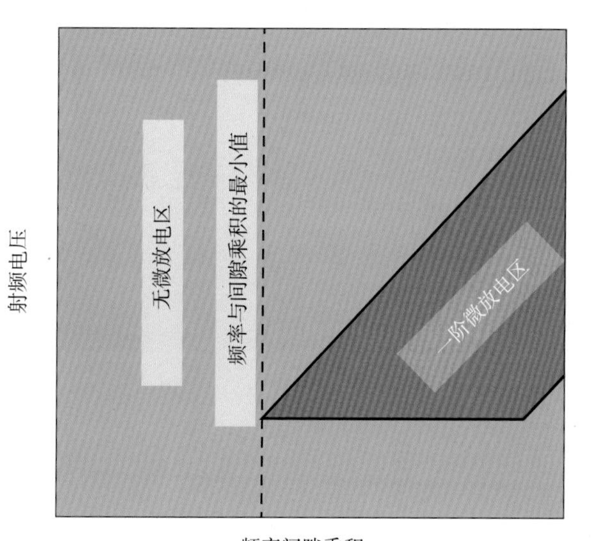

图 3-11　$f \times d_{min}$ 以下无微放电区域图

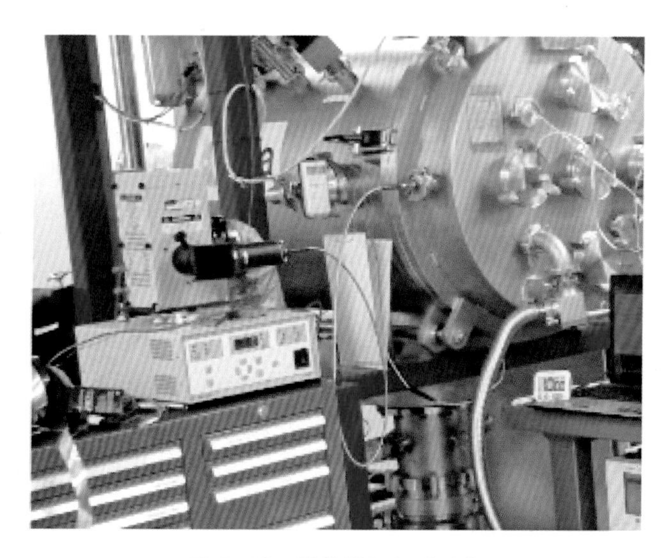

图 5-15　紫外线灯与试验台

图 5－19　安装在试验台上的电子枪

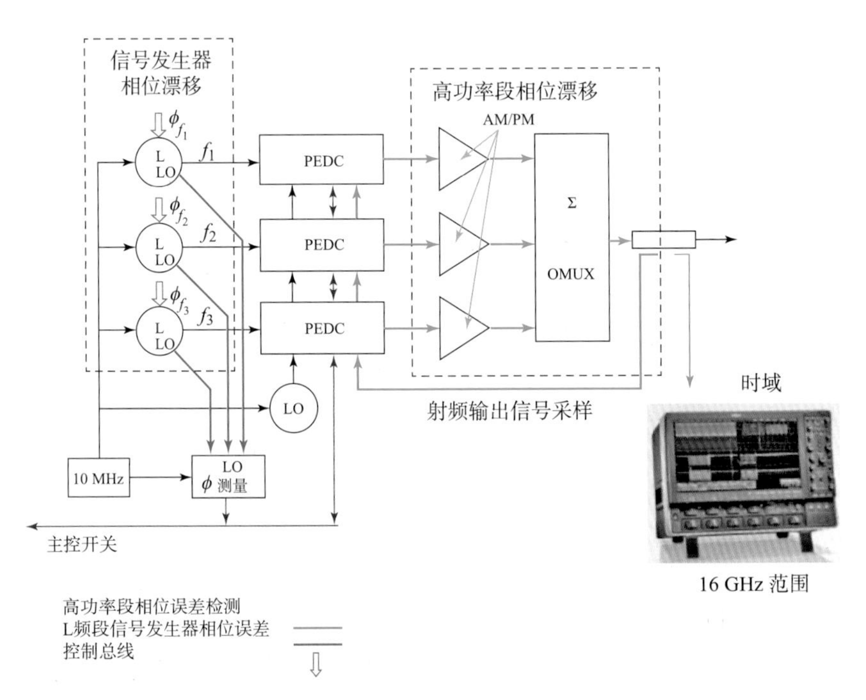

图 6－2　ESA 空间射频大功率实验室多载波微放电试验系统实现方案

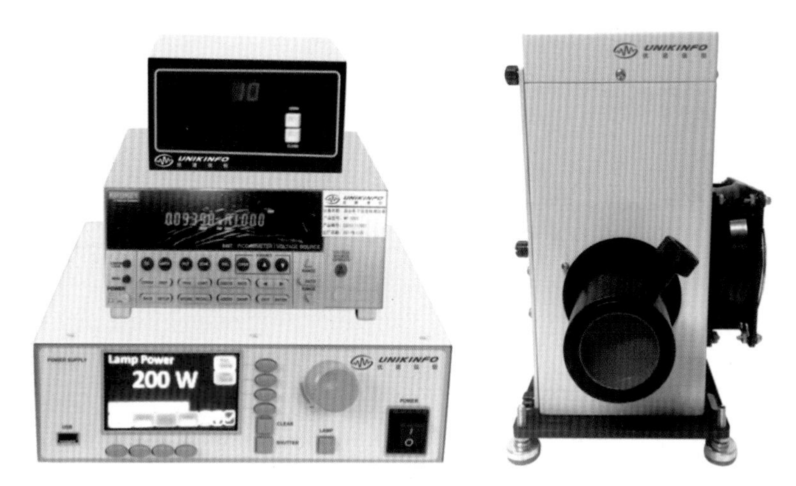

图 6－11　紫外激光源设备

图 6－12　紫外激光源产生种子电子的测量

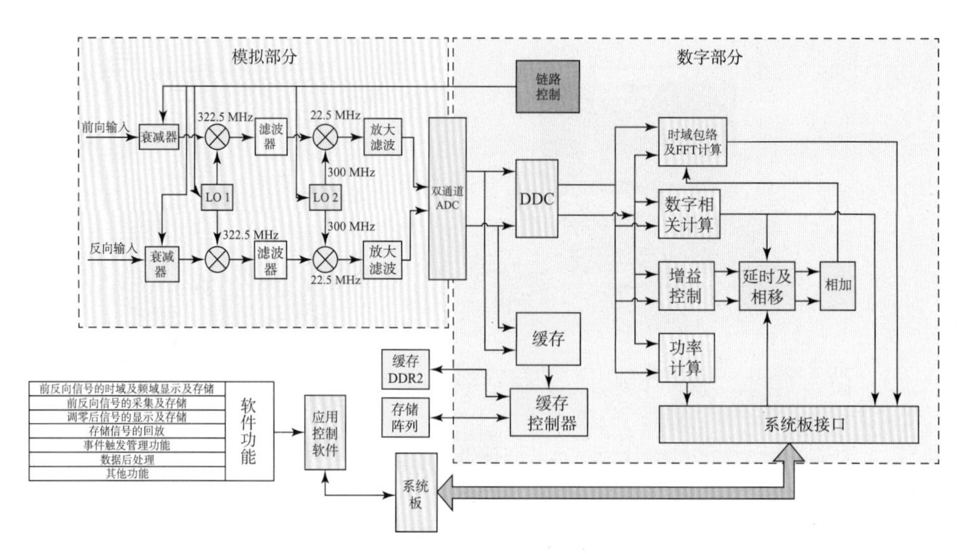

图 6-13　调零检测分析仪原理图

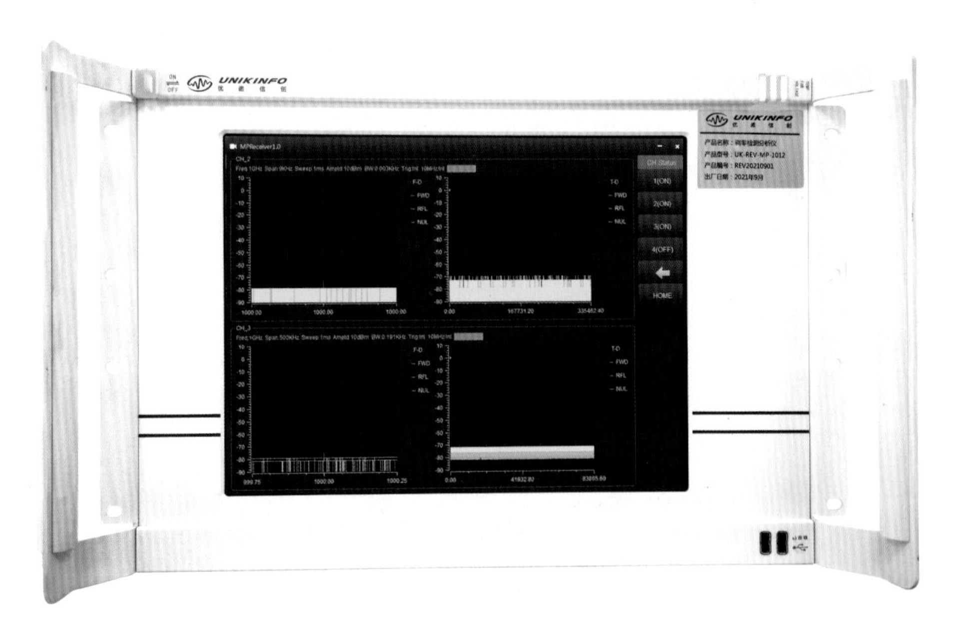

图 6-14　微放电自动调零检测分析仪

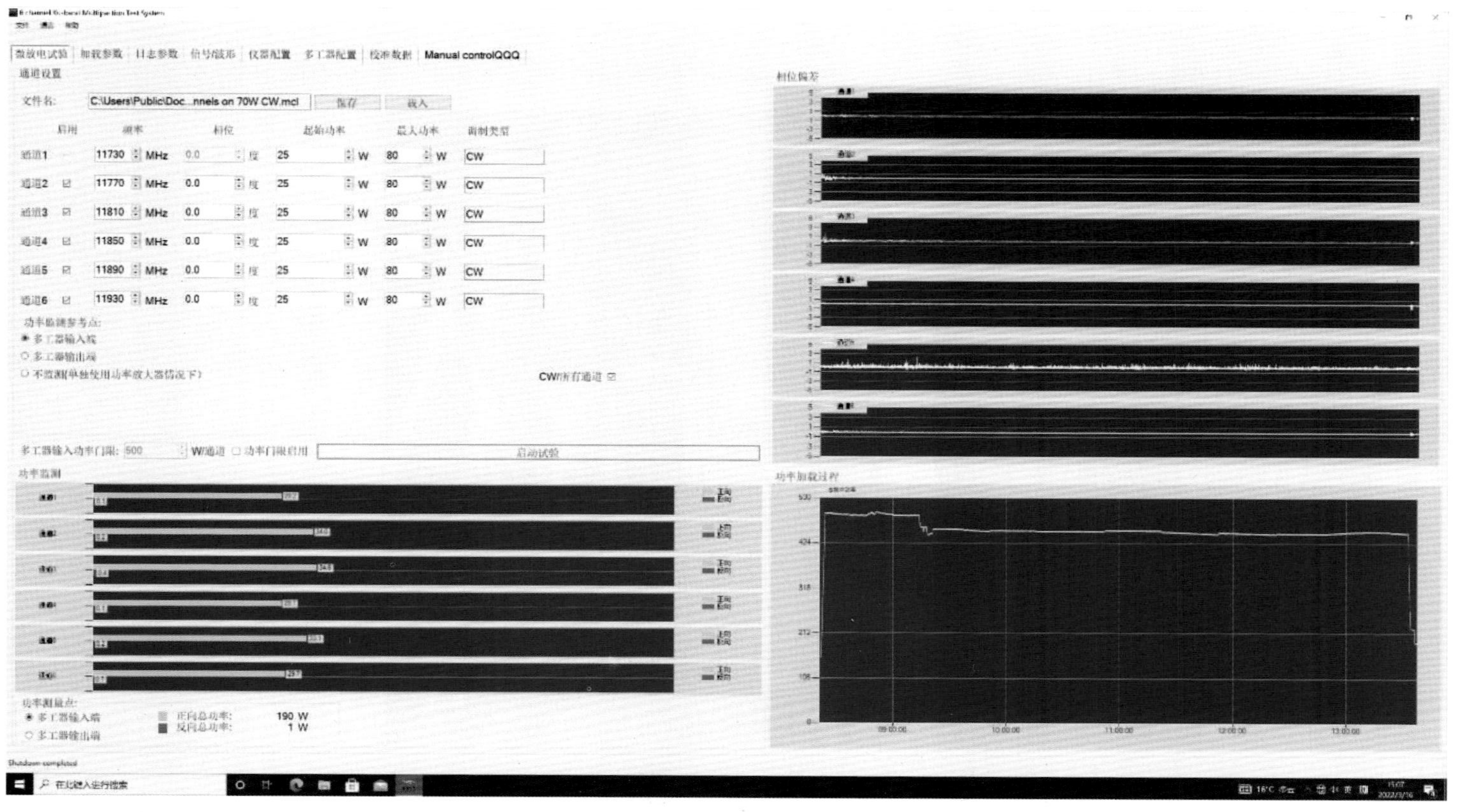

图6-16　系统软件主控界面

（a）

（b）

图 6－17　Ku 频段大功率多载波微放电效应

（a）研究平台正面；（b）研究平台整体

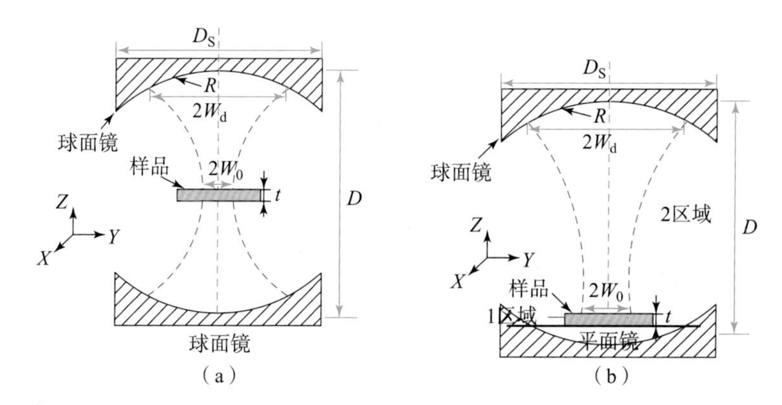

图 6-18 准光学谐振腔结构模型

(a) CTOR 谐振腔；(b) RTHOR 谐振腔

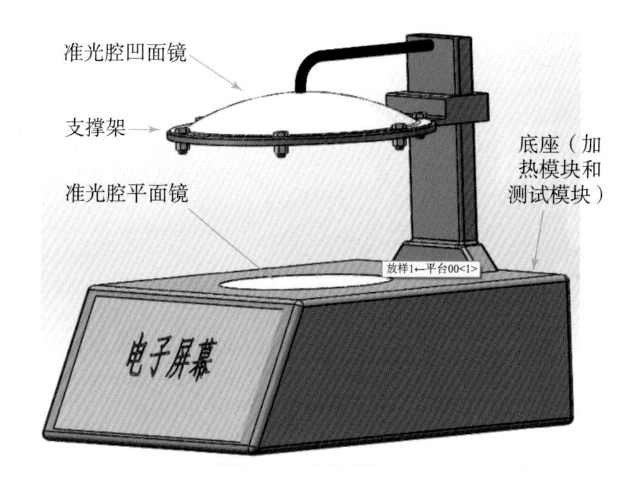

图 6-19 典型的准光腔测量系统

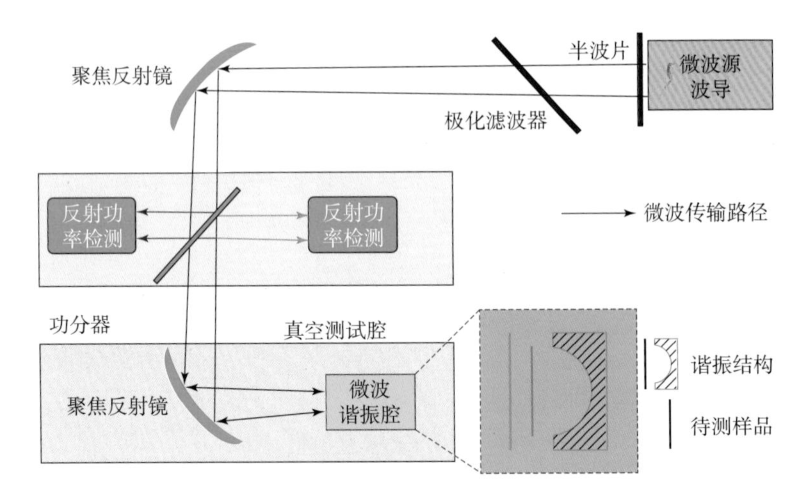

图 6－20　基于准光腔结构的毫米波微放电检测系统原理

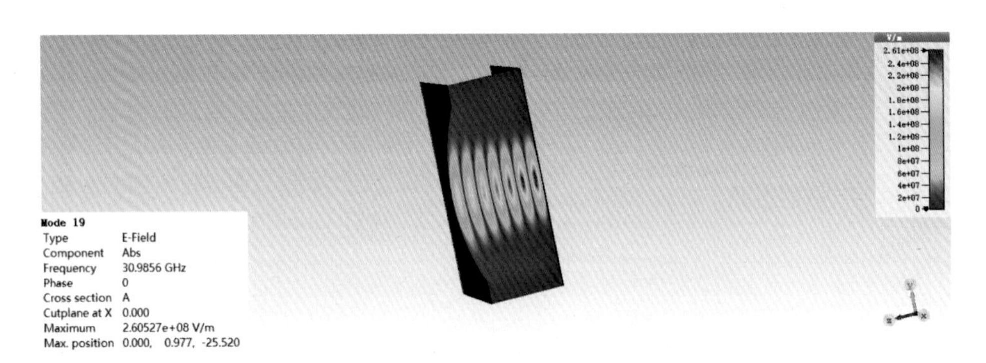

图 6－22　准光腔电磁场分布模拟结果